L'ARBRE
À
PERRUQUE

DU MÊME AUTEUR

LA FEMME BUISSONNIÈRE, Jean-Jacques Pauvert, 1971.

LA DERNIÈRE FEMME DE BARBE-BLEUE, Grasset, 1976.

LA MARIE-MARRAINE, Grasset, 1978. Grand prix des lectrices de « Elle », adapté à l'écran sous le titre *L'Empreinte des géants* par Robert Enrico. Livre de Poche.

LA GUENON QUI PLEURE, Grasset, 1980.

L'ÉCUREUIL DANS LA ROUE, Grasset, 1981.

LE BOUCHOT, Grasset, 1982. Prix du livre Inter. Livre de Poche.

LE TOURNIS, Grasset, 1984. Livre de Poche.

JARDINS-LABYRINTHES (avec Georges Vignaux), Grasset, 1985.

CAPITAINE DRAGÉE, Grasset, Pauvert, 1986.

LE DIABLE BLANC (le roman de Calamity Jane), Flammarion, 1987. J'ai Lu.

LA GARDE DU COCON, Flammarion, 1987. J'ai Lu.

LE CHÂTEAU D'ABSENCE, Flammarion, 1989. J'ai Lu.

COMTESSE DE SÉGUR, NÉE SOPHIE ROSTOPCHINE, Grande Biographie, Flammarion, 1990.

LA FILLE DU SAULNIER, Grasset, 1992. Livre de Poche.

LA JUPIÈRE DE MEAUX, Grasset, 1993.

HORTENSE DUFOUR

L'ARBRE
À
PERRUQUE

roman

BERNARD GRASSET
PARIS

À mon père,
qui était juge.

Ma vraie robe de noce est noire. La plus belle de toutes.

La couronne de fleurs d'oranger est une toque à galon argent. La ceinture, de la moire bleu pâle. Tu sais, ce bleu qui tue à la manière des lents et subtils venins ?

I

MERCENAIRE 33

« On ne peut être juste que si l'on
n'est pas humain. »

Annales de L'Ecole nationale
de la magistrature

LUANDA, ANGOLA, 1976.

Les pires étaient les mercenaires de la reine. Avec ce béret brun, dont l'insigne doré cachait à peine un minuscule drapeau britannique qui justifiait bien des horreurs. Une certaine élégance dans le coup de pied qui brise les côtes ou les dents. Une manière sans vulgarité de jeter au sol l'Autre, au moment où il s'y attend le moins. Avant d'admirer sa violence, ils l'avaient méprisé et surnommé Mercenaire 33. Il aimait plus qu'eux la bière. Ils se jetaient sur lui à plusieurs. Ils avaient une façon silencieuse de le piétiner. Avec méthode et sans répit. Le cri involontaire, de douleur et de rage, excitait leurs rires et leurs coups. Il était cette chose roulée sous les sabots ferrés d'une cavalcade sauvage. Il en ressortait encore vivant et à bonne école. Il y avait d'autres sévices. On lui faisait faire, en plein soleil, des pompes. Nouveau supplice où, en effet, il apprit les moyens pour réduire l'Autre. Les mercenaires de Sa Majesté... Qui dit « reine » évoque un sucre d'orge sacré de poudres rutilantes. Une robe d'éternelle mariée. Des diamants écrasent les rides et le sourire de la souveraine. Des

13

diamants ? il finirait par les ramasser à pleines mains.
Pendant des mois, il avait appris d'abord à être roué,
ensuite à rouer l'Autre.

Il avait approfondi sa seule université : la violence. Il
avait vingt-deux ans quand ces soudards lui rendirent
l'estime. Enfin, il avait tué. De trois manières classiques.
Les balles (facile), le couteau, les mains. Il savait jeter le
plat de la main, d'un coup bref et mat. Arrêter net le
sang et le souffle, côté cœur. Un heurt sur la gorge, là où
on sent sous la peau le tube (il disait « le tube »), rayé tel
un vieux pneu. « Œsophage » avait rectifié l'instructeur.
« Tube » arrivait plus facilement à ses méninges. Il
devrait sa progression, ses classes et sa confiance dans sa
force, à ces reîtres si augustes. Cette élite délicate ne
supportait pas les cris. Plus ils torturaient, plus les
clameurs les irritaient. Ils accentuaient leurs sévices à
cause de ce manque de tenue que sont les hurlements. Il
n'y avait pas de quoi faire une histoire pour des coups de
pied. C'était juste pour s'amuser un peu. Une mise en
train. Quand il s'agissait de l'ennemi, cela s'appelait un
simple avertissement. Les nègres, pire que les insectes,
grouillaient. Les Portugais les haïssaient. Ils avaient eu
besoin de cette soldatesque payée par un gouvernement.
Leur jouissance : un crâne négroïde piétiné devenait ce
légumineux de moins en moins identifiable. Courgette
rubiconde, poivron sanguinolent, citrouille explosée,
leur sang est rouge comme le nôtre. Comment le leur
pardonner ? Extase agaçante de sentir sous le thorax un
minuscule escalier qui s'effondrait. Belle leçon d'anatomie. Sous l'escalier, non, l'espalier, se trouvent, a dit
l'instructeur qui transpire au soleil, les organes essen-
tiels. Poumons, foie, cœur. La botte peut s'amuser là où
il y a les intestins. L'Autre n'est plus que cette outre

14

percée de l'intérieur. La mort sera lente. Une mort retard, qui dit mieux ? nous ne sommes pas des brutes. Mercenaire 33 apprit, là-bas, à peu près tout du corps humain. Ses formes et ses monts. Ses nudités avec ou sans peau. Ses jaillissements de veines, ses réseaux de nerfs et de muscles. Le ricanement d'une bouche déshabillée des chairs. Le corps, ses palpitations diverses, ses gestes incontrôlés sous les fils de la gégène. Ses suints et ses déjections pendant certaines séances. Cette décoloration en gris, pâleur des noirs quand ils ont peur. Il apprit le sens de tous les cris. Du grave à l'aigu quand ça commence. Le silence, quand tout s'achève. Il retint le rythme des jurons, des malédictions, des appels à la mère au fond de l'épouvante. Le cauchemar cessait lentement. Il faut ce qu'il faut, disait l'instructeur quand râlait l'Autre. Là, se trouvent la glotte, l'épiglotte, le nerf cubital… Mercenaire 33 butait sur les termes. Après les séances, l'instructeur l'obligeait à écrire ces mots précis qui servaient à désarticuler un homme. Le bic crachait les termes au coin d'un classeur jauni. Les mots s'emmêlaient à ses noces de sang. Il avait quitté l'école à douze ans et découvrait un fol orgueil à remplir le classeur jauni. L'instructeur avait un jardin secret. L'amour, en belle langue de France, de Rabelais. Un soir de beuverie et de carnage où Mercenaire 33 excella, l'instructeur déclama une tirade : « *Comment Pantagruel deffit les troys cens géans armez de pierre de taille et Loup Garou leur capitaine.* » Mercenaire 33 fut ébloui. L'instructeur lui donna le livre de poche écorné qu'il lut d'une traite jusqu'à lui déclamer par cœur la tirade. Mercenaire 33 lisait à plat sur la couche étroite. Il en oubliait l'ennui, la rage et son particulier abandon. La honte d'avoir autrefois eu recours à une aide humiliante pour torcher

15

sa lettre d'engagement. Un livre — les mots — était donc, à l'occasion, plus puissant qu'une horde ? Il continua cependant à détester les dictionnaires. Cette infranchissable muraille qui le laissait en plan et désarmé. Le *Pantagruel* flanqué du *Gargantua* ne quitta plus la poche du treillis. A chacun sa bible. Celle-là lui convenait. Il relisait sans fin « *les grandes et inestimables chroniques de l'énorme géant Gargantua* ». L'étincelle rougeâtre embusquée dans ses prunelles s'éteignait. Les mots apprivoisés tels des tigres... Lui aussi deviendrait un géant que chacun envierait. De ses étranges apprentissages, le *Pantagruel* avait provoqué une crise d'éblouissement. Nul n'en sut jamais rien. Un secret trop tendre. Des fiançailles étincelantes. Il était pétri de secrets. Y compris son surnom. Lui, le Géant. Qui se nomme Dolmen.

Dolmen, mercenaire de France (dit 33), ne parle jamais de lui. Il hisse au-dessus d'un corps puissant une tête solaire, à la manière de ces météores funestes qui éclatent, forgeant au hasard un grand trou noir sur la terre. Quelque chose d'un nourrisson alcoolique (Gargantua ?) peut donner confiance à des natures simples. Le front est plus haut que vaste, démenti par une bouche enfantine. Il rit fréquemment pour mieux dissimuler. Le menton est gravé d'une fossette mignarde. La paupière, souvent mi-close, est cillée d'un blond roux. Au fond de l'iris bleu faïence, est embusquée une paire d'yeux minuscules et rouges. L'oreille est petite pour un homme. L'ensemble s'ordonne en une harmonie sinistre et militaire. Un dessin au crayon, bleu, kaki. Une figure d'affiche de propagande allemande. Il marche sans jamais qu'on l'entende, bien qu'on le pense lourd. Un bœuf, rivé au sillon sans arrêt recommencé. Il étonne, soudain, par sa légèreté. Celle de la grue ou de la hyène qui flaire la proie. Sous le treillis, dans la botte, puis, plus tard, dans le costume venu de la rue Saint-Honoré, qui lui va comme un tutu à un sanglier, se meut un corps trop pâle, de muscles et de masse. Il ne ressemble pas aux mercenaires de la reine, longs, secs et dont l'œil n'a pas cette fixité indiscrète de Dolmen. Eux savent se tenir. Surtout quand ils tuent. Précis, efficaces, mais non voyeurs.

En 1974, il avait rejoint deux types au bar de la Boule d'or, place Blanche. Là se recrutent les mercenaires.

— Khartoum ? non, va plutôt en Angola, il y a des diam's.

Il ignorait que ses premiers ennemis ne seraient pas les rebelles chers à Salazar, mais des gars comme lui. Excepté qu'ils étaient rattachés à l'Angleterre et feraient leurs gammes sur son corps. Encore cent pompes, pédé ! L'humiliation est au sol. A plat ventre, cent fois la pompe, sous la pluie, le soleil, un truc qui oblige à monter sa croupe et l'offrir à la cravache de l'Instructeur. Cent fois.

Le recruteur, au bar de la Boule d'or, susurrait les paroles d'Ali Baba devant la caverne. Tu vas faire fortune. C'est ce qui compte. Tout est pourri. Si l'or est le suc du blanc, tue le blanc. Mais de cette racaille crépue, qui pue la merde, armée de simples bâtons, viendra ton or. Il n'y a ni cause ni illusions ni patrie.

17

Regarde ton Algérie. Rien, plus rien. Ne me fais pas rigoler avec un dieu quelconque. Il y a la force et le fric. Une fille, de temps en temps. Un petit garçon, si ça te chante. Il opinait, oui, oui, en avalant sa cinquième bière. Le recruteur remarqua la couleur assortie de la mousse et de la chevelure, frisée mollement. Un toupet. Un gros bébé à toupet.

Le recruteur parla encore de l'Angola et de cette précieuse guerre.

— Tu trouveras une armée crépue et ignare, pieds nus, qui veut se faire l'orgueilleuse colonie portugaise bourrée aux as. Les mines de diamants appartiennent à des roitelets locaux que l'on nomme des régents. Autour de Lobito, Nova Lisboa et Dundo. Va à Dundo. Débrouille-toi là-bas. Ne pense qu'à l'or. Au fait, un dolmen, c'est de la pierre couchée ou debout ? Salazar, voilà un type malin ! La politique officielle d'assimilation te servira à devenir riche. Taille, mon gars, taille !

Tailler : appointer, chanfreiner, échancrer, vider, découper, dégrossir, charpir, ébarder, élaguer, étêter, étronçonner, ravaler, émonder, rafraîchir, trancher.

Dans la chair vive du nègre ou de l'Autre.

Pour cela, il fallait devenir le mercenaire 33.

Un calibre, une carrure, une charpente, une dimension, une hauteur, un grand format en tout genre.

Taille, gars, taille.

N'omettons pas le treillis, le poignard, un chargeur qui tire vingt balles. L'entraînement où il fut la Chose, l'arbre taillé, puis à son tour d'être l'élagueur et le découpeur. Il y eut l'avion discret, massif, aux hublots minuscules, couleur caca d'oie. Le premier saut en parachute. Taille, gars, taille. Jouis grâce à la seconde où on ne sait pas s'il va s'ouvrir. Quand les courroies ne tiraillent pas divinement les épaules. Que les éléments sont les souverains, et vous réduisent à leurs exigences.

Luanda et ses saisons pourries. Les moiteurs qui auréolent le treillis. Tu n'as pas honte de suer ainsi ? Tu pues des pieds. Qui es-tu ? Mercenaire 33. La bière, ici, heureusement, est bonne. La jungle, alentour, un entrelacs où l'Ennemi se cache. Les rebelles : trois fois rien. L'intructeur avait raison. Tout le monde déteste les nègres. Ne respire pas quand ton poumon est prêt à péter sous la botte. Retiens ton souffle. Attention à tes couilles. C'est connu. Il n'y a pas que les filles pour taper dedans quand on les viole.

Avant son départ, il avait subi un premier abaissement suave et sombre. La conscience d'une impuissance, une obsession, que rien — pas même la Fortune — ne cautériserait. Le *Pantagruel* avait déboulé trop tard.

Il avait fallu pour rédiger la lettre de l'engagement (dûment signée, Coco, mets une croix si ça t'arrange) l'humiliation de faire appel à la petite de l'étage audessus, dans le HLM où vivait sa famille.

Une fille de onze ans, la meilleure de la classe. Julia Jordane. La mère du mercenaire, gardienne de l'immeuble, dite la mère Balai, lui avait indiqué la petite forteen-français-et-dans-toutes-les-matières. La mère Dolmen non plus ne connaît rien à l'écriture. Dame ! en Algérie, dès l'âge de huit ans, elle allait aux champs. Sa mère, lourde comme un tonneau, criait du matin au soir contre ses dix gosses et le père, sec, prolifique et muet. Les colons étaient, pour la plupart, si pauvres !

19

Un petit peuple, grouillant et misérable constituait cette écume de l'Europe et de nulle part.

Taille, gars, taille. Comment écrit-on « j'ai l'honneur de solliciter de... » ?

Tout l'immeuble, dans un bas quartier de Toulon, savait que Julia Jordane avait eu le prix d'excellence et sauté une classe.

Il était revenu de la place Blanche ventre à terre. Il fallait, avait dit le recruteur, écrire une lettre. Voici un modèle, débrouille-toi. Personnalise ta demande. L'obstacle, le caillou de la route, le grain de sable dans le rouage, la fêlure était là. Une lettre parfaite et sans une seule faute. Il avait quitté l'école si tôt ! Cette main si habile aux œuvres qui appartiennent aux ténèbres, se paralysait devant les mots. Une plume était une arme aussi dangereuse que celles qui tuent. Il roulait en moto, très vite. Il doublait les voitures, les camions. Il s'exaltait avec tout ce qui bouge, fend le vent, écrase et dépasse. Devenir un avion de guerre qui lâche des bombes comme autant de rots. L'obligation d'écrire ralentissait cet élan tel un taon qui rôde. Il rêvait d'une planète de force et d'acier, de ruts rapides, sans un seul livre. La vie à l'état brut. Il avait accroché sur la manche en cuir de son blouson (cuir fac-similé, acquis aux magasins Tic Tac) des médailles un peu gammées sur les bords, argent, noir. Quelque chose qui brille et capture de plein fouet le ciel et le soleil. Qui éclabousse en tout sens. Des flammes, un brasier, un astre. Il est un astre. « Nous sommes français et bretons ! » clamait la mère Balai. Français, c'est vite dit. En 1962, des milliers de rapatriés se souvenaient davantage de l'expression « sales pieds-noirs ! ». On ne les assimilait jamais à une province de France. On s'étonnait de les voir si blonds. Il est vrai que les Kabyles sont blonds aux yeux bleus. Les entendre parler français surprenait davantage. L'accent, il y avait l'accent. Ceux qui s'en tirèrent le mieux allèrent à l'urgence mutilante de faire disparaître l'accent. On s'étonnait que les filles ne soient ni tatouées ni porteuses d'un tchador.

Taille, gars, taille.

Il avait détesté monter chez la famille Jordane, dicter sa lettre à la petite aux vastes prunelles châtaines. Dix-huit ans plus tard, elle aurait toujours ces iris comme on en voit aux cavales du désert, frangés longuement. Un œil qui ne se contentait pas de traverser l'autre sans le voir. Un regard gênant scrutait, déchiffrait l'informulable. Elle avait une peau d'ambre assortie à la longue natte noire — Défais tes cheveux, c'est à toi, tout ça ? —, une manière, un ton où la politesse ressemblait à une menace.

— Je vous écoute, monsieur Dolmen.

Cela provoqua en lui une sensation inconnue. Son nom lui sembla ridicule. Je n'ai jamais eu de malaises. Elle m'agace, cette môme. Quelle était cette palpitation qui blanchissait les poignets ? Il n'osait formuler le sens du malaise et l'endura. *La honte.* Un supplice qu'aucune violence ne pouvait dissoudre. « Elle a l'air d'une

21

bougnoule, se dit-il pour s'encourager. Elle ose lever le menton et me faire signe de bien vouloir m'asseoir. »

Le corps menu, à peine formé. Elle était pâle à la manière des vraies brunes, la bouche ourlée de mauve. On pouvait déchiffrer le réseau des sangs du Sud. L'Espagne ? L'Italie ? Son prénom était Julia.

Nous sommes natifs de...

Ils butaient tous contre un lieu d'origine. Le HLM balayé par sa mère était méprisé de la ville. Les blonds de l'immeuble rejetaient les bruns. Les catholiques se détournaient de ceux qui fêtaient le Grand Pardon, qui, à leur tour, les dédaignaient. Quelques Nord-Africains vivaient à part, relégués de tous. A l'occasion, on s'entraidait. Furtivement.

Taille, gars, taille.

Il la surnomma la Jordanie afin de dépasser le détestable émoi. Elle penchait un front sévère sur un bloc-notes. Il eut une vague crainte devant son agilité à manier un minuscule poignard : le stylo.

— Je vous écoute, monsieur Dolmen.

Il l'eût volontiers giflée, mais elle le fixait d'une telle manière qu'il plia et se soumit.

L'immeuble résonnait de chaque vie privée. Elle partageait la chambre aux murs si minces avec sa sœur aînée, Maria. Charnue, belle, la taille sanglée dans du plastique à clous dorés. La permanente trop frisée, décolorée en blond platine, elle attirait les garçons.

— T'as pas honte ? criait Mamita, matriarche de la tribu Jordane, on dirait une fille de rien ! pire que ta mère !

Dame, quand on est apprentie coiffeuse aux magasins Tic Tac, commerces en tout genre, la tentation est grande. On copie les magazines. Le blond est la hantise des gens du Sud. Leur phobie, leur secrète horreur et leur joug. Pas question d'avoir une tignasse aussi noire que celle de la famille Saadi au second étage ! Ou celle des Mohamed qui ont osé se faire rapatriés français. Troisième étage. Le blond, ça gomme davantage l'histoire d'un pays de rêve où battait la mer, plus fort que le cœur. Il y avait les pierres si suaves de Tipasa, le sable aux cristaux précieux, d'un rose tremblé. Le rire des filles que l'on n'osait toucher. Le frais murmure d'une fontaine. Le cri invisible de la mosquée, les longs silences des après-midi de plaisir et de sommeil. Le goût du beignet brûlant, la fleur d'oranger, l'huile et le miel. Le choc délicieux de la limonade glacée. On ignorait que les dieux seraient jaloux d'un tel Bonheur. Qu'il n'est nul Eden où l'Homme est longtemps protégé. Qu'un royaume, fût-il crotté de chèvres et de jasmin, est menacé et fragile comme tous les royaumes. On était une province française reliée à la matrice d'ici. La France !

Taille, gars, taille.

Une table en bois blanc sépare les lits jumeaux que Mamita a recouverts de cretonne acquise aux magasins Tic Tac. Les rideaux sont assortis. Les femmes de là-bas sont les plus subtiles couturières de France. Mamita avait cousu entièrement à la main la robe de noces de sa fille, Gloria, la mère des petites. La jeune veuve dont elle avait élevé les filles. Elle finissait, Mamita, par confondre les trois femmes du logis. Ni petites-filles, ni filles : ses filles. Gloria aussi est coiffeuse aux magasins Tic Tac. Décolorée en blond Marilyn. Mamita avait beaucoup crié. Une veuve doit se vêtir de noir des pieds à la tête. Ainsi l'exige le protocole du Sud. Gloria déplie tous les soirs le convertible de la salle à tout faire. Gloria et

23

Maria ont leur CAP de coiffeuse et davantage l'air de deux sœurs que d'une mère et sa fille. Julia est si différente : une jupe noire, un chemisier blanc. Pourquoi cette petite est-elle aussi austère ? Julia sourit peu, travaille sans relâche, les rideaux tirés, des boules Quiès dans les oreilles.

Mercenaire 33, dans cette chambre, ne savait que faire de son corps, sa gêne. Il tenait toute la place, trop de place. Il se laissa tomber sur le lit qui grinça. Aux magasins Tic Tac, les sommiers sont des reprises. Il souriait de façon vague. La gifler. Claquer la porte. Après tout, il torcherait bien cette bafouille. Les instructeurs en avaient vu de pires. La petite attendait toujours, debout, la main posée sur un dictionnaire dont la couverture portait un dessin. Une femme soufflait sur une fleur légère. Il fut repris de cette sale petite angoisse. Le cou palpitait à peine sous une chaînette de première communiante. Cette fille — on n'est plus une enfant avec un regard pareil — debout près d'un bureau en méchant bois, la main délicate aux ongles non vernis posée sur un dictionnaire, avait l'air d'un petit juge.

Il redevint faraud. Il étala ses grandes jambes, claqua des talons sur le linoléum affreux qui sentait l'eau de Javel. Il portait des bottillons attachés sur le côté par des agrafes d'acier.

Elle le regardait des pieds à la tête tandis qu'il sortait un imprimé barré d'un trait bleu blanc rouge. Elle fixait le front où perlait la sueur, le sourire enfantin, les dents étincelantes qui mordaient, énervées, la lèvre gonflée et rose. Elle le transperçait, fouillait dans la tête. Elle s'attardait à peine, c'était insupportable, sur les mains, trop courtes pour un homme, mais puissantes et loties d'ongles durs, irrigués sous la corne.

— Tu as fini de me mater comme ça ? grommela-t-il.

Elle ne se pressait pas. Elle détaillait l'oreille indécente dans ses replis trop rouges, la nuque rasée. Les boucles molles avaient l'aspect d'une banane. Un espace de chair au-delà des tempes révélait le réseau verdâtre des veines. La honte. Il l'associa désormais, la honte, à l'image d'une fille brune plantée devant un dictionnaire.

Elle osa réclamer le vouvoiement et il se soumit. Le stylo lui faisait peur. Elle écrivait sans peine, avec force et il l'envia quelques secondes. Un vague désir, non identifié, l'engourdissait. Le pouvoir qu'elle détenait et qu'il n'aurait jamais. Il dictait avec peine des mots peu compliqués. Elle lui jeta un bref coup d'œil sans autre éclat que le dédain inné pour l'Illettré et ses bottes de soldat.

Elle lui tendit la feuille et il eut envie de tout piétiner. La feuille et la fille. Il était incapable de signer devant elle. Il aurait tremblé.

La honte.

Pourtant, il lui avait apporté un petit cadeau. Une broche acquise aux magasins Tic Tac. Un scarabée en plastique vert pomme percé d'un œil bleu.

Elle remercia d'une brève inclination de tête.

— Tu ne le mets pas ? dit-il d'une voix de plus en plus indécise.

Elle dédaigna l'offrande.

— N'oubliez pas, monsieur Dolmen, que le mot « honneur » s'écrit avec deux « n ».

Il claqua la porte avec violence. L'odeur de la chambre avait perdu la fraîche banalité de la lavande et de l'eau de Javel. Il y traînait la nuée lourde du fer chauffé, du cuir mouillé, du suint des porcs quand on va les égorger.

Elle ouvrit la fenêtre.

Luanda, Cabinda, Dundo.

Taille, gars, taille.

Le feu, les flammes, la gorge que la bière ne désaltère plus. Où sont les filles ? Un rebelle, lentement torturé sous les indications de l'instructeur. Le tronc de l'arbre empoisonné auquel est liée la victime, transforme les plaies en cloques mortelles. Mercenaire 33 s'épanouit en prouesses diverses. Il a fait déguerpir une poignée de rebelles qui occupaient la villa du Régent vert. On nomme ainsi le plus riche diamantaire de cette province. Tout diamant comporte un minuscule rayon vert perceptible aux connaisseurs. Le Régent reçoit ce mercenaire si efficace parmi les magnificences de son palace. Déguerpir : cela signifie appliquer les leçons d'anatomie vive sur l'ennemi. Oui, oui, ils ont déguerpi. Le Régent a un sourire de potentat. Une panse qui déborde sur le pantalon blanc, une poitrine molle et velue. Dans le salon en marbre blanc, il y eut un coup de foudre entre hommes. Mercenaire 33 et le Régent s'adoptent d'un seul regard. Le bleu faïence, pour une fois, contemple la prunelle vert pâle (curieux, ce métissage) de l'Autre. Les deux prunelles, habituées à honnir, mépriser, dominer, se font velours et œillades. Une adoption, une reconnaissance virile comme les mâles, quelquefois, la pratiquent entre eux. *Comment Pantagruel trouva Panurge lequel il ayma toute sa vie ?* Leur entente se composa autour d'une imperceptible et jalouse alliance : la Fortune. Le Régent vert parle un français truffé de mots où roulent les « r ». Tiens, mon gars, bois encore. Il le tutoie mais ce « tu » est une caresse de plus. Un serviteur noir, muet, dont on a tué les frères, leur sert le thé. Les grands de ce monde apprécient mes diamants. Mets du rhum dans le thé, Coco. Ça passera mieux. Comment boit-on du thé sans briser la porcelaine qui reflète le rayon mauve du ciel et d'un reste d'incendie par la baie grande ouverte ? Le Régent vert a l'air d'un porcelet qui tète. Il jette de vifs regards par-dessus et par-dessous la tasse. Ce soldat mal à l'aise dans le fauteuil en velours rouge, a un sens. Tout est calcul à qui aime l'or et sait en fabriquer mieux qu'Aladin et sa lampe. Pas de lampe, ici, excepté celle des mineurs de la terre à diamants. Un président de France, ami des peuples noirs et de leurs diamants, a dormi dans la Villa blanche. Le Régent vert, qui aime recevoir, lui a offert quelques rivières rutilantes destinées aux dames, ou à porter lui-même. Tant d'hommes aiment les bijoux sans oser l'avouer ! Le Régent vert a reçu une petite compensation. Un bon passeport, une rosette du mérite, quatre cents mètres carrés à Paris, avenue Montaigne. Ça te dirait, Coco, d'habiter les beaux quartiers ?

— Dolmen, tu as été formidable, murmure le richissime. Je suis un sentimental. Un amoureux des fleurs. Les femmes doivent porter un nom de fleur. J'ai six filles. C'est si délicat, une fille. Un véritable parterre.

Il énuméra les prénoms où quelques désordres botaniques surprenaient. On était davantage proche des bulbes que des corolles.

Une grande cavale aux hanches élargies par la tenue de cavalière entra.

— Géranium, dit le Régent. Ma préférée.

Mercenaire 33 détaille sans vergogne la jambe galbée à la manière des négresses, les seins petits mais bien placés, la bouche lourde, la chevelure crêpelée en une tresse roussâtre. Elle était entrée dans le salon comme dans une écurie. Elle attelle elle-même sa monture, cravache ses chevaux, galope et saute les obstacles. Elle chevauche à merveille, outre ses équidés, une Harley Davidson. Tout le monde craint Géranium. Même les hommes. Elle est célèbre dans la province du Régent pour son intrépidité. Courir, galoper, diriger le formidable engin, gagner les rallyes forcenés qui détruisent au passage tout ce qui bouge.

— Elle a des yeux verts ! dit le Régent avec une fierté folle, comme nous, les vrais Européens. Verts ainsi mes plus beaux diamants. Géranium, à vingt-cinq ans, est mon plus beau diamant.

Mercenaire 33, décidément de plus en plus inventif, eut aussitôt une pulsion que l'on aurait pu confondre avec le désir. C'en était un, en effet, de la plus profonde espèce. Coucher utile. Epouser une héritière. Elle ne le dégoûte pas, elle est trop riche. Il en oublie ce qui, chez une pauvresse, eût créé de simples jeux de fauve humiliant la proie. Qu'est-ce qu'un coup de boutoir dans le ventre de la chevaucheuse quand la Fortune est là, bien au chaud, entre une paire de cuisses musclées de façon virile ?

Taille, gars, taille. Tu sauras aussi être le jardinier de cette racine folle, dont l'intérieur de la bouche a le goût de l'oignon et du rhum blanc.

Le soir même, la cavale l'emmena derrière sa Harley Davidson. Il enserrait la taille garçonnière et sentait frémir la Fille sous le boléro en cuir. Ils s'accordaient déjà sur des points frustes et violents. Il eut l'air de se laisser faire, dans la forêt, où tout semble immobile, sans yeux et sans oreilles. Dans la forêt on peut crier et faire crier tout son soûl. Ils cherchèrent, ensemble, la cravache et la ruade. Ils furent la Bête au sol. Ils jouissaient. Plus tard, on se mariera, dit-il.

La pluie tropicale s'était mêlée à leurs épousailles de terre et de boue. La honte appartient au territoire du pauvre. Il haïssait les pauvres. Dans son exultation, avait surgi l'image incommode d'un petit juge en noir, la main posée sur un dictionnaire. Est-ce pour cela qu'il prit la cravache et rossa, encore, encore, la fille nommée Géranium ?

Les villas autour de Dundo — excepté celle du Régent vert — avaient été pillées par les mercenaires de la reine et, bien sûr, Mercenaire 33. Il n'en dit rien à son futur beau-père. A chacun ses affaires. Il faut se méfier de tout. Géranium ne connaîtrait qu'une partie de ses secrets. Parmi les flammes, la cendre, les troncs calcinés de quelques colons (il revoyait la guerre d'Algérie), il avait ramassé à pleins poings des diamants, des bijoux, des dollars. Une fortune en pierres précieuses. C'est si petit, une fortune. On peut dormir avec sans que nul s'en aperçoive. Pas plus que l'on ne retrouve la paye d'un mercenaire, le code de sa banque. On oublie si facilement que les grosses ficelles sont les meilleures ! A peine six sacs cousus dans le treillis. Rien, trois fois rien. Le temps d'arracher à Géranium le oui des femelles ivres qui ne voient plus le gouffre dont elles ont ouvert elles-mêmes la brèche. Rien, trois fois rien. Le *Pantagruel* par-dessus les sacs, la bénédiction du Régent vert qui a

besoin d'un Homme prêt à tout. Oui, oui, Géranium et
les bulbes divers en dames d'honneur seront de la noce.
A Paris. Mercenaire 33 sait que tout se déroulera ainsi.
Elle l'a dans la peau ; la gourde l'a dans la peau. Sa peau
de négresse camouflée en blanche. Une Européenne aux
yeux verts. Qui aime la cravache dans les deux sens. Au
fond, il l'exècre. Mais il la lui faut. Cela peut ressembler
à une passion. Avenue Montaigne, près des Champs-
Elysées, a dit le Régent.

Ce n'est rien, rien, de s'engouffrer au fond d'un cargo
pour la Hollande. Rien. Le Régent s'est occupé de tout.
Le Régent connaît Isaac Choucroune. Que le monde est
petit ! oui, oui, un brave type d'Afrique du Nord qui a su
faire fortune. Les magasins Tic Tac, où on trouve tout à
moins de cent francs y compris un shampooing-coupe,
n'est-ce pas une idée formidable ? Le plus beau de l'affaire
est sa minable échoppe à Anvers. Le Régent y descend
quelquefois avec une infinie discrétion. *Blanc, blanc, mon
gars, absence de couleur, Blanc, ou l'Immaculée
Retouche, exerce tes méninges, Coco.* Isaac Choucroune a
une boutique de rien du tout, enfoncée dans une ruelle du
port. Vas-y de ma part avec ces trois cailloux car tu m'as
sauvé la vie. Je suis reconnaissant. Géranium, ma fleur de
serre, t'aime. C'est si beau, l'amour. Le Régent porte une
main éperdue à son cœur bien caché sous la graisse. Sa
prunelle se mouille d'une émotion qui fait trembler la
main qui tend un sac (encore) où sont serrés trente
diamants de la plus belle espèce. « De quoi installer mes
tourtereaux ! miaule le Régent, dont l'œil s'allume d'une
lueur minuscule et rouge. Attention, Coco, pas de faux

pas. Voyons ce que tu sais faire. Outre tes prouesses de jambes en l'air. Mes espions m'ont tout raconté. J'ai battu ma fille et mes espions, mais je te la donne si tu sais faire prospérer ces petites choses. Mercenaire 33 avait désormais l'adresse qui permettrait de faire fonctionner ce que l'on nomme *une lessiveuse*. Blanc, tout est blanc. Poudre ou cailloux, quelle importance ? Sais-tu que sans la poudre et nos lessives, l'économie des Etats-Unis, si puritains et moralistes, s'effondrerait ? Transformons les choses, quel autre nom leur donner, en beaux billets très propres. Quant aux esclaves en tout genre qui s'activent dans nos églises, pardon, nos usines, qu'ils la bouclent. Sans nous, la famine deviendrait mondiale. Nous sommes les Nouveaux Saints. Nos amis protestants de Zurich me l'ont dit. Des délégués mormons et Jéhovah me baisent les pieds (et ma bourse). Je suis pour eux le Grand Régent Vert, le Messie, en quelque sorte. Quand je boude leurs cotisations extravagantes, je deviens le Grand Satan. Les mormons m'ont baptisé dans leur foutoir à Salt Lake City sans me demander mon avis, et toutes mes fleurs aussi. Sans importance, gars. Ce sont des bons tapeurs et des bons clients. Internationaux. J'aime moins les chrétiens de toute espèce qui prient pour moi et mes comptes bancaires. Lessive, Coco, lessive. On fait son or sur la tête des pouilleux et de la gueuserie religieuse. Il y a aussi Médecine internationale. A vomir. Mais c'est utile. Ils sont en train de recoudre les effets de tes divers déguerpissages. Un jour, ils t'aimeront car tu justifieras leur élan et leur fric. Sache-le. Maintenant, va-t'en. Je t'ai fait un dessin suffisant. »

Le recruteur avait raison. Rien de plus fécond que les guerres.

Taille, gars, taille.

Ce ne fut rien, vraiment rien à Mercenaire 33 de supporter le cargo, son roulis, son bagage misérable et sa tenue avec laquelle il vivait nuit et jour. Isaac Choucroune n'a pas le nez fin. Sauf quand il voit les cailloux ou les poudres, cela dépend. Les magasins Tic Tac sont un camouflage bienséant qui permet à Isaac Choucroune d'aller à Anvers, dans sa boutique minable où est inscrit, en lettres fanées, « Chapelier ». La police et ses chiens ne trouvent *rien* chez le modeste commerçant, qui ne vend aucun chapeau. Ou si vieux qu'ils croulent sous la poussière. Un fripier, plutôt. Isaac le fripier. Oh, il a bien, quelquefois, des visiteurs. Mais ces silhouettes furtives et ternes n'ont pas grande importance. Isaac gémit : « Les affaires sont si dures ! il faut bien que j'approvisionne mon magasin, en France. Je suis français. Ce gourbi me ruine. Je vais le vendre, le donner. Oui, le donner. » Il pleurniche ainsi quand on contrôle ses trois cartons et ses étagères vides.

Ce ne fut rien de renverser sous la chandelle, comme dans les romans d'Eugène Sue, plus de quatre millions de francs en bijoux. Rien de négocier, sans hausser la voix, la moitié de cette valeur *en liquide*. Deux millions de francs dans une boîte à chaussures. Plus c'est gros, plus ça passe. Mercenaire 33 a un grand sourire. Non, il ne va pas assommer le minuscule et agile Isaac qui accroche l'ombre de la chandelle. Le Régent est un battant, n'est-ce pas ? A son tour de faire ses preuves et de passer à une vitesse supérieure. La boîte en carton est enfouie dans un vieux frigidaire dont manque la poignée. Le Régent avait téléphoné qu'un gars nommé Mercenaire 33 frapperait à la vitre noire de crasse. Je ne pose jamais de questions, dit Isaac. Ah, ta famille achète aux magasins Tic Tac ? tu es un fils, alors. C'est là-bas que téléphone le Régent. On ne se dit presque rien. Deux ou trois mots. C'est bien suffisant, dans la vie. Le bavardage, ça perd son homme ou alors, ça s'utilise pour brouiller la piste. Parler parler parler. Etourdir l'Autre, l'égarer, le brouiller. Tu n'as pas l'air content ?

Le petit homme le vrille d'un iris pas plus large qu'un bouton de bottine jusqu'au fond des poches. Il devient cinglant, agité. Pars, maintenant. Sors d'ici. Il n'y a rien à voir. *Rien.*

Mercenaire 33 obéit. Trop content de glisser les billets dans la poche intérieure, côté cuisse, côté *Pantagruel.* Le treillis pue l'urine de cheval. Choucroune ne peut s'empêcher d'un va-et-vient vers l'argent. Mercenaire 33 tape la main à la volée. Choucroune se rencogne dans l'ombre. La peur. On ne sait jamais, avec les voyous du Régent. Ça va, ça va, petit. File. Tu sais où aller. Le Régent te l'a dit. Oui, oui, viens me voir aux magasins Tic Tac. Non, non, rien d'écrit, jamais. Ah bon ? tu détestes écrire ? tu as raison. Ça ne sert à rien. Apprends par cœur les adresses, les choses. Retiens des chiffres et tais-toi. Je ne te connais pas. A tout à l'heure, adieu.

V'lan. Le petit homme l'a jeté dehors. Il claque la porte qui lâche grincements et poussière. Un rideau de fer rouillé descend en un bruit de guillotine. Envolé. Disparu. Personne. La lumière est éteinte. Tout est noir. A-t-il rêvé la boutique du chapelier ? Il apprendra vite la promptitude hallucinante des opérations de ces armées invisibles vouées à l'or.

Rien, rien, ces billets bleuâtres dans un élastique. Rien, de se rendre en train, sans le treillis, jeté en boule dans une poubelle, vêtu d'un costume à petits carreaux, quelle horreur, acheté dans une rue derrière la boutique du chapelier. Rien, de glisser les coupures dans le slip sans fente. Une sorte de bambinette de gonzesse pendant ses menstrues. En avant au Luxembourg, ce petit Etat si suave.

Une banque, à la porte discrète, cossue, si simple. Le bon goût. L'entrée d'un temple protestant. La Sobriété et la Foi. Aucune vitrine. Un personnel invisible. Mercenaire 33 est repris par ce sale malaise vécu dans la chambre d'une gamine. Ce lieu le gêne, l'émeut. Que faire de son grand corps. Il n'aime pas la sacoche en carton-pâte où sont glissés les billets. Je n'allais quand même pas poser culotte devant ces pédés. Déjà, on s'occupe de lui. Avec tact. Est-il dans une officine des Pompes funèbres première classe ? où l'on parle de ces choses-là sans jamais nommer l'abominable ? où l'on dit : « Stèle gravée, couvercle bombé, le chêne est préférable, crucifix incrusté, marbre, regrets éternels ». Quand il faut traduire « décomposition, pourriture, restes affreux de nous-mêmes facturés avec TVA ». Ici, comme là-bas, on manie la troisième personne. Une façon courtoise de nier l'Autre pour en extraire l'essentiel. Son fric. Les coupures sont recueillies avec une politesse extrême par l'officier de la banque, impassible quant au séjour malodorant d'un tel dépôt. L'officier porte un costume trois pièces, gris, élégant, du tissu anglais. On va ouvrir à Monsieur et sa future société un compte Coquelicot.

Encore des fleurs ? pourquoi pas Géranium ? Comme voudra Monsieur. L'horreur la plus subtile est un champ de roses. Monsieur aime les fleurs ? L'homme si distingué a recompté les billets. Une célérité enchanteresse. Ils ont disparu sous un comptoir d'acajou. Le costume trois pièces lui a tendu un numéro. Compte Géranium 2000. Nous félicitons Monsieur.

On le refoula avec un tact exquis. La porte du temple se referma à clef. Un code bref lui avait été susurré.

Rien, vraiment rien.

Rien, de retrouver Isaac Choucroune aux magasins Tic Tac. As-tu revu ta mère ? il faut aimer sa mère. Faire famille.

Rien, d'ouvrir, en collaboration, un bureau neutre, à la vitrine fumée, sur laquelle est inscrit « Dolmen Conseil ». Là vont naviguer les fils d'Isaac, trois chaloupes, qui ne plaisent guère à la mère Balai. Elle est si fière d'avoir un fils qui, à vingt-huit ans, est devenu un homme d'affaires que même Choucroune admire. Tout cela en cinq ans à peine. Y compris le discret mariage avec Géranium, installée avenue Montaigne, dans un huit-pièces. La concierge en a des vertiges. Bon fils, il a logé ses parents à Ramatuelle. Il faut savoir choisir la géographie des alliances utiles. Mercenaire 33 a disparu. On dit M. Dolmen. Dolmen Conseil. Dolmen. La villa a une piscine californienne. Le voisinage est remarquable et remarqué : Jan-Lou Saxo, présentateur de *Votre soirée, votre fortune*. Un aréopage complet de comparses camouflé en amitiés. Un crescendo dans le luxe. Le Régent aussi a fait construire son palais d'été au nom de

Géranium. Des caméras derrière chaque grille surveillent l'intrus. Un petit avion peut se poser. Il y a des gardes, des serviteurs. Comme à Dundo. Les touristes admirent, vénèrent, idolâtrent. Non loin de cette apothéose, deux propriétés attirent bien des envieux. Celles de l'avocat Gobard et son vieux complice dont il gère les affaires, l'éditeur Euzebio Tigrino. éditions ET, initiales entrelacées sur le ventre d'un tigre à queue de sirène. Euzebio est convaincu de se réincarner en dieu des tigres pourfendeur pour l'éternité de sirènes. Il avait lancé après la guerre une série à l'eau de rose « Dans tes bras », flanquée de « Occultisme et Réincarnés ». Un succès énorme. Tigrino vieillit, et quoique encore couvert de sirènes bien enjambées, pense à se défaire de sa boîte. Il méprise sa progéniture, incapable de l'énergie convenant à son entreprise. Deux jumeaux en forme d'éphèbes, mariés à des dames dans la fleur séchée.

Isaac Choucroune avait désormais sa villa à Ramatuelle. Ses contacts avec Tigrino avaient été si audacieux, si astucieux que le vieux Sicilien, séduit, flairant la bonne affaire, l'avait engagé. A Isaac de lancer son idée qui, en effet, fit merveille : la collection « Une grande existence ». Pourquoi ne pas traiter, avec *un collaborateur,* une histoire vécue — inventée — , puisée dans le quart monde ? un parcours où *chacun*, surtout les femmes ordinaires, si nombreuses, pourraient s'identifier. Là était le secret des ventes. Il proposa à Tigrino, enchanté, d'exploiter l'aventure de Janine, coiffeuse aux magasins Tic Tac. Mariée à un Marocain, elle avait fui l'Afrique du Nord avec son fils. En cas de séparation, on ne plaisante pas chez les musulmans. La famille s'empare de l'enfant. Surtout un garçon. Janine s'était réfugiée chez le père Tic Tac (Isaac). Belle histoire, non ? Janine, poussée par

36

Mustapha, le mari, avec lequel elle s'était réconciliée, signa ce que l'on voulut et se piqua au jeu. Rengorgée, elle ânonna sa pauvre vie à un nègre qui barbouilla *Je ne te quitterai jamais mon fils*. Les ventes atteignirent un chiffre hallucinant.

— Tu n'as pas besoin de crier sur les toits les délices inouïes que te procure le chapitre où *Comment Pantagruel équitablement jugea d'une controverse merveilleusement obscure et difficile...*

Taille, Gars, taille.

II

LA ROBE DE JULIA

« Le droit est le produit de forces intérieures et silencieuses. »

Annales de l'Ecole nationale
de la magistrature

Je serai juge.

Je suis un juge.

Mamita ne cria pas quand j'écrivis au stylo sur le mur si mince de la chambre « Je m'appelle Julia Jordane et je serai juge ». Une écriture difficile à lire mais sans défaillance. J'avais onze ans et endurais déjà la marque définitive de mes humeurs. Avais-je jamais été une enfant ? Cette conviction avait traversé la pièce médiocre tel l'éclat d'un sulfure. Est-ce ainsi que les vocations se jettent sur leurs élus à travers l'Espace et le Temps ?

Je serai juge. Je suis un juge.

Je n'ai jamais aimé l'argent. Mystérieusement, il m'avait toujours fui. Il m'était inintelligible et révulsif. Ma vie, son sens, le creuset du serment, seraient adoubés de cet allégement. La fortune et ses esclaves provoquaient en moi un dédain compliqué, l'angoisse d'une mauvaise rencontre. Ce mépris de l'argent ne signifiait pas celui du pouvoir. Au contraire. Mon orgueil très particulier était ce cristal aigu, coupant. Cette semi-pauvreté révélait des apprêts plus intenses que ceux de l'or. Un rôle symbolique, visible et invisible. La puis-

41

sance des actes liés au langage. Le mien. Ecrit, formulé de façon brève, afin de lapider plus sûrement que l'arme brutale du riche. Mes mots, leur ruse, furent les pourvoyeurs d'une grande jouissance.

Je serai juge. Je suis un juge.

Le dossier orange de ma plus belle histoire — j'allais dire histoire d'amour — lentement surchargé de mes trouvailles, mes pièges, composa la machine aux félicités illimitées. La lente érosion de l'Autre. Non pas le pauvre type qu'un obscur délit enchaîne. Ces affaires-là ne sont rien. Le quotidien médiocre de la profession, un lot misérable de droits de passage, de vérandas illicites, de chauffards en tout genre.

Je suis un *homme* de robe. Etait-ce la saynète de cet Autre, arrogant, vêtu en oiseau d'acier et mauvais cuir qui déclencha ma vocation ? avais-je flairé l'Imposture et ses crimes sous le sourire éclatant ? Il ordonnait du menton et de la voix. Il traitait chacun comme des choses. J'avais éprouvé un plaisir aigu à le maintenir sous mon regard et mes ordres. D'abord la courtoisie. Pour mieux l'égarer.

— Qu'attendez-vous de moi, monsieur Dolmen ?

Ensuite un doux persiflage. Le jeter hors de lui tel le géant perdant ses bottes. Paralysé. A la merci du Petit Poucet.

— N'oubliez pas, monsieur Dolmen, que le mot « honneur » s'écrit avec deux « n ».

Il avait rougi à la manière fâcheuse des peaux trop blondes. Ce flux, dont il n'était pas maître, accentuait une « faveur » au coin de la joue. Une fraise, un stigmate de naissance. « La marque de la chance ! » bramait à qui mieux mieux sa mère. Je n'en suis pas si sûre. La faveur rougissait selon les pulsions. Un précieux baromètre qui

42

permettait de déchiffrer la perte du sang-froid. Il avait l'air d'un fauve prêt à bondir. Il souriait sans bonté, convaincu que la proie serait facile à vaincre. J'avais devant moi, dans la chambre si laide, un être qui exsudait tout ce que j'abhorrais. Les passions primates, l'orgueil mégalomane, le goût du sang, le mépris de la culture revendiqué telle une gloire de plus. Il eut, bien entendu, des milliers d'adeptes.

Quelques années après la lettre, Lui et sa Fortune crevaient le petit écran. L'argent n'était pas un élément composé de simples capitaux, mais aussi de la vie qui palpite encore. Tout le monde s'extasiait et s'inclinait. Les cirques, les jeux, les stades envahissaient tout. Dolmen était devenu l'empereur, le messie du Bas Empire. Il régnait sur une masse abrutie, matérialiste, gavée d'images mélangées, brouillées. Chacun rêvait aux miettes de son gros gâteau. Un milliardaire est-il seulement mortel ? Mort, il a les moyens de se faire congeler jusqu'aux nouvelles trouvailles médicales. C'est cela, la Résurrection. Plus jamais la mort ni le manque. La publicité, les clips vous l'ont dit. Il vous a donné, *vendu* à bas prix, *le rêve*. Grâce à lui, vous dormez. Pourquoi vous éveiller au vilain réel ?

J'avais tout détruit.

J'avais jeté à bas les dormeurs et leur couche. On me haïrait longtemps pour cela.

Mon visage.

Il avait pris très jeune son contour définitif. Peut-on parler de matériaux quand il s'agit d'un visage ? Il y a l'ambre, la porcelaine, le cuir des porcs, le velours, la pierre, le parchemin. Les clichés d'usage sans oublier le fruit et la fleur. On se trompe toujours. On se trompe avec l'ambre, dur et inimitable, qui retient la lumière en une brûlante captivité. J'ai la pâleur des vraies brunes. L'ambre est ma façon de rougir. Ma peau est l'opposée de celle du Viking. Aucun sang n'est semblable. Des gammes infinitésimales, des milliards de teintes. Le fruit, la fleur. Soyons délicats avec les femmes. Endurons les comparaisons végétales et tendres. Julia, abricot si émouvant. Laissons dire ce qui compose la trêve. La suave ondée à certaines heures de la nuit, les aubes où les lèvres et les souffles se joignent dans le sens d'une seule source.

Mon visage. Sans histoire, aucun signe particulier, typé côté Sud. Les lieux communs vont si vite dans l'ordre des classements. Il y a les grands, les petits, les bruns, les blonds, les maigres, les gros, les beaux, les affreux. Qui étais-je ? J'avais ouvert sur le monde de larges prunelles châtaines où dansait un brandon doré. Les cils frangés longuement, abaissés telle une grille, brusquement relevés, étaient mon arme et ma seule fierté. La paupière à peine bombée savait retenir les larmes. Un peu de mauve sous la lèvre quand il fait trop froid dans la salle des pas perdus. Que la peur reprend ses droits. Les brunes pâlissent en mauve tels certains nègres que tout accuse. Le sang se retire aussi chez un petit juge qui a osé ouvrir un dossier orange.

Ne fait-on qu'une bouchée d'un magistrat d'un mètre soixante-trois, talons compris, et quarante-cinq kilos tout habillé ? Mon visage est détruit. J'ai un beau visage détruit. De onze ans. De trente ans. De bien plus d'années encore. Le sang devient cette marée basse quand sourd, enfin, sur la bouche fiévreuse de l'Autre, *l'aveu.* L'aveu, matrice unique de tout mensonge, bondit de l'Autre à moi. Cette passerelle est un lien plus fort que l'amour. Juger ne passe ni par la bonté, ni par l'amour, mais par la convulsion de ce lien (ce désir) si particulier.

Quand se refermera le dossier orange, les sales histoires déferleront. Mamita aura, comme elle dit, son rhumatisme au cœur. « Marie-toi, Julia, qu'as-tu fait, ma fille ? tu ne pouvais pas rester tranquille ? » Mon visage perdra enfin les marques de sa destruction. L'état comparatif avec la fleur, ses venins et sa luxure redeviendra possible. Un visage libéré comme après le plaisir. « Vous avez pris vos risques, Jordane ! » menacera la Chancellerie. Un visage lisse, mat, aux longs cheveux nattés dans le dos, d'un noir absolu. A ne comparer ni au bleuté de l'hirondelle, ni aux eaux profondes. Mamita était parfois gênée par ma lourde natte impeccable, tirée en arrière.

— Tu as un grand front, Julia. Ça t'irait mieux une permanente.

Sans mes cheveux, je frissonnerais davantage. J'ai presque toujours froid. Un froid qui touche les oreilles, petites, percées d'une perle unique. Le froid mord le cou, d'un brun plus chaud, ainsi le reste du corps. Un chemisier ouvert sur la médaille de ma communion. Du noir, du blanc. Habillée en juge depuis toujours. Noir, blanc, c'est aussi mon Visage. Détruit.

A onze ans, un pli barrait mon front trop haut quand l'effort d'apprendre me hantait. J'étais seule à déchiffrer le sens de cette ride. Je ne voulais ni qu'on m'aime ni que l'on m'embrasse souvent. Je me détournais des baisers. Ils fanent l'intelligence. Ils gaspillent un trésor jamais révélé, peut-être précieux. Je me méfiais du mot

45

« aimer ». Utilisé tant aux passions nobles (?) qu'à désigner une série de casseroles neuves. Il fallait me vouvoyer. Mon premier amant n'y comprit rien. « Ne m'aimez pas, dites-moi vous. » Il était tendre, limité, très beau. Ce passage nécessaire — j'avais dix-sept ans et obtenu mon bac — appartenait au rite humiliant de grandir. Je n'ai jamais supporté la foule, les groupes, leurs criminelles limites. Un corps fou, une âme faible, l'aptitude aux égarements. Je compatissais à l'authentique pauvreté. J'admirais l'austérité des moines, des scientifiques, des poètes. Le peuple obscur qui pense et se tait. Le monde n'était pas né d'un seul coup, en une semaine, d'une poignée de boue et d'eau. Des milliards d'années avaient modifié les formes, les voussures, les profils. Le langage avait été d'abord la modulation d'un rythme. La Bête et l'Homme avaient eu le même ancêtre. Qui avait béni la pensée ? le mystère restait entier.

Mon visage vieillirait d'abord du front. La ride de l'effort creuserait son ruisseau. Tu es si belle, Julia ! dira-t-on, quelquefois. Voyaient-ils la meurtrissure ? A force d'avoir fixé tant de visages défigurés par l'avidité, la folie, le meurtre, le coin de mes paupières se marquait déjà. Ma bouche, si souvent mordue d'impatience et de guet, complétait l'harmonie à rebours du sacrifice. Quelle œuvre peut ignorer le sacrifice ? J'avais œuvré sur le vif, les vifs, directement cousus aux zones ténébreuses.

Mon corps, à moins que la colère des potentats ne me défroque, portera la robe d'un juge. Il restera, au pire de ma défaite, le chemisier au col cassé, une jupe à la taille si fine qu'aimaient certains hommes. Très peu d'hommes. « Vous leur faites peur, Julia. Marie-toi, Julia. » J'ai toujours honni la graisse. L'argent et la graisse, cela va si bien ensemble. L'ordre de ne jamais grossir était passé dans mon système glandulaire. Cette minceur à l'extrême deviendrait, avec le temps, la maigreur. Je ne déteste pas que l'on aperçoive sous ma robe de magistrat ma cheville et le début du mollet bien fait.

Le temps me court sans cesse dessus. L'insomnie aussi. Quoi, déjà quatre heures du matin ? Le dossier orange se complète d'une nouvelle information. De nuit, de jour, ne plus lâcher *mon sujet*.

Je m'appelle Julia Jordane, petit juge au tribunal de Nevers.

Je suis détruite.

Trop fort a été ce plaisir-là.

Je suis née un 22 avril, en 1964, dans un bas quartier de Toulon.

Mes parents venaient d'Algérie. Une rue blanche et chaude. Le rire des femmes, les appels d'une fenêtre à l'autre. Des draps qui sèchent sur les terrasses. Un chant tremblé, les ombres de la chaleur. Les quatre filles de Mamita sont habillées par ses mains habiles. Gloria, ma mère, est la cadette. Sur les photos, elles clignent de l'œil. La lumière est trop vive. La famille est un groupe heureux. La plage se devine, blonde et sans fin. Mamita ne s'est pas découragée après l'exil. Elle avait appris à sa descendance le mélange subtil de la farine et de la fleur d'oranger. Le mantecao est un gâteau délicat qui accompagne bien le café noir ou le thé à la menthe. Chaque dimanche, elle cuit dans le fait-tout la viande, la provende des légumes vernissés, la semoule. Dans la jatte en terre, repose la pâte. Mamita officie dans la cuisine trop petite où l'on est si bien. Même dans le vilain immeuble qui se nomme, ô dérision, « Méditerranée ». Pendant cette savoureuse alchimie, un sourire mystérieux orne son visage. Toutes les femmes du monde, a-t-elle enseigné à sa descendance, retrouvent la paix quand elles confectionnent un plat traditionnel. Un de sel, un de sucre. Abolition de la guerre, des terreurs, des deuils. Quoi de plus solide qu'une femme ? Marie-toi, Julia.

Ses filles s'étaient toutes mariées. Dispersées au vent mauvais de l'exil. Elles s'étaient retrouvées. L'alliance se faisait autour de la matriarche. Les hommes n'avaient pas grand poids, comme toujours en Méditerranée, quand elle décidait. Dans la journée, elle cousait, taillait les robes avec ses filles, ses sœurs. Une machine à pédale rapportée de là-bas. Une famille si nombreuse qu'après tout, on ne discernait plus la personnalité de chacun. La force venait de ce groupe femelle, décidé à ne pas périr. Elles ne laissèrent là-bas que leurs morts. Gloria s'effondrait vite, veuve trop jeune. J'avais un an quand mon père, ce léger fantôme, ne résista pas. Un petit ouvrier du port, mélancolique et beau. Il n'avait pas supporté la perte de son pays. Il avait blêmi en deux hivers trop blancs. Chez Mamita, on se resserra. Gloria monta à l'étage avec ma sœur Maria et moi. L'aïeul vivait encore. Du fauteuil roulant, montait sa plainte. Quand il fut au plus mal, Mamita abandonna le médecin pour le prêtre.

L'hostie avait la blancheur de la farine pétrie de lait et de miel. On pleure nos morts et on les fête.

Dans la cuisine à la bonne odeur, j'annonçai l'Iné-branlable :

— Je serai juge.

L'aïeule n'avait pas souri. Elle reconnaissait une énergie qui ressemblait à la sienne. Je serais un jour l'autre matriarche. La dure, la dépositaire des forces nouvelles. J'aurais mes rituels qui se passeraient du fait-tout et de la jatte en terre rousse.

— Est-ce qu'un juge se marie ? dit-elle simplement.

Elle retrouvait dans mes yeux si semblables aux siens cette faculté de traverser les mers et les terres, d'atteindre l'impossible, de conquérir toute survie, de négliger la reddition.

Elle baissa la tête et reprit sa tâche. Son œuvre. Chanter quand tout s'écroule. Où trouver l'argent des études ? Sainte Vierge, tu ne peux pas faire que la petite soit juge et se marie aussi ?

— Maria, arrête de te tortiller ! Gloria, tu n'as pas plus de tête que ta fille ! Qu'est-ce que ça veut dire ces équipées au bar des hommes ? Aide-moi à étendre le linge, Julia. Rien n'est plus beau que des draps qui sèchent au grand soleil. Tu es trop pâle, trop maigre.

— A quoi comparer le soleil de là-bas, Mamita ?

Un char de perles. Une apparition de la Vierge. On nous a volé la lumière.

Elle redevenait cette petite tour affectueuse et désemparée. Nous étendions le linge sur le balcon si laid. Elle avait éclaté en pleurs qu'elle essuyait au coin du tablier à bavette accroché par deux pinces à linge.

— En France, ton père a accepté le premier travail venu. Il s'est éteint. Une flamme sous un couvercle. On lui avait pris le bleu. On lui avait volé son sang.

Je partage ma chambre avec Maria. Gloria... Je n'arrive jamais à dire « maman ». Elle ne sait comment m'aborder. Je la dépasse, l'intimide. Elle a peur de ce canard dans la couvée. Gloria et Maria ont dix-neuf ans de différence. Une complicité de copines. Elles sont shampouineuses aux magasins Tic Tac. La coiffeuse a un cerveau sans aucune chance de développement sous la tignasse inévitablement massacrée. Gloria, Maria, leur amie Janine s'habillent et se maquillent comme dans les romans-photos. Les boucles d'oreilles de mêmes matière et couleur que le scarabée vert pomme. Elles portent une jupette trop courte, un tee-shirt en dentelle mécanique. Passons sur le caquetage qui rappelle celui des volatiles enfermés. Maria a quinze ans et dépense sa maigre paye en cosmétiques criards partagés avec Gloria. Mamita ronchonne. Je me détourne de ces fronts trop brefs. Gloria avait bruyamment et vite pleuré l'époux si tôt disparu. Elle pensait surtout à danser. A vivre, en somme. Mon père, auquel je ressemble, ce Jordane au front pur, à l'âme inquiète, taciturne, attristait Gloria.

Mamita avait aimé le mariage de sa cadette. La robe cousue par ses mains habiles. Une belle noce où la famille était venue de partout. Des terres ocre, qui tremblent à l'aube d'une poussière rose. Une terre qui devint rapidement celle des meurtres désordonnés. Mais la mariée était belle, la fleur d'oranger justifiée. Quatre ans après Maria, je naissais d'un père que l'absence d'un certain bleu avait vaincu.

J'ai le visage de mon père. Un beau visage détruit.

Gloria couche dans le convertible de la salle commune. Maria et moi partageons la chambre aux lits jumeaux. Un crédit aux magasins Tic Tac nous a meublées. On surnomme Isaac Choucroune, propriétaire des magasins, le père Tic Tac. « J'ai du cœur, dit-il. Je comprends les persécutions. Trente pour cent ? c'est donné ! »

Sur les joues, court une barbe poivrée. Les yeux si vifs tournoient, surveillent, se mouillent. Il porte au cœur la preste main qui engloutit les billets. Il a le sens de la famille. Son œil s'embue quand, du comptoir, il parle de sa vieille mère. A quatre-vingt-six ans, des maux effrayants la clouent dans un fauteuil. Il faut la soigner, la changer. Elle est incontinente. Il lave son linge avec une petite brosse. Elle occupe une chambre communiquant avec celle du fils déjà vieux, veuf depuis longtemps. La graisse tremble en vagues molles sous une robe de chambre mal fermée. Le cou halète. Une poche en plastique se remplit d'un débit sinistre. Un tube relié à la poche disparaît entre les mollets agités. Je serre les dents, proche d'un évanouissement. Le père Tic Tac nous avait montré, en signe de confiance, sa monstrueuse nourrissonne. Avais-je alors décelé les confusions criminelles reliées à l'acte d'aimer ? Je retenais la nausée tandis qu'il changeait devant nous la malheureuse. Elle gémissait d'une bouche où brillait l'or. L'odeur était insupportable. Lors des reconstitutions, devant les macabres découvertes, il faudrait bien m'y faire. Cette agonie révoltante avait décomposé ainsi une femme : peau plissée du dindon, jambe énorme perfusée d'hématomes divers, pelade du crâne en potiron séché. Une mousse blanchâtre abondait au coin de ce qui fut une bouche. Le ventre laissait deviner un métrage tremblotant d'intestins que rien ne pouvait contrôler. Ses maladies, qu'Isaac comptait sur ses doigts, composaient une épouvantable alchimie. Tout gonflait, se boursouflait, s'essoufflait, s'agitait, suintait, se répandait. Sous la poitrine dont on avait enlevé un sein, montait un appel déchiré.

Ils étaient, l'un à l'autre, la corde et le piquet. Il exultait de sa possession particulière. Il la prolongerait à l'état de tronc, s'il le fallait. Il ne lui accorderait pas la douce mort. Le repos. Les médecins non plus. Une trop bonne cliente ! Isaac, au comble de sa bonne fortune à Paris, deviendrait vantard.

— Le plus grand neurologue de France la soigne, le spécialiste international du tube digestif, le gynécologue des princesses de Monaco.

Il était transporté de l'orgueil insensé d'offrir à la moribonde cette armée mortifère et inutile. Une demande illimitée. Le péché absurde de refuser la mort. La chute définitive de la Sécurité sociale.

Heureusement, il y a Mamita. Gloria et Maria sont si sottes malgré leur gentillesse. Ma solitude est grande. Après le lycée, j'entre dans la chambre et mets les boules Quiès. Je pénètre avec un effort de plongeur au long souffle au cœur des textes. Cicéron, les poèmes de Virgile en latin. *L'Orthographe françoise* de l'abbé Girard. Béatitude dans ma surdité.

A cause de la grammaire de l'abbé Girard, et du *Pantagruel* que j'adorais relire, moi la maigre, la petite, j'exécrais l'intrusion de Dolmen et son galop d'étalon mal ferré. Les boules Quiès avaient préservé l'indispensable schizophrénie à qui veut apprendre au milieu des imbéciles. Quand surgit ce teuton, je n'ôtai pas mes protections auditives. Lire sur ses lèvres suffisait amplement. Il jeta sans façon un casque de motard sur le lit trop étroit. Je détaillais les poignets formidables, encerclés de cuir clouté. Un tatouage bleuté sur l'avant-bras reproduisait un Viking à casque ailé. Il sentait la bête, le goudron, la sueur. Je désignais le dictionnaire de la langue française. Il me toisait, arrogant, indécis. Il sortit de la poche revolver du jean américain une boîte. Il redevint d'un seul coup apte à plaire. Disons à convaincre un certain cheptel féminin — ou masculin.

— C'est pour toi.
— Dites-moi « vous ».
Il se jeta sans permission sur le lit aux ressorts endommagés.
— Arrête de me pomper l'air, dit-il.
Je fixai, fascinée, les fausses médailles militaires caractéristiques de l'Allemagne des années quarante.

Il appartenait à la race que je supprimais mentalement de la terre. Il déclenchait, sans le savoir, ma vocation. Un coup de foudre à rebours. L'obsession de ne jamais perdre sa piste afin de le confondre. J'acquis, à cette seconde fondamentale, la patience de Saladin devant Godefroy de Bouillon qui avait fini par crever de rage dans son armure. Il devint, dès son insurrection, le défi qui serait le mien. Je ne me détournai pas de la malignité non sans grâce de ce regard transparent, où dansait un minuscule brandon. Pire que l'amour, nous vécûmes, lui et moi, une cristallisation particulière. Chacun trouva en l'autre la prémonition de *son homme*. Deux espaces de pensées opposées, deux forces divergentes. Nous composâmes, au-delà de toute formulation, une alliance mortelle.

— Je vous écoute, monsieur Dolmen.

Il arbora le geste de gifler une poupée floche. Il croisa ses mains, serres sans emploi, entre ses genoux ouverts. Une vague impuissance lui donna une expression désemparée qui le vieillissait. Il tenta alors une arme inutile pour une fillette (mais avais-je jamais été une enfant ?). Un sourire qui accompagnait bien le bleu adouci. Un doute se devinait sous l'effort de charmer, réduire, soumettre. J'avais sauté à pieds joints dans le royaume si trouble du rapport de forces. J'avais l'air d'une haridelle créant l'obstacle. Tant que je n'écrivais pas sa lettre, il était en mon pouvoir.

— Je vous écoute, monsieur Dolmen.

Je lui tournais le dos et me penchais sur le bloc-notes. Ma natte était cette couleuvre le long de la taille. Il dictait d'une voix malhabile. Je jouissais. Oui, je jouissais.

— N'oubliez pas, monsieur Dolmen, que le mot « honneur » s'écrit avec deux « n ».

Il choisit la dangereuse douceur :

— Puisque tu veux me bêcher, c'est moi qui vais ouvrir ton cadeau. Dis-moi, ils vont jusqu'où, tes cheveux ?

Dans la boîte dédaignée, il y avait un scarabée en plastique vert pomme. Je ne bougeais pas.

— Je n'aime ni l'argent ni les cadeaux. Voici votre lettre. J'y ai mis la formule de politesse en usage. A vous de signer.

Il se leva, prit la feuille sans la regarder, hésita, jeta violemment le scarabée au sol.

Dans ce théâtre où le faux Viking allait tenir le premier rôle, tournaient ses satellites. Il y avait sa mère et ses balais. Dans l'immeuble, on la craignait. Du fils, elle avait la stature en armoire bretonne, la peau trop pâle. Les cheveux blanchis, en vagues molles. L'iris, verdissant, errait sans jamais se fixer. Ses cils étaient roux tel le duvet de ses mollets où saillait la vrille des muscles. Elle maniait son écouvillon comme une fourche. Elle avait ses têtes et terrorisait les enfants à la peau trop sombre.

Elle aimait détruire. J'avais été le témoin impuissant d'un de ses crimes. Les boules Quiès avaient retardé mon intervention. Il avait fallu que les miaulements de la bête devinssent frénétiques pour que je bondisse. Elle avait bloqué sous la marche en ciment un chaton rescapé d'une portée sauvage. Les coups pleuvaient sur l'animal aux cris lamentables. Elle ahanait pire que Furie : « Sale bougnoule, crève, attends voir, crève ! » Je vis la croupe énorme sous la blouse de la ville. Des claquettes en caoutchouc, des bras reliés aux épaules masculines. Les feulements du chat, peu à peu, s'affaiblissaient. J'avais beau crier « assez ! », elle n'entendait rien, ivre de son propre courroux. Elle se releva en sueur, les mains couvertes de sang. Elle saisit le chaton au crâne éclaté, le piétina, faillit glisser, redoubla ses injures. Elle avait tourné vers moi son mouflon qui l'apparentait à un maléfice hybride.

Je répétais « assez ! ». Elle cessa, en effet, comme on

55

s'éveille d'un songe. Elle passa une main qui n'avait rien à envier à une pièce de charcuterie sur son front. A la limite de la démence, elle grinçait : « Je ne veux pas qu'on salisse mes escaliers ! »

Raconterait-elle l'affaire à son malingre époux qu'elle méprisait et terrifiait ? Le père Dolmen, videur de poubelles, se hissait à cinq heures du matin derrière la benne du quartier. Noir et malodorant, il passait sa vie les yeux et le nez fixés sur la broyeuse et des centaines de détritus. Il ne parlait plus, courbait le dos, toussait d'une vague tuberculose. Son épouse avait été autrefois cette forte rousse qui exsudait des aisselles l'odeur du lapin tué. Septième de onze filles nées d'un grelet drapier, à La Chiffa. Une tribu femelle, qui avait tôt fait ployer leurs hommes. Des veuves, des matrones, des mégères. Le frêle Dolmen avait affronté cette masse cubique, ces muscles de boxeur, ces cuisses qui l'avaient enserré d'autorité. Neuf mois après la nuit des noces était né le chenapan de onze livres. Il avait envahi son ventre et sa vie d'une place unique. Elle le vénérait de la sauvage dilection des fauves. Le menu géniteur régressa derrière son camion-benne.

Je fixais les restes sanguinolents.

— Toute tentative de crime qui aura été manifestée par un commencement d'exécution, si elle n'a été suspendue ou si elle n'a manqué son effet que par des circonstances indépendantes de la volonté de son auteur, est considérée comme le crime même. (Code pénal, art. 2, L. 28 avril 1832.)

J'étais arrivée en fin d'exécution. J'enveloppais l'animal massacré dans un sac des magasins Tic Tac.

Je n'avais pas d'autre solution que la poubelle municipale pour déposer mon pauvre paquet. Je ne saluai plus jamais la mère Balai.

Je venais de voir la barbarie.

Elle portait toujours son tablier de la ville, son balai et ses commérages. Le fils avait envoyé de l'argent. Bientôt, ils déménageraient. Vantarde, elle sortait volontiers de la poche à carreaux une photo de son idole. Du soleil dans l'œil, un béret aplati, les jambes dans un treillis. Une jungle ou des cabanes, on ne savait pas. Il avait l'air, comme toujours, riant. La mère Balai avait aussi un air riant quand elle assassinait le petit chat.

J'avais treize ans et ne quittai plus mes boules Quiès. De mon autisme programmé naissait la félicité. Je traduisais Cicéron. Le plus grand juriste du monde. Je lisais Socrate. En l'an 2000, combien serions-nous à lire Socrate, Bossuet, Rabelais ? Abolir la Pensée allait bon train. Il fallait zapper sans relâche pour sauter du plateau de Jan-Lou Saxo à des stades sportifs où hurlait la masse. Les vedettes habitaient des châteaux aux bibliothèques désormais vides, transformées en salle de culture physique. Entre deux zappings, on tombait sur les guerres proliférantes, des ventres tendus par la famine. Autre chaîne, autre misère. Prolongation hallucinante de vieillards, liftings insensés, sectes, voyances en direct.

Le fils Dolmen s'est fait un joli magot là-bas ! un joli magot ! disait l'immeuble.

1981. J'ai obtenu mon bac avec mention. Qui s'était aperçu de mes efforts sans relâche ? Je suis si terne, la natte serrée dans deux anneaux en velours, la peau sans maquillage. J'enlève enfin les boules Quiès. L'habitude a été si longue d'organiser ma surdité, la survie de mon cerveau, que j'ai appris à déchiffrer tout discours sur les lèvres.

J'avais revu une seule fois Dolmen. Ses parents étaient désormais à Ramatuelle. Son OPA, Dolmen Conseil, s'était insinuée dans les médias. On avait appris son mariage avec Géranium, la fille d'un richissime Angolais. La mère Balai passa à la télé, filmée chez elle. L'immeuble, la ville, la France l'envièrent. Elle était la même, certes, mais en pire. La blouse était remplacée par de la soie à grosses fleurs, les bijoux, des boules de Noël. La chevelure, blond platine, taillée court par Janine devenue célèbre, lui donnait l'aspect d'un brigadier pris d'alcool. Les doigts étranglés de bagues à lourds promontoires brillants issus de Dundo, avaient conservé le mouvement spasmodique sur un manche à balai invisible. Elle souriait d'un dentier en or. Elle avait refusé la porcelaine pour l'or. Dans le jardin paysager de palmiers et de fleurs tropicales, près de la piscine, l'ancien éboueur tremblait d'une gêne incontrôlable. Il supportait mal la fortune telles ces racines nées de l'ombre, transplantées en pleine lumière.

La mère Balai avait conservé ses manies d'avant. Elle

tenait un livre de raison. Elle inscrivait à la main la moindre dépense. Un cahier d'écolier, un bic. Elle ne savait pas utiliser le stylo Montblanc épais comme un havane. Elle comptait d'un murmure furieux d'essaim agacé. Féroce avec son personnel, elle notait jusqu'aux centimes.

Dolmen Conseil commença par l'achat d'un terrain à bâtir. Des négociations glauques avec des promoteurs. Une série de villas champignons, en carton rose. Les locataires des immeubles modestes, après des années de privations, rêvaient de faire construire. Dolmen Conseil prêtait à quatre pour cent. Un record ! Les fonds allaient et venaient, des caisses d'épargne à la banque de transit où Isaac Choucroune déposait quelques bénéfices avouables. Les ouvriers portugais étaient payés en partie en liquide. Un bon de caisse couvrait le reste. Le processus allait bon train. Le père Tic Tac avait liquidé à la manière d'un prestidigitateur ses magasins. Il contribuait à financer le bureau en verre fumé. Dolmen avait eu l'idée de la colline pelée et de ses maisons en carton. Isaac avait conservé, en accord avec Dolmen et sa bande, la boutique à Anvers, lieu obscur des fructueux passages. Les pauvres rêves affluaient vers cette société de pacotille. Les trois chaloupes, Isaac et Dolmen recevaient en costumes pastel. Il y avait des ordinateurs, des contrats très simples. Un climat bon enfant. Un bureau vu-à-la-télé, style série américaine. Du blanc, du cuir, de la moquette. Première règle de la seconde lessiveuse : ne pas effrayer les petites gens. Cédaient-ils à cause de la cafetière électrique où le gobelet était offert en plus des boniments ? Une des trois chaloupes les emmenait en voiture climatisée visiter la colline pelée. On s'extasiait. On voyait la mer, au loin, la baie de Saint-Tropez. Dolmen Conseil avait adopté un slogan : « La place au soleil. Pour tous ». Les clients étaient rassurés. Ils connaissaient si bien Isaac ! N'avaient-ils pas été habillés, meublés chez lui à bon prix et sans histoire ? Désormais on allait les loger. Le rêve devenait réalité. Dolmen était issu d'un milieu si humble ! Une concierge, un éboueur. Quelle réussite ! Pourquoi pas eux ? Il avait un sourire de mâle heureux. Les femmes baissaient les yeux, poussaient du coude leurs hommes. Ils signaient et vidaient leur chéquier. Du liquide, si vous le souhaitez. On vous offrira les fenêtres. Parfois on se tutoyait. Maria et Gloria s'étaient mises à espérer une maison en carton rose. Mamita, pour une fois indécise, disait : « Pourquoi pas ? » J'avais beau les mettre en garde, elles avaient visité la colline. Le piège sous un ciel incomparable. Elles avaient admiré la maison modèle, si tarte, lotie dans son terrain minuscule, mitoyen avec celui du voisin. La Direction départementale de l'équipement, les mairies diverses, les conseils régionaux appréciaient les munificences discrètes de Dolmen. Il disparut, en milieu de travaux, au volant d'un bolide qui créait des attroupements de gosses crépus. Les villas étaient cet ensemble sans toit, quand Dolmen Conseil ferma brusquement. Tout était envolé, évanoui. Avait-on rêvé ? Les dupes cognèrent en vain à une façade lugubre. Le verre fumé était barbouillé de peinture blanche. Rien, plus rien. Un Asiatique reçut fort mal les mécontents. Choucroune et son Viking avaient vendu l'ensemble à un Chinois qui étalait ses produits exotiques. Il répétait « de quoi parlez-vous ? ». Il y eut des cris, des injures, des poings levés, des plaintes dans des lieux administratifs. Les employés, derrière leurs parlophones, refoulaient et se repaissaient. « Nous n'y sommes pour rien, voyez le tribunal de commerce, le préfet, le président de la République. » Quand montait le ton jusqu'à la crise de nerfs, ils accentuaient, extatiques, la panique d'un ton de miel et de fiel.

— Si nous étions méchants, nous pourrions vous accuser d'usage de faux. Où sont les preuves ? les contrats ? les notaires ? vous risquez des amendes à la ville, qui sait, la prison.

On disait aussi : « Dolmen est trop fort. On n'y peut rien. »

Les bernés criaient, allaient et venaient sur la colline brûlante. Des officiels s'étaient mollement déplacés. Leurs discours atterraient les victimes qui bêlaient de plus belle : « Le terrain n'est pas viable. Il appartient à la ville. M. Dolmen l'avait donné à la ville. » Il y eut des suicides, des cas de folie. Un après-midi immobile sous les cigales, Maria était montée voir sa chimère en loques. Elle avait engagé ses économies, celles de Gloria, un livret de Mamita pour acquérir une parcelle de terre pelée. Aucun contrat ; tout s'était fait à l'amiable avec le père Tic Tac, costume blanc, veste trop longue sur ses courtes jambes. « *On fait famille, Maria, tu le sais bien ! touche l'étoffe ! du shantung !* » Maria s'était aventurée jusqu'à l'espace désolant quand l'incendie éclata. « Que faire, gémira plus tard le père Tic Tac, contre les criminels qui mettent le feu ? des jaloux ! des jaloux ! on n'avait pas prévu les indemnités ! on faisait famille ! »

Que faire, en effet, quand le Viking claque des doigts, dit à un type venu on ne sait d'où, taille, mon gars, taille. Tu n'as besoin que d'une allumette. Du facile. Du

61

simple. Personne à abîmer. Voilà ta première enveloppe. La seconde quand tout sera propre. Tu entends ? propre !

Qu'est-ce qu'on y peut si cette gourde s'est trouvée coincée là-haut ? C'était pourtant bien indiqué « Chantier interdit. Danger ».

Tout avait brûlé d'un seul coup. Maria s'était retrouvée cernée d'un rose d'où viendrait l'abolition. L'incendie était cette nuée, ce voile. *Non, non, ce n'est pas possible. J'ai le temps de dévaler le chemin. Où aller, où aller. Je suis cernée d'une hampe qui chauffe pire que celle sur les permanentes brûlées.* Une hampe noire. Le feu est gai et noir. D'abord, il chante. De belle humeur. Il se fâche progressivement. En rouge. Il est vivant, une bête, un être plein d'orgueil. Il lèche d'abord sa proie. Quel vacarme ! le feu gronde, ronfle, gémit, se tord, rit, aboie, grince, craque. Cette fureur brutale et pourpre, cette aurore funeste s'achevèrent en l'humilité terrifiante de la cendre et du silence. Rien, il n'y avait plus rien. Ainsi faisaient les hordes après leur passage. La gendarmerie avait retrouvé l'identité de Maria, ce tronc inidentifiable. Un porte-cartes au badge Tic Tac miraculeusement intact. A l'intérieur, une photo où je souriais, la natte dans le dos. Maria avait écrit en grosses cursives naïves : « Ma petite sœur Julia que j'aime de tout mon cœur. »

Pour la première fois, j'éclatai en sanglots. Pendant des heures.

Les experts de la ville conclurent à l'échauffement du soleil contre un morceau de verre.

Mamita pétrit la farine et la fleur d'oranger. Chaque jour, elle va à l'hôpital psychiatrique porter des gâteaux à Gloria. Est-ce ma mère, cette folle qui hurle et qu'il s'agit de faire dormir sous perfusion ?

J'avais obtenu une bourse. Pendant trois années, je pris le car pour Aix et la fac. Mamita avait recueilli Gloria très ébranlée. Mamita recevait la famille. Chacun parlait du drame et concluait : « On n'y peut rien. Qu'est-ce qu'on peut faire contre les riches ? » J'avais mon idée là-dessus. Je passais pour un cœur sec. On ne me voyait ni flancher ni pleurer. J'aimais le Droit. Chaque austérité était une plante nouvelle, un jardin, où je trouvais des sources, des issues, des ouvertures. J'avais commencé à monter lentement un premier dossier orange sur l'incendie de la colline. Je ne perdais pas de vue Dolmen et ses impostures. Les dix-huit codes Dalloz (10,5 cm sur 15) cartonnés de rouge furent ma bible et mon temple. Gloria s'était mise à boire. Ses paupières étaient gonflées. Le temps travaillait ses plaies. Ma colère, bien cachée, me hantait. Au campus, je dormais dans une cellule. Mon petit ami, surnommé par moi « Procureur J » (nous avions les mêmes initiales), révisait avec moi. Nous finissions parfois la nuit sur le lit trop étroit.

Fin août 1986, commença le concours national de la magistrature. L'écrit se déroula pendant quatre jours.

La peur blanchissait mes mains. Je commençai par la culture générale :

— **Les personnes âgées dans la société.**

Je déjeunai avec Procureur J, dont la terreur humiliée était l'aberrante épreuve sportive. Il ne savait pas nager. On allait nous demander de sauter, courir, lancer un poids, grimper à une corde, plonger. Il était hors de question d'avoir zéro en quelque matière que ce fût. Un bon juge devait être sportif.

Nous abordâmes, le jour suivant, le droit pénal.

— **Le juge et le contrat.**

Nous disions « Ça a marché ». J'ajoutais « Plonge ! » Il murmurait « Marie-toi, Julia ». L'amertume seyait à son visage déjà si sérieux. Le concours me tenait lieu de feu, de joute et de passion.

Suite du cauchemar. Droit public :

— **La responsabilité administrative. Ses grands principes.**

J'avais coché les épreuves supplémentaires. Langue vivante (anglais) et la note de synthèse. Une vingtaine de documents. En extraire l'essentiel en quatre pages.

— **De la Fraude : Loi du 29 juin 1934, relative à la protection des produits laitiers (D.P. 1935. 4, 281). Développez la loi du 2 juillet 1935, tendant à l'organisation et à l'assainissement des marchés du lait et des produits résineux (D.P. 1936. 4. 177).**

Procureur J, torturé par l'idée de plonger sans savoir nager, insistait.

— Julia sans cœur, si tu m'aimais, je plongerais.

Sans cœur ? Le cœur, relié à son étymologie, signifiait le Courage ou le centre de la personnalité. J'avais du cœur, oui, et peu vibré aux caresses, très rares, de ces

64

hommes furtifs. Je n'avais pas aimé faire l'amour avec un compagnon du même métier. J'éprouvais une tendre fraternité pour mon évanescent ami si calé en droit. Sa culture juridique et générale m'avait fascinée. J'aurais dû en rester là. J'avais couché avec le Droit, non un homme. La loi restait ce domaine sans partage. On ne couche pas avec une entité.

Début septembre, nous avions achevé les écrits. Les résultats seraient affichés fin octobre. Sept semaines sans autre obsession que les codes à avaler en entier. L'oral faisait de nous ces cerveaux hypertrophiques. Pendant vingt jours, mon réveil sonna à quatre heures le matin. Je frôlais l'égarement. Vomir sans erreur le contenu des dix-huit livres et autant d'annales. M'apercevais-je seulement que Gloria était à nouveau hospitalisée ? Quatre heures ; l'aube déjà reliée au jour, un café fort, la cigarette à la menthe. Je me nourrissais à peine, la ceinture serrée au dernier cran. Les mains et les joues pâlies, j'allai voir les résultats. Procureur J, radieux pour deux, cria de loin « Nous sommes reçus, Julia ! ». Nous tombâmes dans les bras l'un de l'autre. Je tremblais ; ses tendres yeux de myope s'inquiétaient. Oui, j'avais la fièvre. Nous étions hantés désormais par l'autre stratégie perverse du concours. Le tirage au sort. L'oral se déroulait d'après la lettre alphabétique qui sortait d'une urne bien contrôlée. Nous devions être interrogés au hasard de l'alphabet. L'affolement gagnait les plus endurcis dont, apparemment, je faisais partie. Un magnifique et odieux « J » surgit tel un diable de la boîte. Nous, les « J », n'avions qu'une semaine pour avaler tel le supplice de l'eau, une dernière fois, les kilolitres des codes. Je me levais à trois heures.

Qu'avions-nous fait de nos vingt ans ? Nous étions

ces vieillards au corps adolescent, ces bébés juges hors du temps et de l'espace, trop mûrs et ne connaissant rien de la vie. Rien.

Le 5 novembre, nous recommençâmes.

Allions-nous frôler l'apoplexie ? Jour, nuit, l'irrigation des Dalloz, la masse phénoménale des polycopiés battaient sous nos tempes en une houle sans répit. A peine vivante, j'allais à mon exaltant supplice avec le début cotonneux d'une grippe. Mamita, de son côté, ne dormait plus. Elle priait la madone, et la petite âme de Maria.

Le café noir au litre, il me fallait tenir encore. Procureur J avait l'air d'un vêtement vide. Allions-nous périr ?

Pendant deux jours, une torture raffinée s'instaura.

Sur le bureau de nos interrogateurs impassibles, un réveil sonnait toutes les dix minutes. Temps imparti pour répondre, sans défaillance, à ce qui fut mon lot : **L'escroquerie.**

Je débitai en entier, y a-t-il un autre terme, au bord d'une syncope bien camouflée, l'interminable article 405. Le réveil sonna quand je m'arrêtai pile. Le bourreau hocha la tête. Approbation ? Bannissement ? Nouveau réveil, nouvelle table, derrière laquelle il s'agissait de ne pas trembler. Devenir cet arbre camouflé sous une perruque. On est noté aussi sur son sang-froid. Les grands escrocs connaissent cela. Désormais, dans mes cauchemars, un réveil aux oreillettes monstrueuses sonne plus fort qu'un beffroi en folie.

Procédure civile.

Les règles en matière d'appel.

Dring ! dring ! Mon pouls bat la chamade. Vais-je claquer ? Procureur J est devenu cette silhouette blême

entre deux sonneries. Nous aurons partagé nos fian-
çailles très particulières, en forme de garde à vue.
Procédure pénale.
L'avocat dans le bureau du juge d'instruction.

Trou noir. Noir, comme ma natte, la part si blessée de
mon âme. Tic tac, fait le réveil. Mon tortionnaire a un
lent sourire. Il reste sept minutes. La panne sur la
matière que je connais le mieux ! Certains acteurs
oublient quelquefois la tirade principale. Sans raison.
Comme ça. Mais ils ont un souffleur. Ton souffleur est
ta survie, Julia. Et Julia s'entend, dédoublée, réciter
jusqu'à la sonnerie abominable. Au Minnesota, dans la
salle d'exécution, un téléphone est relié à l'extérieur
jusqu'à la dernière minute. Es-tu pour la peine de mort,
Julia ?

Procureur J me fait de loin le signe de la victoire. Julia,
ravale ton émotion.

D'une salle à l'autre, à peine vivante, dring, dring, le
crâne devenu une machine, les jambes brûlantes, les
mains glacées, j'atteins l'ultime rendez-vous où cette
fois, le réveil est en matière invisible. Les prisons
modernes, propres et surveillées par caméra, sont-elles
plus cruelles que les anciens cachots où l'ennemi était au
moins parfaitement identifiable ? Je préférais le gros
réveil à oreillettes, remonté d'une main humaine par la
clef fichée dans son dos — le père Tic Tac en vendait des
centaines — à cette minuterie silencieuse, cette pile qui
rogne, sournoise, les secondes.
Droit social. Droit du travail.
Les règles du licenciement.

Trrri ! a fait la chose. Un glas. Un tocsin. Nous a-t-on
mis exprès dans les conditions des dix dernières minutes
du condamné ? Dix minutes, aussi interminables qu'une

vie entière. Dix minutes pour bouleverser ou justifier une existence, la perdre ou la sauver. Comme ça doit être long, dix minutes dans un brasier. O Maria !

La dernière interrogation revêt un sadisme délicat. Il s'agit de culture générale. Le jury comporte cinq personnes. On me fait tirer au sort deux sujets. Le réveil est encore modifié. Une horloge dont le clocheton darde un œil ferrugineux. Un système à boules, sous le verre, donne le tournis.

La gastronomie est-elle un art ?

Que sais-je de la gastronomie ? Nous avons été si sobres, si pauvres. La gastronomie, par ce matin blafard où ma seule nourriture fut le café, le tabac et les mots. La question, pourtant, enclencha un feu d'artifice varié.

La gastronomie ou l'esprit de civilisation. La gastronomie dans la littérature. La voracité de *Pantagruel*. La gastronomie et son protocole en politique. Les petits déjeuners à l'Elysée. Les cuisiniers les plus célèbres en France. La maison Lintz et ses marchés européens. Le thé. Cuisine écologique, cuisine du terroir. Que savez-vous de la porcelaine en France ? Citez des grands « châteaux » bordelais et comparez-les avec ceux de Bourgogne. Le pineau est-il un alcool noble ? Les règles des surgelés ? Les abattoirs ont-ils une éthique ? Comment tuer à la chaîne des poulets sans les faire souffrir ? Règles concernant la pêche et la chasse. Détaillez un menu type d'une prison moderne. Qu'appelait-on au Moyen Age un tranchoir ?

Je ne leur dirai pas qu'une poignée de dattes sèches, un peu d'eau, un café suffisent à résister, à traverser les déserts arides en tout genre. Je parle encore quand la sonnerie odieuse se déclenche. Un geste courtois, un hochement de tête. Voilà, c'est fini.

Encore un mois à franchir. Nous sommes proches de l'extinction mentale.

Jour de l'absurde compétition sportive.

Que reste-t-il de nos corps atrophiés par l'étude, tout en nerfs plus qu'en muscles, abolis au profit d'un cerveau gonflé à craquer ? Sauter, lancer, courir, grimper, plonger. Procureur J tombe franchement malade.

Devant un café, je lui souris, caresse ses mains. Je lui avoue mon impuissance en natation. Mon dégoût du sport, des stades, des poids, mon horreur des cordes à nœuds. Je lui cache par amitié ma compétence en judo, ingurgité comme une obligation. L'art martial me donne l'assurance physique qui en réalité me fait défaut.

— Moi aussi, j'ai peur de l'eau, dis-je. Saute, je t'en supplie : même malade.

Mon ami a son visage le plus fermé. Le mot « judo » a éveillé sa jalousie. L'inestimable douleur d'avoir aimé sans retour.

La salle des arts martiaux, le mardi soir. Mon instructeur, au corps habile, a la quarantaine féline. Je n'avais pas eu besoin de dire « ne m'aimez pas ». Nos peaux s'accordaient, le silence était de mise. Chaque caresse était cette prise savoureuse où l'autre se hissait, vainqueur ou vaincu, suivant le protocole d'un ballet glorieux et sans lendemain. Il avait l'air, ombre sur le mur, d'un faune penché.

La piscine, huit heures, le matin. Le cœur révulsé, la pluie glaciale, un début de mistral.

La brusque lumière, la nudité, les pavés lisses et mouillés. Les coups de sifflet sont autant de violences.

Procureur J, maigre et sans gloire dans un slip de bain trop large. Les lunettes confiées au hasard d'un moni-

teur, c'est à lui. En maillot une pièce, la natte roulée dans
le bonnet affreux, je m'approche.

Nous assistons au comble de la perversion du
concours national de la magistrature.

Le plus doué d'entre nous monta sur le plongeoir —
l'échafaud. Il n'osa pas un furtif signe de croix ni tourner
ses yeux chavirés vers l'aumônier absent. Il rencontra mon
regard admiratif. Dans un grand cri, il se lança. Un hulu-
lement d'oiseau que l'on va abattre. Le cri pouvait passer,
dans les cerveaux limités des sportifs qui enclenchaient le
chronomètre, pour de la joie. Il avait sauté de travers et
disparu au fond de quatre mètres d'eau. Le maître nageur
le sortit de là, à demi évanoui. Je m'approchai.

— Tu es beau. Tu as gagné.

Il eut la note I.

La corde écorcha ses mains, le vertige le saisissait,
mais il grimpa à mi-parcours. Il lança n'importe comment un poids trop lourd. Il courut, éveillant son souffle
au cœur. Il obtint trois de moyenne, ce qui le sauva.

A mon tour.

Au milieu de la piscine, une crise d'angoisse m'avait
saisie. Devais-je avancer, reculer, flotter, couler ? L'eau
verdâtre et profonde abolissait la chance de rejoindre
une rive. Où étais-je ? perdue au milieu d'un lac qui me
suffoquait ? quel puissant découragement me précipitait
vers le gouffre ? étais-je vraiment faite pour devenir
juge ? une main énorme, celle de Dolmen, enfonçait ma
tête. J'avalais du chlore, mes oreilles devenaient ce
coquillage funeste. Jamais je n'y arriverais… *jamais, je
n'arriverai à te coincer. Ce n'est pas le rôle d'un juge de
devenir un justicier. Coule, Julia, coule…* Au milieu du
bassin, dont j'apercevais le fond peinturluré, couleur du
scarabée vert pomme, des crampes déchiraient mes

jambes bien faites. Il y eut alors une convulsion d'images. La colline rose, les fleurs blanches sur l'autel destiné à Maria, les mains de Mamita dans la farine, les hurlements de Gloria. Une voix me tira d'une solitude si totale que j'avais intégré le sens du mot « abandonner ».

— Bravo, Julia ! disait Procureur J.

J'avais grimpé seule l'échelle de l'autre bord. On trouva mon crawl réussi.

Nous fûmes reçus.

La liste fut affichée le 20 décembre.

Je sortis cinquième sur 232 candidats. Mon cher « J », onzième à cause du sport.

Allais-je enfin entrer dans l'ère des petits juges intrépides ?

Ne nous y trompons pas. La plupart restaient proches des anciens tabous. Fonctionnaires de la loi, des certitudes, méprisant le réel, vite choqués. On n'appréciait guère les juges médiatisés. On choisissait à leur sujet le silence. On les blâmait en baissant la voix, fermant les fenêtres. Ils étaient des bateleurs ambitieux, méprisant le code de nos étouffoirs. Ils perturbaient le système. Hors nos enceintes, point de salut. Ambition féroce, humiliations bien occultées. Plus une affaire avait de l'éclat, touchait à un personnage connu, plus nos secrets étaient de mise. Toucher très haut signifiait éclabousser nos rites. Un beau crime campagnard, un viol bestial où la morale se taille la large part, un drogué sans famille étaient au palais ce que la tasse de thé est aux dames convenables. On disait, en salle de conseil : « c'est une affaire intéressante ». La *distance* sacro-sainte de la loi et ses représentants n'était pas touchée. L'accusé aussi devait rester dans les normes. Une brute opaque, un détritus social, *confortable*, valorisant le magistrat jamais atteint. Attaquer un imposteur trop connu, puissant, pourri, aimé du pouvoir, créait *le dérangement*. A la longue, l'exclusion du maladroit qui avait osé affronter la véritable horreur.

J'allais gêner. Je le savais. Je le voulais. Nous allions être quelques-uns à ruer dans les brancards. Que d'interdits dans la hiérarchie ! Le silence, mortel et sans issue, allait-il enfin crever nos portes capitonnées ? Au pire, il y avait toujours moyen de faire stagner à vie un petit juge déchaîné. La lutte serait sans répit. Trop d'impostures, de pouvoirs emmêlés les uns aux autres. Limiter l'autonomie d'un juge d'instruction devenait la hantise du pouvoir et des magistrats rétrogrades. Leurs buts bien cachés — présider une cour d'appel, finir conseiller, président de chambre — passaient, tels leurs pères, par les voies occultes.

Etions-nous une fausse couche de plus du socialisme ?

La prémonition de l'abandon m'avait saisie de plein fouet, au milieu d'un bassin qui puait le chlore. J'avais en tête l'abolition d'un imposteur, aucune alliance flatteuse. Qu'importe, j'avais appris la patience, engrangé les forces d'une graine qui voyageait vers un formidable surgeon.

Les juges, nouvelle manière, sont aussi des pyromanes.

Devant mon succès, Mamita bénit les saints et la madone. Je payai mes efforts d'une forte grippe et me repliai sur le lit étroit. Mamita sortit de l'armoire son livret Ecureuil. Elle avait économisé depuis des années la somme pour acheter la robe de juge.

La robe de Julia.

Plusieurs prospectus m'étaient parvenus. Un magasin spécialisé, à Orange, proposait d'envoyer vêtement et toque par correspondance. La Belle Jardinière aussi. Le summum de l'élégance était la maison Bosc, boulevard du Palais, à Paris. Il fallait ma robe au plus tard fin janvier. J'entrerais à l'Ecole nationale de la magistrature, 9, avenue Joffre, à Bordeaux, le 4 février.

La maison Bosc avait envoyé son discret fascicule. Il représentait un magistrat du XIXe siècle, la toque posée sur un coin de prétoire. Un visage aux favoris sombres, dessinés au crayon, la main gauche levée en un geste auguste rappelant davantage la monarchie et son droit divin que la République. Une belle écriture en italique précisait :

Maison Bosc
Depuis 1846
Costumes pour la Magistrature, le Barreau
Les Officiers Ministériels

Je détaillais les mystères vestimentaires de ma fonction avec la joie d'une fiancée devant les échantillons Pronuptia.

Venaient en tête les costumes de la cour d'appel. Présidents, procureurs généraux, avocats généraux, conseillers et substituts. Une hiérarchie prestigieuse dont le sommet était la couleur rouge. Les termes ne défloraient pas le secret de certains linges destinés à cette confrérie composée depuis si longtemps d'hommes. Qui avait été la première femme juge ? En 1920, il y avait eu des avocates. Une femme juge après le droit de vote des femmes ? 1946 ? On restait vague quand j'abordais le sujet. Les greffières et modestes broutilles, y compris les gardiennes de prison, existaient depuis longtemps. En remontant la terrible horloge, on retrouvait la trace d'une bourrelle qui aidait le bourreau son époux aux décollations. Elle versait elle-même les brocs d'eau dans la gorge du supplicié.

Revenons à la maison Bosc. Le bourreau avait disparu, hochet magnanime et humaniste du petit homme à la rose rouge.

Nos tissus : cachemire, revers de soie, serge, étamine, ventre de petit-gris, bavette en batiste, dentelles de Calais... Le coût d'un juge, vêtu de pied en cap, frôle sept mille francs dans les années 1990. La toque suit le prestige de la carrière. En velours noir, sans galon pour le greffier, galon argent pour le juge, or pour le substitut et le conseiller, elle s'enroule de trois spirales (or) pour les présidents de chambre et les avocats généraux. Le premier président et le procureur général sont à jamais couronnés de quatre galons où il convient de répéter, quadrupler le mot « or ».

Détaillons ma rubrique d'imminent auditeur de justice. Répétition générale, pendant deux années en costume. Je n'en avais pas encore fini avec les kilomètres d'annales concernant ma future fonction. Deux années féroces, où là aussi, seuls les meilleurs gagneraient. Robe noire, donc, cachemire et revers de soie. Ma ceinture serait ce chatoiement bleu. Le noir est destiné aux juges nommés à Paris. La maison Bosc soulignait chaque détail.

Taille totale y compris la tête. Tour de poitrine et tour de ceinture. Pointure et col de chemise. Circonférence de la tête.

Une indication nécessaire, minuscule, signe de distinction, signalait : « *Les frais de port sont à la charge du client.* »

C'était la première fois que Mamita et moi allions à Paris. Un hiver féroce et blanc. Gloria confiée à la famille. Un chagrin féroce et blanc. J'avais froid, mal remise de ma grippe. Mamita répétait « cette robe-là, j'aurais tremblé de la tailler ». Sa joie l'aveuglait, ignorait cet abattement qui ferma mes paupières jusqu'à Lyon.

A la maison Bosc, on me demanda ma carte d'auditeur. La photo de Maria est bien cachée derrière ce carton barré de bleu blanc rouge. Le gérant, très distingué, découpait, à petits bruits, une pièce d'étoffe rouge. L'emploi de la troisième personne déconcerta Mamita qui avait bravement tendu sa main pour saluer. La maison Bosc en avait vu d'autres. Les juges, aujourd'hui, sont *aussi* de modeste origine. On nous emmena à l'étage où un personnel silencieux piquait à la machine dans ce qui était l'atelier suprême. On commença par la démonstration du port de la toque.

— Tenez-la ainsi sous le bras, madame le juge ! La disparition du chapeau a fait que trop de magistrates refusent de porter cet insigne élégant et notoire.

On ouvrit pour moi un album de photos prestigieuses. M. Joxe en costume rouge, président de la Cour des comptes : « La bavette a été travaillée dans une dentelle de famille. » Les mesures prirent du temps.

Mamita eut droit à un siège. Le mètre entourait mon cou, mes épaules, ma taille. « Madame est bien grelette ! » Ma taille intéressait. A force d'avoir habillé des magistrats, le gérant était devenu ce tenancier de la Haute Couture Mystérieuse (comme on dit les Hautes Œuvres). Une sorte de juge. Je dissimulai ma confusion en posant quelques questions sur les costumes officiels. J'évoquai les costumes achetés par correspondance. Nous eûmes droit à ce qui pouvait ressembler à un cri.

Sur les murs assourdis par tant de rouleaux noirs et rouges, étaient accrochées des gravures anciennes. Des silhouettes drapées d'hermine, une envolée de moires et de bavettes étincelantes. Du voile, de la soie, de la fourrure. Les hommes adorent-ils porter la robe et ces accessoires pour femmes ? Je n'avais pas mesuré cet aspect prodigieusement femelle de la Magistrature.

— Devons-nous prévoir des talons ? murmura-t-on.

Quatre ou cinq centimètres au maximum. Cela donnerait un petit juge, toque comprise, d'un mètre soixante-quatorze. Une carrière probablement sans avenir. La correctionnelle ? plutôt une première instance. En province, bien entendu.

La fièvre battait ses marteaux sourds derrière mes tempes. Mon lit si simple me manquait. Dormir... Il y avait tant de jours, de mois que le réveil, le mien, avait sonné à l'aube. L'heure du camion des éboueurs, où se courbait le père Dolmen sur la broyeuse répugnante. L'heure des laborieux, des enragés, des vaincus. L'heure de ceux que l'on assassine lentement. L'heure des agonies solitaires dans les hôpitaux. L'heure de ceux qui vont gagner et de ceux qui vont mourir.

On déroula une série d'échantillons que mon corps de femme allait dégrader.

— Le mérinos conviendrait bien à Madame qui sera sans doute nommée dans une ville froide. Je conseillerais aussi le voile de laine agrémenté d'un simarre, courte soutane attachée sur l'épaule gauche par deux boutons et une bande de laine soulignée de lapin blanc.

— Ce petit vêtement rejeté en arrière se nomme l'épitoge. Revenons à la fourrure. Le lapin est d'un meilleur prix. L'hermine jaunit.

— Nous vous proposons la robe longue, renforcée aux épaules. Un seul essayage suffira.

« Une robe peut faire dix années sans réparation si le juge est soigneux. Rien n'use autant le dessous des manches que les exsudations des audiences en été. Les avocats détruisent rapidement nos meilleures créations. Ce sont des excités. Leur robe se passe du revers.

— Vous n'aimez pas les avocats ?

— Madame le juge ne les aimera pas non plus, pas plus qu'ils ne l'aimeront. Ils sont à la justice ce que les ducs impériaux étaient à la monarchie.

Je choisis du tergal pour la bavette. La batiste ou la dentelle au point d'Angleterre sont réservées à la Cour de cassation.

Voyons les accessoires.

— Les boutons ferment la robe et retiennent les manches. Ne boutonnez jamais le troisième bouton...

La toque leur donnait du mal. La chevelure doit rester correcte, camouflée. Répandue, elle est un signe de désordres divers et un blocage immédiat de carrière. Le port des boucles d'oreilles est désolant. Une alliance, à la rigueur.

— Marie-toi, Julia.

La toque sera en drap avec un bandeau de velours et

77

d'argent. La ceinture en moire bleue, bouillonnée au centre. Les gants en peau blanche sont appréciés.

Le devis était prêt. On me fit remarquer, devant la forte somme, merci Mamita, qu'une sérieuse indemnité me serait versée.

Avant de franchir la vitre opaque, j'arrachai une dernière confidence à mon Grand Habilleur :

— La maison Bosc habille également les doyens, l'Ecole de médecine. Les rabbins viennent là, même si la maison n'accorde aucune réduction. Quelques acteurs ont monté notre escalier. Gabin dans *En cas de malheur*, Delon, récemment.

Les couleurs des universitaires ont de quoi faire rêver. Les recteurs sont friands de la ceinture jaune, verte et amarante. L'Ecole dentaire s'habille en violet. La Science, en satin bruyère.

— Il faut rester en robe si l'on veut rester un juge.

Es-tu prête, Julia ? Tu en as encore pour deux années. A Bordeaux. Sans épitoge.

III

LE GRAND VIKING

« Serions-nous (les juges) devenus le
camion-poubelle de la société ? »

Ta profonde satisfaction est d'être blond. La blondeur, c'est appartenir au mythe. Le seul, le supérieur. Tu avais haï les mercenaires de la reine, mais rendu hommage à ces peaux claires. Tu dissimules ton goût pour les brunes. Une faiblesse indigne. La peau de Géranium ? Plus jaune que brune, tavelée de roux, issue d'une génétique trouble. Elle ne te pose aucun problème puisque confondue avec l'ascension sociale. On ne peut tout avoir, Coco. L'ascension sociale et l'amour. Géranium fait partie de l'utilité sans frein. Peut-être est-ce l'exacte définition de l'amour ? L'amour pour l'amour n'a jamais suffi, jamais créé, ni enrichi quiconque. Sans la mangeoire bien remplie, l'amour est une perte de contrôle, un dépouillement superflu. Tu connais le désir, son âpreté, des corps aussitôt délaissés que vaincus. Une fille soumise à ton rapt est toujours une fille jetée. Personne ne te résiste. Claque les doigts, sans même te déplacer ! Corps, cuisses, ventres tendres, qui refuserait ? La Fortune est ton unique passion. La Fortune... Tu as, à son sujet, fait un arrêt sur le mot. Peut-être un

81

jour, une fille provoquerait un arrêt sur ses courbes, son visage, ta pensée ? Hausse les épaules. Tu honnis cette vague nostalgie. La Fortune, elle, te rend inventif, t'exalte, développe d'incroyables aptitudes. Elle te soumet à ses exigences sans frein. Tu idolâtres cette déesse aux membres complexes, impérieux, mystérieux. Une déesse aux mouvements rotatifs, avec des retraits soudains, des violences inouïes. Des arêtes et des pics. Des zones d'ombre où l'on s'égare à jamais. Une ribambelle d'archets et de reîtres à sa solde. On se démène pour *Elle* bien plus que pour toutes les filles de la terre. *Elle* est pétrie autant d'acier que de chair humaine. Tu es fait pour devenir son premier mousquetaire. *Elle* veut de toi. Géranium avait été une part non négligeable du rouage voué à ton culte précis. Mais la Fortune est exigeante et dévoreuse. Le moindre abandon la contrarie, la fait disparaître telle l'eau dans le sable. C'est sa loi principale que tu as acceptée d'emblée.

Caresse la Fortune, Dolmen ! Crie-lui des noms sauvages, argotiques, chaotiques, hauts et crus. Des noms forcenés.

« Ma Garce, Argentanne, Electrum, Liquidité, Picaillonne, Soudure, Pognonne, Braize et Flouze, Quibus, Radis rose, Fraîche et Galette, Bouffe-moi, je te bouffe, Pèze, Picaille, Oseille, Artiche, Blé, Viatique Deniers-de-mon-culte, capital, espèces, fonds, ton fonds de culotte, ma grande pute aux guiboles rouges. Vas-y. Viens. Encore. »

Dis-moi, Géranium n'a jamais bénéficié d'un tel murmure sauvage et tendre ? Tu la terrasses quelquefois, d'une étreinte sans défaillance quand tes comptes triplent après une opération dite « abus de biens sociaux ».

Tu es devenu insomniaque. Une sentinelle qui veille

sans répit. Tes chiffres déclenchent un flux de sang sous la faveur au coin de la joue. Aucune femme n'a jamais provoqué cette émotion suprême. La contrariété, la colère blanchissent tes lèvres. Quand la colline avait brûlé, tu étais resté de marbre. Lorsque « Géranium 2000 » avait atteint un chiffre exorbitant, l'émotion vraie était apparue au coin de ta joue. Fasciné, le banquier avait fixé ce minuscule radar, ce clignotement.

Le réseau au service de ta gloire est désormais en place. A Paris, partout, on te nomme du nom de ta boîte : le Grand Viking. Dolmen ! susurrent les femmes lors des dîners en ville, la tête renversée, un sourire en cuisses ouvertes. Mercenaire 33 n'existe plus. Le Régent vert, les mercenaires tôt basculés dans l'ombre connaissent l'envers du masque. Géranium avait aimé ce soudard en treillis. Il convient d'oublier, de mettre en place ton image nouvelle dont tout le monde se souviendrait. La Fortune est si pointilleuse, maniaque telle une vieille fille de province. La pierre puissante, un tombeau imparable, battu par les vents d'ouest, destiné aux chefs barbares : Dolmen. La foule t'aime. Tu es un des leurs. La masse adore depuis toujours que la bergère épouse le roi. On peut sans peine inverser les données. Ton nom — Dolmen — évoque aussi une province de France. En France, on aime tant à demander : « Où êtes-vous né ? » La Bretagne, ça fait très bien. C'est catholique et marin. Cela évite de préciser les noms douteux d'une vieille histoire humiliante, où chaque village avait une sonorité gênante. La Chiffa, El Oulma, Bou-Saada, Tipasa. Les esclaves en tout genre pullulent, Dolmen. Tu permets l'accès au rêve. Qui peut savoir que tu ne partages jamais rien ? Tu ravis ce qui te convient, tu organises en temps voulu ta disparition du côté de l'Amérique du Sud. Le grand retour aux nationalismes divers te sert si bien. Tu partiras avec *Elle*. Uniquement, *Elle*.

Le Régent avait accéléré les enchaînements. Le Régent, plus subtil qu'on ne l'eût imaginé au premier abord, avait attendu que tu fisses tes preuves. Il t'avait chuchoté quelques révélations paradoxales. Les combinaisons étaient composées de maillons et de verrous divers. Assez simples, du reste. La Fortune, telle Méduse, portait mille têtes et autant de noms. Un ensemble de bouches qui parlent et se taisent. Des dents qui mordent et qui tuent. Des membres pythonesques qui étouffent, encerclent. Un corps difforme composé de matériaux au bruit sourd d'une pierre jetée au fond d'un puits. Minerais, ponts, réseau ferroviaire, littéraire, Vatican, béton, parcs d'attractions, héritiers des dernières couronnes, tableaux de maîtres, musées, immobilier, politique, académies diverses, terrains à bâtir, secours tiers-mondiste. Rendre tangible la Fortune ? Quelle impudeur ! Dolmen, tu as raison de te taire si souvent. Tes troupes ignorent la plupart de tes desseins. Tu les exécutes de façon foudroyante, à la manière d'un commando. Géranium n'a qu'une partie des données. Elle ne sait où situer quelques-uns de tes comptes. Tu organises, en secret, ton but, ta fuite ultime, avec *Elle, la Bien-Aimée*. Tu l'emporteras, sous sa forme austère, vers des lieux connus de toi seul. Tu sauras où la rejoindre, à toute heure, de nuit, de jour. Tu détestes, par moments, que ta Fortune soit à ce point convoitée, révélée aux autres. Tu as les rancœurs meurtrières d'un pacha oriental dont la foule oserait dénuder la femme

adulée. Ta vanité t'a d'abord grisé. Ta passion assombrit
ta frénésie. Il te faut composer avec tant d'êtres !
Choucroune fait partie des rouages, au même titre que
Tigrino, différents groupes eux-mêmes assujettis à des
firmes si nombreuses. Tu mènes ta maison d'édition
officielle, Le Grand Viking, en despote. On te croit ici,
tu es là-bas. Ta bande t'attend chaque soir. Tu surgis au
milieu de la nuit, chez les uns, les autres. Dans des
appartements luxueux où tout est verdâtre. Quelquefois,
des chambrettes où mûrit « un coup à faire ». Au bar des
grands hôtels, parfois en banlieue, dans un troquet
pourri où t'attend le quidam d'une de tes banques. A
Nevers, on t'aperçoit, furtif, camouflé de noir, au grand
hôtel, fruit de l'argent de la colline brûlée, dont ta mère
est gérante. Tu traverses les foires du livre, les cocktails
croulant de caquetages et noms en vue, le festival de
Cannes. Tu t'évanouis au cœur de la nuit, le long d'un
boulevard désert à peine éclairé. Tu surgis d'une voiture
silencieuse, arrêtée dans l'ombre. Tu vas droit à ton but.
Une femme, la porte d'un immeuble. Aussi vite que
l'allumette sur la colline pelée. Tu perds volontairement
des pistes, tu en crées d'autres, tu brouilles tout et
chacun. Le dossier orange du juge Julia Jordane recons-
tituerait patiemment tant de parois glissantes. On avait
eu tort de te considérer tel un primate. Tu es retors, agis
de manière obscure et originelle. Ta mémoire sans
défaillance retrouve *Gargantua* sans se tromper. Ta
démarche, ton regard évoquent certaines divinités celti-
ques. Les druides, revenus à la mode, t'idolâtrèrent. On
te représenta sous un chêne tutélaire, contre la fontaine
miraculeuse de sainte Anne, en Viking hissé sur un
bouclier (ton sigle). Il y eut quelques murmures, mais
l'évêque avait béni le chêne. Un gros virement aux

œuvres tiers-mondistes arrangea ce nouveau culte. Tu représentais, en cette période de crise et de détresse, la Bretagne en route vers un avenir unique. Tu es un prince de l'Ombre, camouflé en un sourire éclatant. Tu aimes ton nom, Dolmen, et te sens proche du plus beau des anges. Tu as cette façon troublante d'enchanter et de te dissoudre avec une promptitude extraordinaire, où que ce fût. En peu d'années, tu as changé. Quelle part mystérieuse de ton cerveau s'est à ce point développée ? Tu déploies un génie limité et redoutable. Froid sous des allures et des discours brûlants, laconique en dépit d'une prolixité dissimulant l'essentiel, sobre, excepté les litres de bière, agile, apte aux élans des fauves. Tu appliques, pour réussir, les techniques militaires. L'instructeur des mercenaires de la reine ne pouvait se douter qu'il t'avait enseigné l'art de la Fortune. Et la fascination pour Rabelais. Rabelais, ton jardinier fou, ton seul égal, dis-tu, son verbe unique. Tu manges du lard en carême et crèves de rire, seul, quand *les compaignons de Pantagruel desconfirent six cens soixante chevaliers bien subtilement*. Tu en desconfiras bien plus, mon gars !

Le Régent vert t'avait mis en garde contre les ennemis qui entraînent la chute.

— Méfie-toi avant tout de toi. Ne manque jamais de flair. Devine tes comparses. J'ai bien dit « comparses » et jamais « amis ». Bien entendu, tu leur diras « mes amis ».

« Redoute le grain de sable dans la machine. La Fortune doit devenir une femme vaincue à tes pieds. Foulée par toi seul. Sinon, elle t'aura. Fais-en un tigre apprivoisé, qui grogne de rage et de reconnaissance.

Qui aurait pu s'attendre, chez toi, à cette capacité

d'écoute ? tu as bien enregistré la leçon du Régent. Qui raisonne, désormais, sinon toi ?

Les conseils du Régent vert sont déjà loin. Tu as mené, quelle aisance, Coco, le jeu des alliances, des rencontres, des échecs organisés. Seul. Tu méprises les récits de réussites dont regorge la littérature et qu'on s'était empressé de te narrer. Tu ne te sens aucune parenté avec Nucingen, ce gros banquier sans grâce, ridicule, vaincu par une prostituée. La fortune de Gaspard, dont Houquard, ton principal adjoint, fou de la comtesse de Ségur, t'avait chuchoté l'histoire, te répugne. Quoi, être à la solde, tel Gaspard, d'un vieillard dont il s'agissait de lécher les bottes afin d'hériter de ses usines ? Tu n'aimes pas les vaincus. Ils ont toujours tort. Il t'a fallu, hélas, ingurgiter un minimum d'éducation. Tu n'as pas eu, tel M. Jourdain, un maître de danse, mais Géranium, bien qu'elle eût pour son compte fort à apprendre sur les bonnes manières, se chargea des broutilles répétées en chambre, achevées sur le lit mussolinien, quand la leçon te plaisait. Rappel nécessaire : le Régent avait acheté à Géranium un titre de baronne. En peu de mois, tu savais vriller ton regard de loup dans des prunelles fripées qui s'émouvaient. Saluer avec grâce. Incliner ton grand corps d'un mouvement différent de celui du viol ou du meurtre. Balancement, à l'occasion involontaire, qui n'était pas toujours déplaisant aux femmes mûres de la haute société. La ruse tient toute la place dans tes neurones, Dolmen. La ruse, dieu fourbe et brouilleur de pistes. Le Régent siffle de considération. Il t'avait vu à l'œuvre, lors du cocktail à l'Elysée, suite à tes noces. Tu n'as plus d'obstacles, Coco, la chance se saisit dans l'instant. Une étincelle dont on fait un incendie. L'incendie de la colline. Tu as bien compris la simplicité fabuleuse des lessiveuses. Je t'ai offert ta seconde carte. Mon vieil ami (comparse) Euzebio Tigrino. La balle est dans ton camp. Attention à Choucroune. Il est malin, dévore tout et t'a déjà devancé. Mais tu es plus fort. D'abord, tu es beau et il est laid. A Paris, il est fondamental de plaire. Autant aux femmes qu'aux hommes. Si Géranium ne t'avait pas eu dans la peau, peut-être n'en serais-tu pas là. Choucroune a une faiblesse. Le malheureux débris qui l'a engendré et qu'il prolonge à coups d'opérations monstrueuses. Joue là-dessus. Entoure-toi de femmes. Fanatise-les. Forme un bataillon d'esseulées qui ont consacré leur misérable vie à l'ambition et au piège d'un féminisme ringard dont elles ont été les premières vaincues. Des arrogantes bardées de dents longues, de diplômes inutiles et d'un dévouement de hyènes. Elles seront ta meilleure troupe. Géranium, qui aime les esclaves, s'y fera. Elle aura l'illusion de mener le cheptel qui, de fait, sera magnétisé par toi. Aiguise en elles une passion sans limites. Sois *un allumeur*. Tu as déjà été *l'allumeur* de la colline pelée. Sans rien toucher de tes mains. Amène les femmes à ce curieux phénomène que les psychiatres ne peuvent soigner : la fixation. Ce sera parfois irritant, mais tu pourras tout ton soûl les humilier à n'importe quelle heure du jour ou de la nuit. Les femelles composent la piétaille la plus efficace. Paris regorge de filles seules, un peu vieilles, brûlantes et brûlées. Elles bâtiront, sans le savoir, ta fortune, béniront ton passage et mourront de ne plus jamais te voir. Euzebio Tigrino, imperturbable filou, connaît ces choses. Entre Vieille Maîtresse et Jeune

Epouse, il a su jouer. Des nonnes ! des nonnes ! chez qui les matois savent créer *la béance*.

Les femmes travaillent plus que les mâles. Les entreprises savent cela. Paye-les toujours trente pour cent de moins que les hommes. Maître Gobard (soixante-dix ans et trois liftings ?) a toujours procédé de même. Aux petites stagiaires, les affaires compliquées, qui exigent des nuits de labeur ! A lui, l'apparition théâtrale dans les enceintes où une caméra de télé n'est jamais loin. Le Régent, Tigrino, Gobard, ceux que tu vas rencontrer avec la rapidité de la foudre, ont la même attitude. La femelle a contribué à engraisser leurs comptes dont elle ignore l'essentiel. Ils vont jusqu'à promettre le mariage. Console-les, Dolmen. Quand elles flanchent ou pleurnichent (tu verras à quel point c'est une engeance malade), répète-leur, l'œil de velours, la main frôleuse, le cœur d'acier :

— Mon meilleur camarade, le voilà ! si nous couchions ensemble, nous abîmerions une relation exceptionnelle.

Taille, gars, taille, là-dedans. C'est du mou de veau. Méfie-toi quand même. Gare tes billes et le reste. Ne te fatigue pas, Dolmen. Sers-leur à toutes la même phrase. Elles conserveront tes mots tel le joyau inoubliable — ta seule offrande — jusqu'à ce qu'elles radotent. Si la situation se gâte, titille-les, je ne vais pas te faire un dessin, mais ne les pénètre jamais. Relève-toi, frappe leur croupe, répète « tu as failli me faire perdre la tête ». Imagine leur désolation physiologique ! Amène-les à s'entretuer si ça t'arrange. Vide les plus embêtantes. Les raisonneuses, les indépendantes, les loties d'un mec. Dis-leur : « Je reste votre ami, mais ma maison n'est pas faite pour vous. Votre sensibilité mérite autre chose. »

Ce genre de mammifères se voussoie. Leur orgueil sera
flatté et tu les amèneras tout simplement à démissionner
et non au licenciement. Quelle économie pour toi !
Quand ça se gâte, je ne saurais trop te déconseiller
l'injure en forme de fouet. Elles adorent ça. Plonge ta
prunelle bleu dur, chaude en apparence, glacée tel le
fond des lacs, dans leurs yeux sans autre dessein que ta
capture possible. Aimes-tu la chasse ? Gobard est un
bon chasseur, Houquard aussi. Apprends les méthodes
un peu différentes de celles des mercenaires de la reine.
La grive, la merlette, la grue, la renarde, sont simples à
abattre. Mais elles savent se fondre dans le feuillage.
Attention à celles qui savent se fondre dans le feuillage et
se tiennent à distance. Sois dans ton empire ce Dolmen
sur lequel elles penseront jusqu'au bout de leur pauvre
vie se coucher, coucher, coucher ! Elles s'obséderont de
te faire *Menhir* dressé pour elles seules. Qu'elles aient
pour toi l'éclat du damné, et la Fortune t'aura élu.

Le choix de ton cheptel fendu : le grand fretin
quadragénaire, ivre de travail, le corps dont on dissimule
soigneusement les défaillances. Choisis quelques
anciennes socialistes flouées de la même sorte par le
Vieillard qui disait les aimer autant que la France. C'est
un bon vivier. Pêche quelque ministresse de fiel et
d'aigreur. Il te faut du cerveau et des rouages précis.
Carbure dans leurs neurones. Ces fantassines te sont
désormais destinées, Dolmen, ces vaincues du pouvoir et
du féminisme. Le féminisme ! ah ! ah ! comme il nous
sert bien, désormais ! quel tremplin à nos intérêts ! Vive
le socialisme ! vive le féminisme ! vive la connerie ! Ris,
Dolmen. Tu es dans la bonne voie... Une femelle,
Dolmen, qu'elle soit énarque ou rien, comme toujours,
est une folle. Un trou à combler. Une peau qui se

distend. Le coin des yeux, des lèvres, des joues, ensuite, le cou. Je n'ose te choquer davantage, ô mon Lisse ! Tes attachées de presse doivent composer le troupeau sans patrie ni famille. Disponibles vingt-quatre heures sur vingt-quatre. Rudoie-les. Dépouille-les de leurs vrais prénoms pour des surnoms de cigarettes. Lucky, Kim, Marlbora, Camele. Du sexy dans la tenue. Des jupes très courtes, des jambes interminables, des blouses en soie, du blond pour toutes et des mâchoires carnassières. Beaucoup de sottise et de prétention. La plus âgée se doit d'être peu jolie, avec des canines qui dépassent la gencive supérieure et des crises d'aboiements. Son rôle est de crier toute la journée sur le troupeau à ses ordres, c'est-à-dire aux tiens. Un brin de mythomanie est nécessaire à la cheftaine. Qu'elle soit convaincue d'être agrégée en botanique ou autre bricole. Ne la contrarie pas. Elle est aussi vide qu'une coque de noix, mais sait terroriser sa cour de récréation. Toutes seront imprégnées de l'illusion du tapis rouge et des vies interposées. Elles doivent arriver avant toi, partir après toi. Pas d'état d'âme. Rends-les masochistes, bonne antichambre au sadisme. Dès ton arrivée, le matin, gueule très fort : « Alors, les gonzesses, rien n'est prêt dans ce taudis ? » Gueule pour tout, pour rien, en même temps que la cheftaine qui hurlera ainsi le basset quand crie le maître. Un beau vacarme ! Histoire de mettre un peu d'ambiance. Déstabilise-les. Des mécaniques, des robots. Pas de cerveau. Leur slogan, du matin à la nuit, sera : « Dolmen est génial ! » Récompense-les, rarement, de façon imprévisible. Une main sur la croupe, tap, c'est vite fait. Une augmentation sans raison, très faible, présentée en privilège à ne pas dire aux copines à qui tu auras accordé la même munificence. Fais installer dans les chiottes de luxe, ça pisse tout le temps, ces animaux, une cafetière automatique. Elles se déchireront à qui te servira la première. Café avec ou sans sucre ? Payant. Un jeton déduit de la fiche de paye. Assujetties au service de la communication, c'est-à-dire au glissement inéluctable vers l'autisme et la schizophrénie. Progressivement, elles n'entendront rien du monde extérieur. Toi ! toi ! rien que toi !

Revenons à tes projets. Remplace au plus vite le sigle Le Tigre d'Or par Le Grand Viking. Première effigie de ton temple. Une image, Dolmen ! une image ! Que l'on te voie, toi et ta splendeur de brute si chaude, debout sur un bouclier mérovingien débordant de livres, disons de titres, ayant franchi le top des ventes ! En dix années, tu as fait des progrès fantastiques. Mais en dépit des leçons de ta baronne, tu commets encore des erreurs agaçantes. Je t'ai vu baiser la main des dames. Attention, Coco, n'embrasse pas les avant-bras. Ça fait bestial. Les nègres écrivains, je voulais t'en parler sans détour. Ils seront les plus embêtants de l'affaire. Les Mémoires de Janine, *Je ne te quitterai jamais mon fils*, ont été troussées à l'ombre des caves du vieux Tigrino. Tu te souviens de son immeuble, dans le VIIe arrondissement, que tu as bradé en trois jours ? Un immeuble rose et bleu. Sur la vitrine derrière laquelle s'amoncelaient les séries para-normales et autres bluettes, était peint un tigre doré à queue de sirène. Le tigre avait été reproduit d'après le visage du Sicilien, ce qui donnait une face mi-humaine, mi-bête, qui excitait les femmes. Les hommes éprou-vaient un émoi. La queue prometteuse de la sirène ? l'aspect phallique et androgyne de l'ensemble ?

Revenons aux nègres car le sujet t'agace et t'incom-mode, je le sais. Un danger, un grain de sable. Quelle galère pourrait avancer sans eux? Leur rôle est de barbouiller en un mois, souvent moins, des histoires, toutes plus menteuses les unes que les autres. Taulards évadés devenus mystiques, échappés aux prisons exotiques, médiums qui ont vu la Vierge, convulsionnaires revenus à l'église Saint-Médard et qui guérissent le SIDA, stigmatisées — hystérie féminine — qui ont cessé de se nourrir pour sauver le Monde... de toi, de tous les Dolmen possibles, ah! ah! mais les stigmatisées ont aussi des comptes en banque. Tu peux faire narrer (torcher est le mot qui convient) une histoire de planète où des cosmonautes seraient allés en secret. Jan-Lou Saxo se chargera de la mise en scène. Un décor en carton, un ou deux malheureux comédiens sans contrat, le visage bien caché sous un masque et hop! tout le monde marchera. La France est courbée. Son Président crève d'une longue maladie, son ministre le suit en silence. La France a besoin qu'on la distraie de ce deuil blafard, sans autre issue que la misère. Fais gribouiller l'histoire d'un enfant sauvage que mère Marie-Eustache aurait trouvé dans une poubelle. Pourquoi ne pas conclure que l'abbé Saint-Pierre l'aurait baptisé et amené à passer le concours de Normal Sup en huit leçons données par la stigmatisée? La foule du cirque dira « encore! ». Mêle à tes jeux des figures austères de la finance, de la magistrature, de l'Eglise. Qui ne rêve de passer dans la boîte qui vous fait dieu en une soirée?

Je ne crains pas ta présence à la télé, aux heures des grandes donc des stupides écoutes. Tu es le plus *mâle* avec un sourire de femme. Présente-toi avec chaleur toi qui n'aimes personne.

Ta mère, c'est différent. Liés de sang, de chair, de même nature. Tu as pour ton père le mépris qu'a sans arrêt éprouvé pour lui ta génitrice. Tu l'as oublié comme s'il avait disparu dans la broyeuse du camion-benne.

Dans l'ombre de la villa à Ramatuelle, il sarcle les allées, se courbe, lave la terrasse. Il a honte. La colline a brûlé à cause de toi. Il le sait. Aurais-tu hérité de cette fâcheuse génétique (la honte) quand le regard de la petite Jordane t'avait fixé sans défaillir ?

Qui parle ?
Le Régent déjà si loin ? Choucroune le méprisé et le si utile ? Gobard qui a reçu Dolmen dans son appartement, place des Victoires, surchargé d'une étonnante antiquaillerie ? Houquart le discret, qui chuchote quelques manœuvres fiscales ? Géranium, quand l'alcool et les leçons en chambre lui donnent des pulsions innovatrices ? Tigrino, devenu toute douceur, quasi mystique, quand Vieille Maîtresse a lu dans les tarots qu'il se réincarnerait en empereur des Huns ?
Qui parle ? sans relâche, d'un débit nasillard, vrillant à vif la cervelle sans cesse en éveil ?

Dolmen, écoute-moi encore.
Il y aura, dans tes antichambres, les inévitables mère Marie-Eustache et leurs scrofuleux. C'est bien, les scrofuleux. C'est long à crever. Ça donne des photos flattant le voyeurisme populacier. Jan-Lou Saxo a bien fait d'en louer un à mère Marie-Eustache pour son émission en direct. Les gueux, ça paye de belles villas à Ramatuelle. Ça offre surtout un trésor inépuisable : la

bonne conscience. Le siècle est à la bonté, Coco, tu te rends compte ? Tu as vendu, dit-on, un diamant de la robe de noce de ta plante carnivore pour fournir la cassette du Vatican ? Mais il y a tant de ragots chez les jaloux ! Beau geste néanmoins et qui te sera compté, ô mon Inséparable ! vas-y à fond sur les thèmes des rescapés. Ceux du sang contaminé. Ceux de l'immondice actuelle et universelle. Faut-il être bête pour faire partie des rescapés qui, de plus, vous engraissent ! « La nuit des rescapés vivants » ! tu vois, j'ai déjà ton titre, ô ma Bête ! Ne néglige pas le secteur chirurgie esthétique. Enlever une ride, gonfler une bouche, affûter les nez en patate, pomper la graisse au litre... Des sommes folles pour oublier le tombeau, béant, si près. Personne n'aime se flétrir contre une vieille peau, excepté par calcul. Taillez, mes gars, taillez, dans ces chairs absurdes qui vont finir, pourrir ! Ah ! je suis bien bavard, mon Coquin ! On ne se quitte jamais. Je te glisse de puissants conseils. Ne fais pas ta coquette.

Ne t'endors pas, je n'ai pas fini. Tu as bien raison de passer tes nuits — et tes jours — avec ma voix, le tourbillon sans fin de mes idées qui savent faire plier la terre entière.

Préfaces et interviews de cardinaux, évêques, rabbins, imams médiatisés seront fructueuses. Envoie Choucroune enquêter dans un couvent à la mode. Princesses et châteaux, authentiques asiles d'aliénés, cela plaît toujours.

Pas mal, pas mal, ta série sur la résurrection des bêtes préhistoriques ! mieux encore, le retour de l'atlantosaure. Je te félicite d'avoir dans la foulée signé des accords avec les géants du froid. Ils ont conçu des croquettes en forme de ce crustacé ignoble, au dos hérissé d'écailles. Les gosses adorent avoir peur car ce sont des salauds. Ta mère l'a bien compris en instaurant, chaque mercredi, dans son hôtel à Nevers, côté brasserie, « le goûter de l'atlantosaure ». Elle fait servir aux groupes scolaires un curieux supplément. Un gâteau où tremblent des pics, coule du chocolat de la gueule en nougatine. Vive l'atlantosaure ! Certains croient en son retour et je me garderais bien de contredire cette rumeur.

Qui parle ainsi ? L'atlantosaure ? Son souffle hybride, ses méandres épars, les rauques éclats du début des océans meurtriers, des tempêtes folles, des éléments furieux que rien ne pouvait dominer ? Un temps où le vent ne soufflait sur aucun esprit. Tout cela, à travers le mystère des siècles, a donc déboulé, telle une coulée de lave, dans ton crâne ?

Tes troupes viriles doivent savoir écornifler en silence comme le faisaient les mercenaires de la reine. Les trois chaloupes conviennent. Crée, sans qu'ils le sachent, des soudoyés. Chacun rêve dans ton dos des bouts de ta fortune, voire de ton pouvoir en entier. Etablis une ligne Maginot invisible, oblique, en travers de leurs desseins. Les Tic Tac font famille, ne l'oublie pas. Fais parler Gobard. C'est un vaniteux. Il agite la jalousie, le mépris, la suspicion. L'infinie jouissance de lui dire « non ». Il n'a toujours pas saisi que la grande bourgeoisie, dont il n'est pas issu, déteste l'étalage. On ricane, de-ci de-là : Vous avez vu le délicieux Fragonard chez notre aimable rastaquouère ? Mais pourquoi diable a-t-il accroché cette exquise merveille au-dessus d'un reposoir violet ? Vous n'avez pas été sans remarquer, cher ami, son épingle en perle dans sa cravate. Il en est très fier et la glisse dans sa bavette quand il plaide. Ce bijou a appartenu à Liane de Pougy, affirme-t-il. Autant ne pas trop poser de questions sur l'origine de sa brocante prestigieuse. Cela fait bien du bruit, un lot de casseroles tirées à la volée sur nos parquets à chevrons ! Pourquoi diantre se vante-t-il d'avoir couché avec neuf mille femmes ? Est-ce un lapin ? Plutôt M. Hop Hop. Un coup en deux secondes, sans déshabillage. Seul calcul plausible pour admettre neuf mille pénétrations. Son lit est une merveille d'anges verseurs de dentelles, qui appartint, dit-il, à l'impératrice Eugénie. Le bidet, grand sujet de la visite, est un coursier au couvercle d'argent massif. Gobard a sauvé quelques affaires obscures du Régent vert. Il lui a offert cette splendeur où, hop, hop, les élues ont un droit de passage obligé. La boîte à capotes est une ancienne châsse où repose un os de saint Léon.

Houquart est ton éminence grise. Le plus méchant de la bande. Bien plus méchant que l'atlantosaure. Trois ans au séminaire à Nevers, une thèse sur « Saint Thomas d'Aquin ou les paradoxes d'Aristote ». C'est l'homme qui se tait. L'homme qui sait. Il a la forme d'une stalactite. Il glace lentement. Il est la pointe aiguë, invisible, de l'iceberg qui a coulé le *Titanic*. Même toi, il t'intimide vaguement. Il a une façon si laconique de deviner les fragilités de l'Autre. Une politesse d'enfer.

Quand l'enfer est blanc, froid. Qui a dit que l'enfer était chaud ? Houquart, c'est l'enfer. Terne, amer, le cœur rempli de fiel. Le corps agité d'un désir abominable, bien caché, qui l'amène à se donner la discipline avec un fouet à chien. Il rêve d'être la chose, le *hop hop* de cet homme dont il fut, si longtemps, le muet stagiaire. Il est prêt à tout pour le captiver. Il décrit longuement à Gobard, bon enfant, en bras de chemise, la cravate dénouée, pourquoi se gêner avec les inférieurs, un tableau merveilleux que possède sa vieille tante, à Nevers. *Femme dans le brouillard* de Sisley. L'œil du bouillonnant comparse s'est embrasé, celui de Houquart abaissé. Ce Sisley, chuchote le vieux garçon impur, doit me revenir un jour. Quand ? quand ? s'agite l'autre. La voix de séminariste continue :

— Une merveille couverte de poussière dans l'hôtel particulier de ma parente. A près de cent ans, elle refuse de mourir.

Une ombre basse, un souhait informe, plana de l'un à l'autre. Ils se savaient capables de tout pour assouvir leur désir forcené, leur délivrance réciproque. Gobard était loin de se douter quelle rumeur rongeait son blafard convive. Houquart effrita habilement quelques confidences, tel le renard appâtant Maître Corbeau. Il sortit d'un porte-cartes épuisé une photo du Sisley. Gobard joignit les mains comme devant une apparition. Lui, le malin, le finaud, glissait dans le piège. Houquart avait jeté le germe de l'envie qui cheminerait, racine d'une plante inextricable. Houquart rosit légèrement devant le coursier dont l'heureux propriétaire faisait couler pour lui le robinet à gueule de lionne. Une image de *pal* s'insinuait.

Toi aussi, Dolmen, tu attires ce spectre incolore.

Houquart est un homosexuel vierge. Prêt à tous les crimes. C'est sans doute moi qui l'ai placé sur ta route. Je m'infiltre si bien, Coco.

Tu as bien fait d'envoyer on-ne-sait-qui craquer une allumette sur cette colline idiote. C'était un dimanche, à l'heure où tout dort. Les maisons en carton rose n'étaient pas achevées. Il a eu la larme à l'œil, le père Tic Tac, quand la petite (une idiote de plus) a grillé. Il a même envoyé des fleurs et une cuisinière gratuite à la grand-mère. Il est vrai qu'il ne savait comment se débarrasser de sa chiffonnerie en tout genre. Utilise Choucroune avec une longue cuillère en bois. N'oublie jamais qu'il a eu l'idée, avec Tigrino, de médiatiser cette débile de Janine. Tout a été évidemment organisé. Mustapha a été trop content de gagner ainsi un gentil pécule. Son fils, Rachid, est bien un peu autiste sur les bords. L'émission sur la 8, *Votre santé, votre famille*, lui a consacré une soirée entière. Les pédiatres mondains prenaient la parole à qui mieux mieux. Rachid se rabougrissait de terreur. Tout le monde exultait d'inté-rêts privés où l'enfant était totalement absent. Les Français en sont à la famille et aux enfants malades. Ils sont légion, les enfants malades... On adore suivre le parcours d'une mère affligée d'un gosse handicapé. Jamais on n'a autant massacré nos enfants. Ah ! ah ! quelle aubaine pour tes affaires ! J'ai bien aimé ton document bourré de fautes d'orthographe sur ce couple porteur du SIDA qui a mis au monde un enfant déjà foutu. A toi, maintenant, mon Grand Bateleur ! déniche des mongoliens détectés par amniosynthèse et que la science opère dans le ventre de la mère. La vie à tout prix, Coco, puisque le prix des monstres remplit ta bourse. La France a vu Janine sur la 9, la 8, la 10 ; dans un F3, ça fait très bien, à l'hôpital, c'est encore mieux. Tout à coup, à la même heure, on vit Janine, sur la 9, à Ramatuelle. Ça, c'est toi qui l'avais organisé. Le rêve ! Elle pleurnichait, le môme aussi. La masse ne faisait pas le rapprochement entre le montage du F3 et ta villa de rêve. Tu as vu, si ça fait bien, les transats blanc et rouge devant la piscine bleue ? franco-français ! Le gosse barbotait en poùssant des cris lamentables que la foule confondait avec la joie.

Fais ce que voudras, Gars.

La Fortune, est, croit-on, une roue. L'image, falla-cieuse, a fait son chemin. Je suis darwinien. Il y a des milliers d'esclaves, des têtes vides, des êtres pour rien. La Fortune est une force, imparable, aux codes brefs et rigoureux. Aucun romantisme. Un romantique, ce sera toujours Nerval se balançant au bout d'une corde, à un réverbère. Noue ta cravate, Coco, on voit ton cou de taureau. Houquart détourne les yeux, les femelles sont en émoi. La Fortune assemble les éléments d'une fleur piquante, informe. Une pieuvre ? le corail à l'état d'ébauche ? l'atlantosaure dans son œuf ? Les êtres, ça s'utilise. Janine la coiffeuse et l'engeance « Une grande existence » sont un encéphalogramme plat. Choucroune aussi est un esclave. Il ne voit que le profit immédiat et crève de vanité. Il aime brasser l'argent dans une boîte à chaussures. Il est l'Indécrottable Fripier. La Fortune a ses crises de nerfs et ses caprices. Elle ne supportera pas en permanence ton chiffonnier. J'en ris encore quand tu as fait biffer de la série « Culture pour tous » les points d'exclamation chez Louis-Ferdinand Céline. Tu disais :

— Commercialement, les enlever rassure. Chacun peut se dire ce n'est pas difficile d'écrire *la Nausée*.

— Vous voulez dire *le Voyage au bout de la nuit* ? avait susurré le neveu Houquart.

Les jumeaux étaient blêmes. Le correcteur, un innocent qui avait hésité entre la Trappe et l'orthographe, en a fait une dépression au point de biffer automatiquement la ponctuation dans n'importe quel texte. Nul n'a compris ta colère épouvantable (faiblesse, Coco) et tes incompréhensibles hurlements : « *Es un escarbouillait la cervelle, és autres rompaient bras et jambes, és autres déclochaient les spondyles du col, és autres démoulaient les reins, avalaient le nez, pochaient les yeux, fendaient les mandibules, enfonçaient les dents en la gueule, décroulaient les omoplates...* » Bravo ! s'enthousiasmait Lili la huguenote, bravo ! on peut faire confiance à qui connaît son *Gargantua* ! Tu as alors foncé sur elle, pointant ses clavicules en portemanteaux. « *Si quelqu'un gravait à un arbre, pensant y être en sûreté, icelui de son bâton empalait par le fondement.* »

Le neveu Houquart est devenu violine à partir de « *... empalait par le fondement* ».

— Voilà un homme qui en veut et qui en sait ! a clabaudé Lili dans les soirées. Un *parvenu* magnifique !

Tu as de la chance, Coco. Un protestant perd rarement le cap de ses banques qui remplacent tous les saints. Beaucoup se suicident. Ce sont des mélancoliques actifs. Des désespérés furieux. Des compétitifs hallucinés. Lili avait placé ses actions aux éditions Le Tigre d'Or, désormais chez toi.

« Nous avons la même banque », est son grand argument.

Avoir la même banque que Lili ! Adoubement

suprême ! Le mari de Lili est un bon médiateur pour les vendeurs d'armes. Lili : soixante-dix ans piaffeurs, emmurés de laine. Une charpente où se devine l'os aussi puissant que le muscle, la jambe de héronne camouflée dans les collants opaques, un imperméable de brigadier acquis aux Emmaüs — une affaire, mes enfants ! une affaire ! dix hivers sans une seule grippe ! Un bonnet à visière dissimule l'œil rond d'un volatile vigilant et névropathe.

— La guerre, dit-elle entre deux cocktails, je ne connais pas d'autre *commerce* pour devenir riche. Il y a la drogue, mais ma religion s'y oppose. La guerre est d'origine divine.

Les agneaux sont pour te vêtir
et les boucs pour payer le champ. (Proverbe, 26, 27)

Elle frappe volontiers son poing en osselets qui font mal entre les omoplates de Gobard. « Mon vieux copain ! » dit-elle. Le Régent vert a reçu Lili, fait du bateau avec elle et ton banquier. Qui songerait à sauter cette haridelle qui ressemble de profil à un Calvin qui eût chroniquement avalé du Haig ? Une femme doit rester coquette surtout à mon âge ! minaude-t-elle. Les cosmétiques mal étalés, achetés dans une grande surface, ont fait tourner son teint au violet des pléthoriques. La bouche, rose américain, dessine la chronique allégresse d'un clown malfaisant. Sa coiffure impitoyable d'homme décent est cette calotte grise traversée d'un reflet bleuté. Nul n'ose esquiver son coup de poing amical qui fait frémir l'échine et la rate.

Le Grand Viking ! as-tu remarqué à quel point les expressions nominatives entraînent le destin d'un être ?

Travaille toujours tes techniques d'intimidation. Aie la souplesse du chat et du serpent réunis. La force du bœuf, le venin de l'atlantosaure. Cogne très vite, sans que nul ne s'en aperçoive. Laisse le poison verbal aux femelles. L'envie de faire couler le sang peut te saisir telle une crise d'incontinence. Opte pour le silence, l'imprévisible, l'absence camouflée. L'arbre à perruque. Ne téléphone jamais à tes employés. Les répondeurs enregistrent. Méfie-toi de tout, de tous, de toi, à toute heure.

Multiplie tes pieux mensonges, déploie ton charisme de brute fourrée de velours. O ma Belle Bête! Sois la Divinité quotidienne. La messe et la complie. La France t'attend. Les caisses sont vides. La Bêtise t'encense. Quelle foule! pire que l'écœurante Résurrection. Imagine des milliards de crétins revenus se culbuter, se haïr encore, sur une planète usée! Ah, Coco, bois ta bière, et ris. Montre-toi au volant d'un bolide. Tu t'es fait offrir un jouet par Géranium la Bien-Baisée? la traction avant de Pierrot le fou? Bravo, Coco.

Qui suis-je, moi qui traverse ta cervelle sans relâche? Un Toi venu d'ailleurs, de nulle part? Tu m'aimes, dis? non, non, ce mot ne nous plaît pas. Nous nous convenons. Nos messes basses vont bon train. Nous nous amusons à tout rompre, toi et moi. Je t'ai vu, au volant de la traction de Pierrot le fou. Un engin magnifique, noir, rutilant, *ressuscité*. Le volant en acajou, les pédales lourdes et sans défaillance. Cet engin te sera utile quand la tentation de m'imiter s'emparera de ton être. Cet instant de confusion entre toi et moi viendra fatalement, Dolmen. J'ignore s'il te perdra ou te hissera vers mon royaume. Tu es totalement seul.

Ça t'agace le souvenir de la petite qui répétait : « Je vous écoute, monsieur Dolmen. Honneur s'écrit avec deux " n "» ?

On a toujours un Doute. Le Doute a pris la forme de cette sauterelle noiraude. Ne me dis pas que tu as une crise de conscience. Je t'ai vu quand tu as vendu en une semaine le ravissant immeuble de Tigrino, au coin de la rue de Grenelle. Tu jouissais tandis que sa vieille équipe, qui croyait en son indéfectible amitié, tremblait. Tu observais, ravi, le visage parcheminé de ce vieux directeur littéraire qui s'était occupé des albums « Campagne profonde ». On eût dit un enterrement avec des vivants qui étouffaient lentement.

J'ai tout vu, tout entendu.

Les standardistes pleurnichaient, la préposée aux contrats avait les yeux rouges. Les jumeaux étaient plus pâles que les murs dont on avait arraché les étagères et jeté les livres. Dis, Coco, tu n'as pas été un peu vite en faisant pilonner la collection « Drapeaux du monde entier » ? il y avait quand même un Nobel, là-dedans. Je m'en lave les mains, répétait Tigrino, plagiant sans le savoir quelqu'un des temps perdus. L'écroulement de l'immeuble bleu et rose lui faisait mal, malgré la somme folle que tu avais versée. Eh ! eh ! on ne peut pas tout avoir, ma bonne créature ! le beurre et l'argent du beurre ! Vieille Maîtresse a trempé un sucre dans de l'alcool de menthe.

Tu jouissais, Coco. Houquart était purpurin, ce qui est chez lui un signe d'agitation sexuelle. Ta horde était là. Choucroune, malgré sa vieuseté, volait dans les étages, dérangeait tout et tous. Les secrétaires tremblaient pour leurs postes. La terreur du chômage les rendait plates et blêmes. Appuyé contre le mur de la rue en face, tu riais, la tête renversée, avec ta lippe bon enfant. Tu as même donné l'aumône à un sans domicile fixe qui t'a dit : « Merci, mon Bon Monsieur, Dieu vous le rendra. » Tu riais. En fin de soirée, on a ôté la pancarte à queue de sirène. Vieille Maîtresse, montée sur le toit, ressemblait à un moustique pendant l'orage. Au risque de se rompre le cou, elle a aidé à déclouer « la Sirène d'or ». Dangereusement accrochée à l'échelle, elle a eu la force d'une mère qui sauve un enfant du vide. En bas, tout le monde a poussé un cri car on a bien cru que l'échelle, la sirène en bois, et l'Antique Amante allaient se fracasser sur le pavé.

Tu as haussé les épaules, espérant que tout finisse en bouillie dans cette rue du VIIe arrondissement. Tu abomines la rive gauche, Coco. Tu as des complexes. Les jumeaux ont embarqué leur père en taxi. Tu avais interdit à ton chauffeur de bouger. Désormais la grosse voiture du Groupe-Rive-Droite est pour toi. Ce n'est pas une ambulance pour vieillard émotif.

Les trois chaloupes veillaient. Derrière les portes pourtant ouvertes, ils écoutaient. Ils ouvraient d'un scalpel brutal certains cartons. Ils avaient ordre de détruire les archives. Houquart les avait chargés également de l'intendance. Ils comptaient jusqu'aux agrafes et taille-crayons. Ils ont débranché les téléphones, dernier ralliement illusoire avec l'extérieur. Tu riais. Le neveu Houquart glissait, couleur cendre, dans chaque bureau. Tout ressemblait à un désastre, un éboulement, une rafle. N'était-ce pas le cas ? Femmes scotchant des cartons, hommes muets transportant des fauteuils pivotants. Houquart surveillait surtout le bureau de l'ancien

PDG, vidé un mois auparavant avec une violence de voyous. Devait-il se rendre là-bas avec un gilet pare-balles ? Tigrino le lui avait conseillé avec la satisfaction d'assister à la chute de ceux que l'on nomme ses amis après les avoir utilisés. Cet homme distingué et honnête lui déplaisait. Toi, tu riais.

Tu riais aussi, quand Houquart a ordonné d'achever l'installation le dimanche suivant. Il nous faut être opérationnels dès lundi, argumentait-il. Les esclaves disaient « oui oui » et pliaient déjà l'échine. Abrutis, terrifiés par le spectre de l'exclusion qui va si vite. L'ancien personnel baissait la tête, marchait de côté, tels des crabes honteux. Comme c'est beau, la lâcheté, ô ma Bête !

Est-ce bien nécessaire, Coco, d'avoir fait accrocher ta photo au milieu d'un soleil d'or au-dessus de ton bureau à pattes de lion ? Dès lundi, tu as sévi contre ceux — trois — qui avaient refusé de venir le dimanche. Tu avais fait, tout simplement, supprimer leur bureau.

— Mettez-vous dans ce coin ! suggérait Houquart qui connaît la loi.

Ils ont donné leur démission le jour même. Ce principe peu compliqué est devenu la méthode Dolmen-Houquart.

Pendant une semaine, ton acolyte a reçu les auteurs qui avaient signé leurs contrats du temps des éditions Tigrino. Ce nouveau vidage a donné ce monologue dont le neveu Houquart sortait chaque fois le pantalon mouillé :

— Bonsoir, madame. On m'avait dit que vous étiez très belle et c'est la vérité. J'ai lu votre roman. Cinq cents pages sur l'Irlande et ses conflits ! bravo ! quelle force ! je refuse de publier de l'invendable. Ne m'interrompez pas, je vous en prie. Ma tâche est trop ingrate. Votre manuscrit ne convient pas à notre optique dynamisante. Un préjudice ? aucun ! l'Editeur a un droit de refus. La Rive Gauche se fera un plaisir de vous publier. Contre remboursement des à-valoir exorbitants de notre précédent PDG. Une sorte de chevalier Bayard, j'en conviens. Vous êtes une centaine envers qui j'ai la douloureuse tâche du refus. Vous avez une petite fille de trois ans ravissante ? et si je la trouvais affreuse, moi ? c'est ma liberté la plus stricte. Il en est de même pour votre roman. Je le trouve hideux. Non, M. Dolmen ne reçoit pas. Il vous tiendrait le même langage. Peut-être d'une manière plus directe.

Dolmen entendait tout de son bureau communicant. Il hoquetait : « *Comment Picrochole prit d'assaut la Roche-Clermaud et le regret et difficulté que fit Grandgousier d'entreprendre Guerre.* » Il riait. Il riait.

Qui parle ? tu es ma pâle copie, Dolmen. Houquart, par moments, te dépasse et attire ma considération. Tu as encore beaucoup à faire — à défaire — pour m'égaler. Devons-nous différencier l'homme de la Bête ? Nous avons l'allure, toi et moi, de *l'Homme très bien sous tout rapport*. Notre rôle est de soumettre l'homme (la bête) à notre seule domination. Il nous faut désintégrer les personnalités. Nous sommes souvent des agités. Ou encore terriblement immobiles, confondus à la pierre, à la cendre. Une sorte d'hermaphrodisme baigne notre regard qui a du mal à se fixer. Nous rencontrer, c'est douter. Tu ris, ta main est chaude, et tu n'es jamais à court d'apparence. Tu te souviens de la colline rose ? tu riais aussi ce jour-là. Ton piédestal est élevé, porté par des poings, des mains, des forces. Délices inouïes de voir chuter l'Esprit ! Reste *le singe de Dieu...* Qui osera traiter avec toi d'égal à égal ? Fais tandem avec tes clowns. Ils ne seront jamais tes égaux.

Une chose assombrit ta vie, Dolmen. Toi et moi restons soumis à la loi universelle de la Justice.

Attention, Coco. Pourquoi, au long de ce grand nettoyage de printemps, le Doute a-t-il parfois tari le spasme de notre incommode gaieté ? Une fille si terne qui disait :

— Je vous écoute, monsieur Dolmen. « Honneur » s'écrit avec deux « n ».

Ne peux-tu la chasser de ta mémoire ? Que t'importe qu'elle soit devenue un petit juge qui gagne le salaire de tes manutentionnaires ?

Le livre, le nouveau livre, le tien, est un œuf de dinosaure. Une tortue géante qui rampe dans des milliers de cervelles et ne laisse aucune trace excepté ce trouble proche de la drogue, notre bonne amie à la belle âme blanche. Allons, tu fronces les sourcils. Le mot « dinosaure » te rappelle le scarabée vert pomme que tu avais offert à la petite ? mais écrase-la si elle t'agace à ce point. La Fortune n'aime pas les états d'âme. Elle est un labyrinthe sans fil, aux entrailles chatoyantes dont l'odeur est épouvantable. Le Grand Viking a une façade lisse et blonde comme toi. Aie l'âme, ah, ah, l'âme, en paix. La drogue et la guerre sont la soupape de l'économie. Nous sommes des saints, Dolmen, des saints, te dis-je. Non, non, ne te renverse pas dans ce fauteuil Louis XVI comme si c'était un canapé de bordel. Je t'épuise ? je clabaude sans cesse au fond de ton cerveau qui me hèle sans répit. Peut-être est-ce toi qui me fatigues ? ne sois pas de mauvaise foi. Tu me convoques, j'accours. Voilà. Baisons.

Honneur ? deux « n » ?
Par le froc que je porte, tu te veulx absenter du combat, couillu, et jà je ne retourneras, sus mon honneur...

Je ne retourneras ?
Retourner sur son passé. Ecoutait-il Houquart, raide dans le fauteuil du bureau haussmannien ?

— Vous devriez, dans votre hôtel, outre un rendez-vous de chasse mondain recoupant nos affaires, organiser un salon pour nos auteurs. Par chance, aucun écrivain, mais nos figures médiatiques. Madame votre mère, une bien énergique nature, arrangerait cela au mieux. J'ai quelques alliances dans la bourgeoisie locale. Des dames discrètes, élégantes — riches — , elles s'occuperaient de la réception.

Dolmen n'écoutait pas. Son indisposition revenait dès que Julia Jordane traversait sa mémoire. *Je ne retourneras, sus mon honneur...* Elle avait été nommée juge d'instruction à Nevers.

— La Jordanie, murmura-t-il.

Il serra le poing sur sa paume aux lignes surchargées. Chance, Fortune, réseau ferroviaire du destin s'entrecroisaient d'une façon extravagante dans la chair trop irriguée. Une croix brisée compliquait la ligne de vie. Celle de la chance écrasait tout. Même la Vie.

— Tu as raison, Houquart, dit-il au hasard.

Il tutoyait tout le monde et Houquart s'inclina avec du « vous » plein la bouche.

Dolmen revoyait une scène qui l'avait troublé. Elle avait peut-être seize ans, cette Fille qui avait provoqué la honte et ce choc si rude et si suave. C'était l'été. Il avait rôdé autour de l'immeuble de son enfance. Au balcon, elle brossait ses cheveux déployés. Une nappe tiède, sombre et douce, que le soleil traversait. Un fanion de soie, déployé jusqu'aux mollets. En bikini sur un modeste transat, elle livrait, les yeux clos, sa peau à la lumière. Un corps parfait et tendre qu'il eut envie de mordre. Elle venait de se faire un shampooing. La chevelure devenait cette rutilance. Une parure de sauvageonne. Elle secoua la tête telle la cavale d'un désert. Vers lui, tout entière, il la vit approcher.

Viens ! Il plongeait à pleins poings dans la crinière. Il arrachait le minuscule triangle du maillot, le balconnet émouvant.

Avait-elle senti un regard trop appuyé ? Elle rassembla à la hâte les cheveux en une natte qui éteignit la sensualité de ce corps et de ce visage. Elle disparut derrière la hampe des draps qui séchaient.

La tentation de la revoir s'insurgea au milieu de ces jours et ces nuits où les complots et les destructions organisées s'étaient taillé la meilleure part.

Sa pensée vole là-bas, au pied du vilain immeuble nommé Méditerranée. Un scénario dont il n'est pas le maître se déclenche. Un rêve ? un cauchemar ? Le voilà devant l'immeuble lézardé, aux volets écaillés. Il y avait longtemps que la Jordanie et sa famille avaient déménagé. L'immeuble désert... Il surgit sans crier gare. Il lève les yeux au balcon où la Fille, presque nue, secouait une chevelure de reine, exposait sa peau tel un fruit audacieux que nul ne pouvait atteindre. Où est le camion-poubelle de la ville, son père courbé sur les ordures ? Les autres seraient désormais ces ordures que lui-même viderait sans jamais se salir ni respirer leur puanteur. Il entendait la voix sonore de sa mère, le balai manié avec furie, les portes claquées à la volée, les boîtes à lettres arrachées. Il connaît chaque cave, lieu favori des jeux. Les caves ! un domaine élu entre tous. On fait tant de choses, au domaine des ténèbres. La minuterie ne marchait jamais. On craquait des allumettes. On fumait, on trafiquait, on inventait. On pratiquait le Grand Exercice du Futur Patronat. Les caves. On peut crier et faire crier. Obtenir les inavouables recours. Il savait bien, rue Lauriston, à quoi serviraient ses caves.

L'étage de la Jordanie. Une odeur délicate de fleur d'oranger. Un murmure de voix féminines. La porte s'est ouverte et une jeune femme apparaît. Il reconnaît la longue natte jusqu'à la taille. Elle va, rapide, et il la suit. La tension de ce rêve éveillé l'épuise. Elle va, elle va. Il est dur de la suivre. *La honte.* Défais tes cheveux. Mets-toi nue. Je ne te toucherai pas. Elle est entrée dans la cave à la porte pourrie. La minuterie s'est éteinte. Il craque son briquet Dupont. Elle ne crie pas. Le briquet éclaire tout ce qui le hante. Le visage lisse et ambré. Les yeux si vastes, la beauté des cils. Défais tes cheveux. Ils vont jusqu'où, tes cheveux ?

— Tu ne me dis pas bonjour ?

— Non, monsieur Dolmen.

L'ombre a tout envahi. Personne. La porte s'est refermée. Il plaque ses poings de chaque côté du visage délicat. Une paix plus dangereuse que la guerre pâlit le visage typiquement latin. Proche de sa bouche, il y a la bouche de l'autre, proche de ses yeux, les prunelles d'un bleu dur, adoucies d'une ombre mauve. Qui a convoqué l'autre ? Aucun n'est sûr de haïr l'autre. Chacun sait pourtant que le duel ira jusqu'au bout. Comment fait-elle l'amour ? Avec lenteur, sans doute, avec saveur. Ce n'est pas le genre de ces Frénétiques accrochées à sa vie et ses intérêts. Qui est le Tentateur dans cette cave hideuse où courent les rats ? Les rôles s'inversent. Le Doute passe de l'un à l'autre. Il s'écarte et sort un chéquier. Il y a l'éclat doré du stylo. Il remplit au hasard une somme folle.

— Tiens, dit-il. C'est pour l'affaire de la colline.

Elle ose jeter le chèque au sol après l'avoir dûment déchiré. Comprend-elle qu'il donne le meilleur de lui-même ?

Sa capture se dégage après l'avoir une fois de plus humilié. Il saisit ses poignets. Il lui fait mal et elle ne cille pas. La tuer, l'écraser, la réduire à n'importe quoi. La souiller de façon banale au fond de ce trou suintant. Qui le saura ? La minuterie revient. Il aperçoit au coin de son col, le scarabée en plastique vert pomme. Il s'incline sur les poignets délicats qu'il a failli malmener et les baise avec une extrême délicatesse.

Il disparaît, son rêve se brouille, le laisse seul et vide.

— Tu me déçois, Dolmen ! avait ricané le Double.
Un épais silence avait suivi.
Attention, Coco.

IV

INSTANCES

« Je jure de bien et fidèlement remplir mes fonctions, de garder religieusement le secret des délibérations et de me conduire en tout comme un digne et loyal magistrat. »

Formule du serment d'un juge
qui entre en fonctions

Allions-nous nager dans un hypothétique éden judiciaire ? J'en doutais. Hors les amphithéâtres et les séminaires, la réalité nous attendait au virage. Qu'était donc devenue cette fonction dont nous nous faisions une idée romantique dans l'enceinte de l'apprentissage ? L'excès des commissions administratives risquait de rendre notre rôle simplement décoratif. L'amertume s'infiltrait derrière les murs de l'école, à Bordeaux, au 9, rue Joffre. Ces deux années allaient distiller les forces et les affaiblissements dus à tout enfermement. Nous allions vivre uniquement entre nous. Vingt-quatre mois, où selon la formule consacrée « Tout est juge ». Y compris se marier entre nous. Question de bon sens et de finances.

— Marie-toi, Julia.

Ne nous leurrons pas. Un juge est pauvre s'il n'appartient pas à une solide famille ou n'a pas une épouse dotée. Se marier, d'un juge l'autre, devenait un décent principe économique qu'approuvaient nos maîtres. La comparaison relevait d'un usage ancien. L'instituteur accédait à la petite bourgeoisie, crédit maison compris, en épousant une institutrice. Le couple, mal logé par l'école, au vu et au su des confrères et élèves, se devait à la pureté obligatoire des mœurs, source de toute hypocrisie. Etions-nous revenus aux décentes apparences de l'avant- et après-guerre ? Les commérages vont bon train dans la vie d'un juge, marié ou pas. Un magistrat divorcé est un égaré qui avoue posséder, sous la robe, des sens avides. Que dire d'une femme juge divorcée ! la mentalité des années 1990 rejoignait celle de jadis où le divorce était tout simplement interdit au corps (ah, le corps !) de la magistrature. D'où, peut-être, ces longs et sournois célibats, ces discrets shoots de-ci, de-là, cette opaque pédérastie dont jamais on ne parlait. Sous nos robes, vastes et larges, le corps avait *le devoir* de disparaître. Dit-on la messe, de façon crédible, sans chasuble ? Les juges ! mouvant fleuve sans paix au bord d'une crue sans limites. La déploration allait bon train. Le pouvoir des juges restait enlisé. Nous fallait-il braver, pour tenter de faire reculer un imposteur de poids, la fin du secret, aborder tout ce que la foule adore gober ? Et nous ? qu'allions-nous être obligés de gober ? Les rouages coinçaient et grinçaient. Belle machine, en vérité, qu'on avait oublié d'huiler et d'entretenir. Heureusement, demeurait la possibilité d'être un juge indépendant. Seule issue quand le syndicat sonna le lourd tocsin d'une vérité encombrante : « *Depuis dix ans, le juge est partout, mais la justice nulle part.* »

Passons sur ces vingt-quatre mois, rue Joffre, où je rejoignais Procureur J. Nous étions devenus amis et plus jamais amants. Nous y trouvions, l'un l'autre, notre compte et savourions nos plaisanteries féroces et le descriptif élémentaire de notre fonction. Je n'avais plus besoin de mes boules Quiès. En ces lieux, tout était le Droit, ses répétitions diverses, comme à la scène, avec ou sans costume. Non, non, mademoiselle Jordane, n'ouvrez pas le carton de l'épitoge. Vous n'en avez pas encore fini. Un lit étroit, ennemi du plaisir, si rarement partagé avec un futur bâtonnier. Nous sommes dans une sorte de monastère où sous les robes, divergent les sexes. Jouissance aiguë d'écolier en faute de se trousser, de temps à autre, vite, vite. Ici, on est discrètement surveillé, question mœurs. Il y a toujours un « supérieur » qui connaît bien le rythme des lampes allumées tôt le matin, tard dans la nuit. Ceux qui dorment trop, pas assez, ou qui chahutent à deux. L'homosexualité est étroitement surveillée. Hantise collective ! s'écrie Procureur J dont la personnalité a pris un curieux contour depuis que les femmes ont cessé de l'intéresser.

— A cause du grand saut dans la piscine, Julia. On ne pousse pas un procureur d'un plongeoir. Comment oublier le maître nageur aux bras musclés ? Merci, Julia.

Nous travaillâmes sans relâche. Excepté les broutilles récréatives, bouche contre bouche et qui prenaient si peu de temps. Le matelas ne grince pas. Ne rien oublier. Ni le fallacieux « je t'aime » nécessaire au galop des ânes et des ânesses. Ni la ronde et détestable capote. Sait-on jamais ? Nous sommes la génération qui ne jette pas, telle la dame aux camélias, une fleur délicate à l'élu, mais ce ballon gonflable et doux. Qu'un sang pur abreuve nos sillons.

119

Procureur J jette des regards indéfinissables à l'auditeur martiniquais, futur avocat général qui aura le privilège de plaider dans son pays en short, sous la robe, naturellement. J a un rire strident.

— Ah, jambes poilues qui froufroutent sous nos bures austères !

La maison Bosc avait précisé que les magistrats des pays chauds avaient droit à la très petite tenue bien celée pendant les audiences. Ne commentons pas la perruque accablante en Malaisie où la loi a conservé le protocole britannique. Comment survivre, malgré les ventilateurs, sous quatre kilos de laine, par trente-sept degrés ?

Procureur J a un sourire gourmet. La sueur des mâles est un bon stimulant. Qu'en penses-tu, Julia ?

Rien. Je ne pense rien. Je me gave de droit plus que jamais. La piscine et les plongeons nous sont épargnés. Gai, gai, marions-nous, juges et jugesses ! Qui est le juge mâle ? De dos, ils s'assemblent et se ressemblent. De cette copulation avec ou sans robe, naîtra une nouvelle ponte de magistrats. Auront-ils dépassé leurs parents timorés qui déjà remplissent un plan épargne logement ?

Procureur J, entre les saucisses sur purée et le flan pâle de la cantine, me lance d'autres grandes vérités.

— Que penses-tu, Julia, de cette idée d'avoir créé des maisons de justice ? que vont devenir nos beaux tribunaux d'antan ? Les maisons de justice ! ça pue le socialisme et son bêtisier humanitaire ! De quoi tuer à jamais un substitut dont le rôle est de réparer le trouble à l'ordre public. La Justice ne sait plus que faire des sales petites histoires.

Allions-nous devenir un camion-poubelle ? Celui du père Dolmen ? Les ordures, disait-il, une affaire sans fin.

Pour nous aussi.

Les maisons de justice ont été créées pour tenter de régler cette vidange sans issue. Adolescents hagards, dangereux, juges désabusés. Tout se conclut par le dépit sans gloire des parents à qui la police, quelquefois, elle aussi à bout, a fait miroiter la perspective d'un classement sans suite en cas d'indemnisation rapide aux victimes d'un vol de voiture. Un chèque et tout est bien qui finit mal ? On se contente de faire mariner quelques heures le chérubin qui récidive aussitôt. Les maisons de justice sont à la justice ce qu'un fast-food est à un quatre-étoiles. Une horreur. Une erreur. Une affaire de banlieue, comme toujours. Des locaux infects au fond de Cergy, Sarcelles, Villiers-le-Bel. Des pavillons affreux qui ne ressemblent à rien. Quel purgatoire si on nous coince dans ce genre de taudis ! Autant renoncer et devenir maître nageur, dit Procureur J. Je veux un beau tribunal dont la salle des pas perdus serait de marbre et de stucs divers.

— Il n'y a jamais de stucs dans la salle des pas perdus.

Oui, oui, doux ami voué au célibat et à quelques amours de réprouvé. Moi aussi, il me faut un beau tribunal et un bond infini dans la façon d'envisager les choses.

— Humaniser les tribunaux est une idée stupide. Les conséquences sont désastreuses.

— J'aime les grands délits.

— Gourmande...

Les cours reprenaient à treize heures trente. On nous enseignait la résistance corporelle et mentale. Les audiences s'achèvent en général vers vingt et une heures. Tenir : il s'agirait de tenir sans boire ni manger. Quelques biscuits en salle de conseil, un gobelet de café, oui, les greffières sont de précieuses alliées. Elles remédient à

121

l'inanition de tant d'heures où la vigilance, la rigueur ne doivent pas défaillir. Inutile de souligner l'enfer de huit heures d'audience en cas de migraine.

Notre Ecole a forgé insidieusement l'exercice de ce quant-à-nous. Développe-t-il l'orgueil de se prendre pour une élite ? Un corps judiciaire. Qu'avons-nous besoin de notre chair et ses tourments ? Point de tourments, Julia.

— Qu'as-tu aimé en moi, Procureur J ?

— Ta nature homme et le grain si fin d'une peau de femme. Ta chevelure que bien des mâles t'envieront. Les hommes sont jaloux des cheveux des femmes. Surtout les chauves. M. Willy avait convaincu Colette d'abolir sa chevelure de reine par jalousie et impuissance d'écrire. L'impuissance ! La nature s'est trompée en t'enveloppant de ce vêtement si femelle, et qui t'habille sans un pli. Tu ébranleras chez le mâle la suavité femelle de la chute.

Le pouvoir ferait volontiers de nous des esclaves. Des muets. Des discrets. Des fonctionnaires de la loi. Des chefs de bureau à semelles de crêpe. Je n'ai pas l'âme d'une esclave. Je suis prête à je ne sais quel scandale.

— Restons dans la litote, ô Julia. L'exercice du bon ton fait partie des ultimes interrogatoires.

Jamais il n'avait été aussi loquace, à l'aise, heureux en somme. *Epanoui.* Il disparaissait parfois, un long week-end on ne savait où.

— Je suis suffisamment féminin pour devenir un excellent procureur. Doué de fourberies linguistiques inouïes et meurtrières. Une femme, une terrible femme langagière et obstinée. Admire cette terrible femme comme j'admire cet homme terrible que tu es. Adieu, Julia. Nous nous reverrons, Julia.

122

Nous étions entrés à l'ENM en février 1987. Nous avions prêté serment sans l'épitoge. Maladroits dans nos robes qui sentaient le neuf et le goudron frais, la toque sous le bras, suivant les conseils de l'auguste maison Bosc. Le serment demeurait un rite pompeux où il convenait de ne point faiblir. On exige d'un futur juge je ne sais quel acier au fond des os. Nous défilâmes une journée entière devant la cour d'appel réunie en audience solennelle. Le Président était vêtu de rouge et d'hermine. Procureur J me chuchota un poème de Bonnefoy : « *La robe rouge éclairante dormait...* »

Pas d'hermine, mais du lapin. Sais-tu, Julia, qu'un criminel avait obtenu un non-lieu, au courant d'une loi qui stipule toujours ceci : « **On ne doit être jugé que sous hermine.** » Le futé avait fait jouer cette clause. Il y a eu appel. Il y a eu non-lieu. Que vaut un serment sous lapin ?

Que de monde. Pas question de balbutier. La netteté du « oui » est plus grave qu'à la mairie. On ne divorce pas de cette profession. Tous les magistrats, du plus ancien au plus récent, sont là. Les avocats généraux, les substituts, une majorité d'hommes.

L'huissier a jeté mon nom.

Je ne dois pas rater mon geste et placer ma voix dans le masque.

Je lève la main, la droite, gantée de blanc, je prononce sans hurler ni murmurer « je le jure ! » après que la bouche austère a prononcé ce qui suit :

« **Je jure de bien et fidèlement remplir mes fonctions, de** garder religieusement le secret des délibérations et de me conduire en tout comme un digne et loyal auditeur de justice. »

1989.

Nous sortîmes vainqueurs, étiolés, de Bordeaux.

Nous recommençâmes la grande scène du serment. Le mot « auditeur de justice » fut remplacé par celui de « magistrat ». Nous portions enfin l'épitoge. Ce modeste pan de tissu à bout de lapin signifiait bien des veilles et des aubes blafardes à gaver nos têtes de moins en moins en contact avec le monde.

En 1991, la scolarité d'auditeur subirait une modification de poids. De deux années, elle fut portée à trente et un mois. Ce temps supplémentaire se transformait en stages extérieurs. Le directeur de L'ENM avait donné les raisons à la presse : « *Eviter qu'un magistrat ne soit victime d'une monoculture judiciaire.* » Soit. Nous appartenions à la monoculture de la vieille école. Quel serait le sens de notre nouveau désarroi ? Nous avions échappé à la propulsion pendant trois mois en des lieux les plus divers. Hôpitaux, ambassades, cabinets d'avocats à l'étranger (Tokyo), le Sénégal, au fond des villages d'émigration. Ne parlons pas de la banlieue qui restait notre cauchemar et le premier lot inévitable. L'enfer des stages ! Quel auditeur pouvait se réjouir de se retrouver chez maître Gobard, par exemple, en train de plancher à sa place sur d'imbuvables affaires dont il ramassait les intérêts ? Etait-ce la grande plongée dans la société et ses confusions ? Saute ! quitte à te noyer ! nous n'en avions pas fini avec le goût de chlore de la piscine. Ces réformes, disait-on pour nous stimuler, étaient le bain de jouvence de la Justice. « Allons, ricanait Procureur J, un bain de jouvence est forcément un bain de boue. »

Nous n'étions plus une profession noble. L'émotion allait aux juges abattus par la mafia, les assassinats crapuleux, le visage gracieux d'une fillette violée et égorgée. Dolmen prospérait jusqu'au vertige. Son hôtel, sur la route de Bourges, à Nevers, s'achevait. L'origine de l'argent venait de l'abolition de la colline pelée. De l'abolition de Maria.

Que représentaient mes vingt-cinq ans, où la chevelure défaite, nue sous la douche, j'avais les apparences de la radieuse jeunesse ? Un corps bien fait, non révélé, des jambes destinées à autre chose que cette frénésie du labeur sans relâche. Il y avait bien la salle des arts martiaux. L'instructeur défaisait parfois, à mon insu, la natte relevée par une barrette. Se déroulait un mètre vingt de soie noire que je rattachais vivement. Ma passion était ailleurs. Une déviation, une brûlure qui portait un nom de pierre tombale : Dolmen. Je pouvais aussi tout rater. Vieillir, la natte de plus en plus blanche, derrière une pile de dossiers sans issue. Hors du temps et de l'âge. Devenir ce vieux magistrat asexué, couchant sur un lit de camp avec indifférence. Combien de temps allait-il falloir pour atteindre cet Inexorable qui me tenait lieu de nourriture, d'espace, de pensée ? Une instruction est si lente, dans les meilleurs cas. Une lourde affaire devient l'affaire d'une vie. Ma vie en entier était déjà jouée. Procureur J devenait sibyllin, le regard en biais, un sourire en coin.

— Tu vas te détruire, *Amoureuse* Julia.

Mon premier poste fut la ville de Meaux, en Seine-et-Marne. Lugubre, Procureur J avait obtenu Sarcelles.

Avant de quitter Bordeaux, la promenade de la rue Sainte-Catherine et nos bavardages, J entra dans une grande librairie, en ressortit avec deux boîtes aux bolducs élégants.

— En souvenir de notre infinie copulation verbale. Ces objets se manient dans une crise d'affectation. Au fond d'un beau tribunal qui sent la cire et la chandelle mouchée.

J'étais si émue que j'oubliai de remercier mon voltigeant ami.

Mais déjà, il avait disparu.

Les cadeaux de Procureur J.

Une loupe et un coupe-papier. La loupe est large, cerclée de cuivre massif. Un verre épais grossit l'imperceptible, déforme légèrement ces dossiers accablants, dont jamais on ne voit la fin. Quel juge est-il enfin à jour ? La loupe rend démesuré un terme, ne le maintient aucunement stable. Quelle est la stabilité de la justice ? On nous convie à une multitude de cénacles. Notre temps se perd, se brouille, s'égare. La Chancellerie, notre matrone austère et vicieuse, aime les cénacles. La loupe fait danser les mots. Je recule le verre, je capte la mouvance, la versatilité, la brusque évidence, quelques utiles détonateurs. A nous d'être la loupe, avait dit Procureur J. Ma vilaine et rapide écriture est curieuse à observer à la loupe. Une stabilité d'acier dans le difforme ; la limite d'un éboulement, des échafaudages, un tracé dans un sous-bois. Une colonie d'oiseaux guêpes, de papillons tigres, de ponts bombardés. Les jambes des *m* dessinent le galop d'un coursier invisible. J'ai toujours écrit au rythme de la pensée. Plus vite que la pensée. Intuitions, imagination, gorge séchée par *la trouvaille*.... Le point sur les *i*, toujours respecté, est un œil de hulotte. Suis-je maniaque ? Elles glacent lentement, mes trouvailles. Parfois, j'eusse aimé ne pas les voir. Lancinante monotonie, écœurement progressif devant cette paperasse bâtie de vilenies si folles qu'on en devient indifférent. La jouissance ? Quand le rôle du juge — le rôle de la loupe — devient celui d'un jardinier spécialisé. Couper, tailler, petite taille, grande coupe, petite coupe, allées dégagées, massifs embourbés, sécateurs, arrêts, maison d'arrêt, arrêtés, labyrinthe... Labyrinthe où l'on traque la fructueuse contradiction. Un mot, deux petites phrases mal jointes, entrecroisées au milieu d'un interrogatoire qui se prolonge tard dans la nuit. La loupe, tout à coup, sert de double vue. Un œil unique, cyclopéen où le juge qui se nomme *Personne* a vu l'évidence ignoble. L'incendie tout rose de la colline pelée.

Nous sommes des juges au rabais. Le tissu social est devenu un mauvais tricot en train de se défaire. Va-t-on faire de nous cette aimable et folle engeance, souvent recrutée chez les pharmaciens à la retraite, que l'on nommait le juge de paix ? Allons, gardons le cap, la loupe, et la coupe.

Le coupe-papier, de facture identique, ne sert absolument à rien.

— Et l'arme et ses principes actifs, ingrate Julia ? Et le courrier sans fin qui casse les ongles les mieux limés ?

Une heure avant mon arrivée, les greffières ont déjà

ouvert le courrier au coupe-papier administratif. Zip, zip, brandi avec soin, discrétion. Ma bimbeloterie ferait sourire. Le coupe-papier posé contre la loupe compose ce que Procureur J définira ainsi : « Nature morte d'un juge dans le Nivernais. »

Avais-je dépassé toute frontière humaine ? Maria était reléguée dans ma mémoire. Je me méfiais de la naïveté suspecte du graffiti menteur sur les murs de nos tribunaux. Une balance dont les plateaux étaient égaux. La balance, pour moi, était l'emblème des marchands d'or, dont la richesse fait descendre le plateau d'un seul côté. Le leur.

Je jetai en vrac, dans la boîte de la loupe, mes menus trésors d'enfance dont le scarabée en plastique vert pomme.

Je passai trois années à Meaux.

Où que j'aille, j'entrerais dans le circulaire. Un tribunal tourne sur lui-même. Un cirque où chacun surveille l'autre. Ça va ? une courtoisie de commande, des discours. De surprenants angles aigus, durs aux imprudents. Comme dans un monastère, il convient de comprendre vite l'espace et son protocole. Eviter de se cogner. Couloirs, corridors qui se convulsent sur eux-mêmes, reviennent à la case départ. Bureaux fermés/ouverts. Capitonnage et rembourrage. Circonférence en dépit du terme triangle : le président entre deux juges. Les hauts fauteuils, arrondis jusqu'au tréfonds du crin à la têtière sculptée. Transparence et suffocation. Cul-de-sac. Vous vous trompez d'étage, madame le juge. Ici, vous êtes aux affaires matrimoniales. Non, non, ne poussez pas la porte de la Présidente. Elle s'enferme régulièrement à l'heure du déjeuner. Nous avons, chez les greffières, une installation judicieuse avec micro-ondes et cafetière électrique. La Présidente devient inaccessible pendant ce court répit. Son heure difficile, sa désolation intime. Elle lit secrètement un roman sentimental. Son mari, un médecin de la ville, couche avec une fille café au lait. La Présidente sera déchaînée pendant les sept heures d'audience. La statue du Commandeur. Son mari avait peur d'elle. La créature café au lait travaille en jarretelles roses au Pot d'étain. Un établissement mal famé. Chut, Julia Jordane. Ici, nous avons une tenue impeccable. L'année 1900, année de la femme, quelle blague, rions encore, admit pour la première fois une femme au barreau. Ici — depuis toujours — on s'enferme quand la tension intime développe ce rugissement des femmes flouées. Sous la robe, nos désirs disparaissent. Julia, vous êtes bien mince, auriez-vous une maladie pernicieuse, et cachée ? A notre époque, on surveille la maigreur de l'autre. Suspicion. Il y a désormais un contenu déshonorant à la menace d'une maladie. Chuchotements ; parlez plus haut. L'injonction à payer ? oui, c'est cela. L'injonction à payer. Que faire quand on a un enfant naturel ? Secrets ? plus de secrets ? nous n'aimons pas quand traîne en nos lieux un journaliste local. Souvenez-vous du serment. L'audience est un bon moment. La Présidente, sans jamais perdre une once de sa longue taille et de sa distinction, tance l'Autre (un habitué du Pot d'étain ?) dans son box, entre deux gendarmes. Des femmes gendarmes, bleu ciel, bleu sombre, petite matraque au côté, lèvres roses, permanente-série-américaine, revolver en sa gaine qu'elles adorent caresser. Le type

129

leur coule une œillade. Côté croupe de la gendarmette, il se rince l'œil. Foudroyé du regard, il a compris qu'elles pourraient le tuer d'un seul coup tiré dans la nuque. Qu'il les coince un jour, toutes ces femelles ! La présidente ouvre le bal. Elle répète les injures ignobles consignées dans le procès. La bouche élégante n'hésite devant aucun des termes. La scatologie tient la première place. Rien n'est épargné. La justice suit son cours. Quand je n'ai pas instruit l'affaire, je suis là, à gauche de ma supérieure. Nous avons été formés comme au théâtre. Scène, costume, rôle à respecter. Enclos plus hermétique qu'une prison. Enclos des arguments. La jolie bouche passée au brillant invisible répète les blasphèmes dont on accuse la créature masculine, au profil prognate qui a, outre ses insultes, cogné une substitute dont le nez est définitivement déformé.

La Présidente a quelque chose d'un ecclésiastique déchaîné.

« Une affaire de désir, en somme ? » aurait dit Procureur J.

Oui. Une affaire de désir qui n'est pas sans rappeler ces maisons de feux, de velours et d'injures sexuelles. Où la porte close révélait en deçà de l'œilleton bien gardé un libertinage inouï et le comble des lubricités.

J'avais peu revu ma famille pendant ces nouvelles années. Mamita et Gloria avaient déménagé à Hyères. Nos rituels ne changeaient pas. L'immeuble se nommait les Palmiers. Il était agréable, situé sur une colline. La vue était belle. Des oliviers, une flore tropicale, un grand mimosa, la mer. Le logis comportait trois pièces. Gloria et Mamita avaient chacune leur chambre. Le convertible de la salle à tout faire s'ouvrait pour moi quand je gîtais quelques jours. La chambre de Gloria ressemblait à celle d'une petite fille. Dans un coffre ouvert, quelques jouets ayant appartenu à Maria. Des poupées barbies, restes des magasins Tic Tac. Gloria, au moment de ses crises, nattait longuement leur chevelure platine. Elle marmonnait, habillait et déshabillait ces poupées désolantes. Je pleurais, déjà très jeune, pour que l'on m'offrît des livres. Cette chambre d'une adulte devenue presque folle — ma mère — me faisait mal. Le pire était la bouteille de Ricard, dissimulée sous un lit en plastique rose. Elle buvait un verre, un autre. Parfois au goulot. Une angoisse me saisissait. Les calmants jouxtaient ce funèbre minibar. Gloria avait aussi ses moments lucides. Elle fixait les photos de ses filles. Maria en robe de communiante. Gloria disait « mes filles, mes petites filles ». Elle avait posé contre la bouteille de Ricard ma photo en juge, officielle, prise à l'ENM. Mamita ne se lassait pas de la montrer à quiconque entrait ici. Dans le cadre biseauté, de belle facture, j'étincelais de noir et de blanc, la main posée sur la toque. Gloria fixait longuement mon visage. Elle oubliait ma présence réelle. Dans les meilleurs cas, elle sanglotait : « Assassins ! les assassins ! Julia, occupe-toi des assassins ! »

J'avais envie de remettre mes boules Quiès. Les assassins… Depuis combien d'années nous empêchaient-ils de vivre ?

Gloria quittait son antre trop rose, où régnaient cependant les ténèbres. Elle s'affalait sur le canapé houssé d'oiseaux et de fleurs. Elle fumait. Son visage était bouffi. Des racines de cheveux blancs se mêlaient aux bouts décolorés.

Je racontais, à petits bruits, les anecdotes de mon métier. Les plus anodines. Je parlais de mes collègues, mes amis. Je décrivais mon appartement, au nord de la ville. Mamita ne se déplaçait plus pour garder sa fille. Elle me confiait des lettres de la famille où on me demandait divers conseils juridiques. Je répondais toujours. Nous avions sans cesse pratiqué l'entraide relevant d'un code très ancien. Celui des déserts aux aubes tendres, aux tempêtes soudaines et glaciales. La tente, le thé, la couverture réchauffent sans qu'il soit besoin de poser la moindre question. J'appartenais génétiquement à cette coutume où se greffait, corail affûté, coupant à tous les angles, l'esprit de la vengeance. Il m'était difficile de travailler ici à un dossier. Gloria était trop malade. Il était impensable de mettre les boules Quiès. Cela eût été un abandon de plus. Gloria avait l'intuition due à sa fragilité. Un sixième sens très aigu. Des crises de paranoïa.

— Tu as toujours mis du coton dans les oreilles pour ne plus m'entendre. Tu as honte de moi. Tout le monde a honte de moi. Je suis en dessous d'une bête. Tu veux me mettre en prison.

Dans ses crises, elle était prise d'une véritable terreur devant ma photo en magistrat.

— Enlève-la, disais-je à Mamita.

L'aïeule ne cédait pas. Quelquefois le médecin montait. Il y avait le bruit sec d'une ampoule brisée, l'odeur de l'éther, l'aiguille jetable.

— Remontons-nous ! disait Mamita, lugubre.

Gloria, somnolente, vaguement ivre, nous oubliait devant l'émission de Jan-Lou Saxo, *Votre soirée, votre fortune.* On présentait, hissée sur un tabouret à étoiles, une ancienne passeuse de drogue. Condamnée à vingt ans de prison en Thaïlande, sa peine avait été réduite à la moitié grâce à l'intervention (médiatisée) du sémillant maître Gobard. Les éditions Le Grand Viking avaient fait de l'ancienne prisonnière âgée de trente ans une vedette. Elle débitait d'une voix enfantine une histoire plate à pleurer. Le livre, filmé tout droit sur le bouclier de la gloire, écrasait déjà *Je ne te quitterai jamais mon fils*. Ce nouveau chef-d'œuvre s'intitulait : *les Epreuves de la fourmi*. La fourmi avait signé Léopoldine Soubiroute. Avec « te ». Elle se prétendait l'arrière-petite-nièce de la sainte. Personne n'avait besoin de savoir qu'elle se nommait en réalité Rolande Lapioche. Cela concernait les archives du procès thaï et celles du Quai d'Orsay. D'une prison à une autre... Pensait-elle que Dolmen allait lâcher ce joli gâteau ? Elle ferait, la chère sainte, ce qu'on lui ordonnerait. Il avait misé sur son charmant plumage plus que son langage. Est-ce pour cela que la belle enfant pleurait en direct ? Elle avait été maquillée en conséquence. Une poudre sur laquelle glissaient ces larmes que la masse adore.

Mère Marie-Eustache présentait Léopoldine Soubiroute (?), qui lui jetait le plus filial des regards passés au rimmel indélébile. Tout le monde pleurnichait. Même Jan-Lou Saxo qui touchait un cachet supplémentaire pour sa lacrymale intervention. La fourmi avait un beau visage d'actrice qui a de l'expérience. La bouche lourde des mythomanes, un tic sur le côté, une main légèrement tremblante, la jambe pliée des fugueurs... Une coupe grand coiffeur, « à la guillotine », révélait le cou pur de tout joyau. L'or miellé d'un bon coloriste, la nuque penchée, la grâce des tendres venins. Un gilet noir, Sonia Rykiel, déboutonné un millimètre avant les seins. Les larmes glissaient sur le velours d'une joue trop rose pour une femme réellement bien portante. Les larmes, une parure de plus. Gloria balbutiait « c'est beau ! c'est beau ! ». Les assassins composaient la ligne médiane des invités. Dolmen portait un smoking noir. Un sourire tendre, un œil d'acier fixé sur la nuque de sa nouvelle oie aux œufs d'or.

Le tribunal est situé dans la cité administrative, à l'autre bout de la ville. Un cube de verre et de béton, une architecture en forme d'aéroport. Notre Présidente est décidée au divorce. Le volage époux s'est installé au Pot d'étain, chez la fille en jarretelles roses. Elle peste contre la dernière idée de la Chancellerie : la médiation au sujet de la petite délinquance.

— Débile et romantique traitement, siffle-t-elle, les cheveux en balai raide et blond, l'œil très bleu. Attendons-nous à un après-midi écœurant.

« Vous n'êtes tout de même pas, Julia, pour la dépénalisation des petits délits ? Nous en regorgeons.

Elle appuya une tête soudain lasse contre la main élégante dont je remarquais qu'elle avait ôté l'alliance. La solitude allait devenir son lot. Elle rejoignait son bureau de plus en plus tôt, le quittait de plus en plus tard. Un ensemble bien coupé, un filet de perles, une écharpe en soie. Elle atteignait cet âge où la femme est à sa dernière frontière de séduction. Les Dalloz s'alignaient dans l'ombre de la bibliothèque. Où étaient passés les romans sentimentaux dont elle se moquait la première ? Je lui présentai bravement mes vœux. Elle comprit à ma pâleur, au bref récit sur ma famille, que la vie n'avait rien de facile non plus pour une fille de vingt-sept ans, emmurée à sa manière. Une fille à qui on ne connaissait que de rares et discrètes aventures. Dont on ignorait si la carrière serait brillante. Que faire quand on vient d'un bas quartier de Toulon, d'une tendre famille imprésentable en certains lieux ?

— Je suis contente que vous ayez obtenu Nevers. Vous êtes bien notée. Vous abattez un travail rare et consciencieux. Je vous ai observée. Ne vous mariez pas trop vite, Julia Jordane.

Elle ouvrit la vitrine glissante et de derrière le code pénal, sortit une gravure ancienne représentant l'impératrice Sissi, les cheveux noués en collier.

— Elle est ravissante, n'est-ce pas ? murmura-t-elle.

Oui, ravissante et folle à lier.

J'allai au bureau des greffières, cette ruche toujours encombrée, dont les ordinateurs clignotaient. Josiane, ma dévouée greffière, dont la ressemblance avec Arletty était frappante, me présenta le nouveau juge qui allait me remplacer. Rare créature masculine dans ces nouvelles cités de femmes. Josiane avait de l'émotion dans la voix quand nous nous embrassâmes en nous souhaitant une bonne année.

— Je vous regretterai, madame le juge ! Nous nous entendions si bien !

Je lui avais offert un pull-over à reflets panthère, les boucles d'oreilles assorties et une boîte de mantecaos. J'avais aimé Josiane, son franc-parler, son bon sens, sa gaieté, j'allais dire, respiratoire. Elle consignait tout, à la main, style vieille école. Elle était ici la plus âgée et connaissait une foule de choses. Elle me souhaita ce qui

n'allait pas manquer d'arriver, d'ailleurs, à Nevers :
« une greffière un peu mûre et encore drue qui en a vu
des vertes et des pas mûres ». Elle me présenta un timide
jeune homme, qui avait réussi le concours de greffier en
dépit d'un doctorat.

— L'époque est dure aux jeunes, madame le juge, dit
Josiane. De mon temps, la capacité en droit suffisait.

L'après-midi sera rude. Trente affaires. J'ai tout rangé
par ordre d'importance. Je n'ai plus qu'à enfiler ma robe.
Il est treize heures quinze.

Rez-de-chaussée.

Va-et-vient, portes qui claquent. Quel architecte pris
du lyrisme déplorable de la modernité a créé, avec nos
impôts, cette salle d'audience ronde, sous une verrière
où s'amoncellent à grands bruits pluie, vent, nuages
frôleurs ? Le soleil, rare dans ces contrées, nous cuit
lentement jusqu'à un début d'apoplexie. Le créateur de
cette nouvelle colonie pénitentiaire ne nous a rien
épargné, y compris un jardin intérieur. Art de la coupure
et des pics ? Au fond d'un aquarium jonché de gravier
blanc, des plantes tropicales, d'un vert aigu, se passent
d'eau et de terre profonde. Chaque jeudi et mardi, à
treize heures trente, une sonnerie annonce notre entrée.
A vingt heures, même les plantes n'en peuvent plus.
Tout est devenu, humains compris, ce bourbier contra-
rié. Relents de frites tièdes, bruit incessant des portes,
réclamations, hurlements de bébés. Les familles sont là.
La correctionnelle est un lamentable brouet. La benne
du père Dolmen. Les témoins, les coupables et les
victimes sont souvent difficiles à démêler. Même nature,

136

même abrutissement, même véhémence. Des raisonnements de toupies devenues folles. Parfois, une crise de violence. Ainsi (à la grande joie de Josiane), cet accusé qui a jailli de son box et mis en pièces la robe de l'avocat. Une grosse déchirure avec ses dents. Il y eut des clameurs, le saut long et silencieux de la gendarmette si sexy. Maintenant les flics ont le bac, dit Josiane vaguement dépitée. Une des plantes vertes s'est rabougrie, épuisée du souffle humain. Beaucoup d'histoires d'overdoses qui ont mal tourné. Mes oreilles bourdonnent. Où sont les boules Quiès ? Allons, Julia, pour ta dernière audience, ouvre bien tes yeux et tes oreilles. Notre Présidente s'est redressée. Sa hargne semble ébranler la verrière. Va-t-elle voler en éclats ? L'agitation est totale. L'avocat à la robe fendue par-derrière est entraîné par la greffière qui a une trousse à couture et à pansements de secours. Les piaulements et les injures abondent. Que rien n'arrête la messe. Notre Présidente a repris une vitalité étonnante. *Elle va s'en faire un.* La procureur tance vertement l'énergumène dûment ramené dans son box. Le profil difforme, le blouson ouvert sur un buste tatoué et sans chemise, il ricane, heureux de son exploit. Il cligne de l'œil à sa compagne, une Africaine qui roule des yeux furieux et blancs et tend le poing. Le type (petit dealer) va se retrouver une année de plus à l'ombre. Une année sans issue, qui ne règle rien, ne punit rien, n'arrange rien. Mais rien, rien n'est fiable. On nous demande la lune. La voilà, justement, la lune, basse et ronde au-dessus de la verrière. La pleine lune ; celle des loups-garous et des assassins. L'Africaine tend avec arrogance un ventre gros de huit mois.

La lune restitue le visage, l'éclat, la force funeste de Dolmen. A vingt heures trente, les témoins s'entendront dire de revenir ultérieurement. Leur affaire sera jugée plus tard. Non, non, n'insistez pas. Nous sommes débordés. Nous n'y pouvons rien. Même si vous venez de loin et avez raté le dernier train. Oui, oui, on nous l'a déjà dit. Il n'y a pas de justice. Un dépotoir, un vomissoir.

Va-t-on toucher au vertige ?

Nous avons perdu toute humanité. Tant pis pour le gars sans chemise et la grosse qui va accoucher ici si ça continue. Où sont la vigilance, la pitié, la certitude, quand tombe la nuit après ces heures ? Une audience représente un aspect de la France. Sa fosse commune, son tout-à-l'égoût, *la multitude*.

Ces trois années furent mon vrai noviciat, mon dur et total apprentissage. La résistance, l'indifférence, l'application des peines sans épaisseur réelle, la rapidité là où il eût fallu la lenteur. La lenteur quand le type, Bon Dieu ! déjà quatre mois bouclé ! devrait être sorti depuis longtemps. Un ballet sans gloire. Les micros mal ajustés, nos voix qui frôlent l'extinction, les bafouillements divers, le hennissement furieux de la concubine, d'un parent outré, pillé. Les avocats contrés par un confrère venimeux. Défilé à peine audible où il nous faut trancher, coupe, Julia, taille, petite, coupe. A-t-on entendu au fond de la salle l'admonestation de Jeanne, le procureur aux joues roses ? Trancher en coulisse, vite, vite, un gobelet de café, un biscuit sec. Merci Josiane. Trois mois, six mois ? — Ça lui fera les pieds de déchirer la robe de maître N. !

— Si tu crois que N. vaut grand-chose ! il ne pense qu'au fric et à la baise ! allez, cinq mois ! avec les sept qu'il a déjà faits, cela fera l'année.

Josiane a accumulé une nouvelle pile vertigineuse.

138

Huit minutes par affaire. Il est dix-neuf heures. Nos robes dégagent le suint des moutons mal tannés. Vite, le vaporisateur Roger & Gallet.

En scène.

La Présidente, de plus en plus longue et pâle, apostrophe un homme, vêtu d'un simple tee-shirt, l'œil fixe, le jean en loques. Un Maghrébin, un gitan? Il ne comprend rien. Nom, profession, âge, domicile?

Revenu minimum d'insertion. Chômeur. Sans domicile fixe. Français. Vingt-cinq ans. Il a crié « français », une main sur le cœur visible sous le mauvais coton.

— Pourquoi avez-vous dérobé ce massif de fleurs municipal? il appartient à la commune. La commune est-elle représentée?

Surgit, dans un borborygme, une femme engoncée de laine Thermolactyl, style employée de la Sécurité sociale, et autres engeances mortificatoires. Elle représente la commune de la Ferté-sous-Jouarre.

L'accusé a des arguments si singuliers que nous restons sans réplique.

— Ces fleurs sont à moi puisque je paye mes impôts locaux avec mon RMI et que je suis français. Mes impôts locaux valent plus cher que ces fleurs pourries. La commune m'a logé avec ma femme dans une cabane. Ces fleurs font joli. Elles sont pourries, mais à moi. La commune me doit les engrais, sinon elles vont crever. Et ce sera la faute de la commune.

L'employée à la commune éclate.

— Ces fleurs sont à nous puisque nous les avons payées. Elles nous coûtent en engrais trente fois le RMI de monsieur. Je demande à ce que l'on coupe le RMI de monsieur qui a insulté les fleurs en les trai-

139

tant de pourries. Les sous de ces fleurs viennent des contribuables.

— Je suis un contribuable ! beugle l'amoureux des fleurs.

— A vous, madame le procureur.

Jeanne se lance dans une tirade comme s'il s'agissait d'un meurtrier dangereux.

— Pourquoi y es-tu allée si fort avec ce pauvre type ? il va gober six mois et l'expulsion, ai-je demandé en salle de conseil.

Elle rit, de sa belle bouche qu'elle rougit d'une main habile devant une petite glace.

— Rien ne m'amuse autant que les arguments. Eux, les accusés, je ne les vois même pas. Qu'est-ce que tu veux que ça me foute qu'on arrache les massifs municipaux ou que l'on bâtisse des vérandas dans un jardin public ? mais les arguments, les miens, quel pied !

Un bon procureur, en somme.

Continuons.

Une grosse fille à la permanente brûlée est amenée à se présenter. Notre Présidente est-elle prise d'un sursaut d'impuissance mêlé à un fol orgueil ? Est-ce l'heure où l'infidèle rejoint le Pot d'étain et la créature aux jarretelles ? le ton monte encore.

— Je dois d'abord vous dire, madame, à quel point le tribunal admire votre façon d'agir. Emporter sur votre dos une armoire bourrée de bouteilles volées au supermarché de Thorigny-sur-Marne, bravo et encore bravo ! savez-vous au moins pourquoi vous êtes là ?

— Non, dit la fille.

Son compagnon, agrippé derrière le dernier banc,

140

marmotte une insulte tellement audible qu'un huissier
l'évince. La Présidente tourne au rouge coquelicot. La
grosse fille pouffe et développe ses raisons avec un
aplomb confondant.

— L'armoire est à mon cousin qui couchait avec
une roulure. Les bouteilles de Ricard étaient dans
l'armoire.

— Madame le procureur, à vous.

Jeanne devient un véritable glaive. Une salve d'artil-
lerie lourde. La fatigue déploie toutes les formes de la
sauvagerie. Même la nôtre. Taille, coupe, taille, coupe.
L'avocat d'office est une maigrelette habillée aux
genoux. La défense est pauvre, ennuyeuse. Quinze
minutes après la suspension de l'audience, l'accusée
aura une amende de cinq cents francs à régler au
cousin, la restitution de l'armoire à la roulure qui ne
s'est pas présentée. Le concubin répète une bordée
d'obscénités.

On n'en sort pas. L'avocat du cousin — un Marseillais, chaud de voix et de sexe disponible — allons Julia,
n'as-tu pas passé une nuit ou deux, à Paris dans une
chambre donnant sur la Seine ? — expose une série
d'alexandrins sans suite. La chaleur du ton, le sourire
éblouissant, oui, oui, tu es un amant passable, entraînent la justice du côté du cousin. Affaire remise.

Où en sommes-nous, vers huit heures, quasi ivres
d'épuisement ? La véranda illicite. Josiane me passe un
billet du Marseillais signé « Rouget de Lisle ». « Julia,
es-tu libre pour dîner ce soir ? »

Je griffonne au dos : « Un lit. Le mien. Pour dormir.
Je chanterai plus tard. » Josiane remet discrètement le
message.

Il pleut sur la verrière ; la lune est brouillée. Dormir... Notre Présidente a repris son élan. Un peu de poudre aux joues, en avant pour achever cette croisade aux fantassins minables, prêts à tout. Encore une ou deux histoires de ce genre et le crime, la folie profonde seront au rendez-vous.

Un gros homme riche est accompagné d'une avocate nouveau style. Cheveux rasés sur la nuque, gominés devant, créoles en or, verbe haut, serviette Chevillon. Son client a fait construire une véranda sans permis de construire. La Direction départementale de l'équipement (DDE) est-elle représentée ?

Une fille en minijupe — la DDE —, muette, s'avance derrière la barre, jure au hasard n'importe quoi. L'avocate crie haut et fort.

— Si mon client partageait les idées politiques du maire de sa commune, il n'aurait eu aucun ennui. Des dizaines de vérandas sans permis poussent au bord du Grand Morin. Je demande au tribunal une indulgence particulière pour la volière de mon client. La véranda a servi dans ce but. Monsieur est un sentimental. Il ignorait quand il acheta ses perroquets certifiés non parlants, qu'ils seraient aussi bavards, le gosier chargé d'injures. C'est la faute à l'oiseleur, qui d'ailleurs a disparu après faillite. Mon client est une victime. Je demande à la DDE de l'indemniser sur la nuisance de ses oiseaux qu'il a été obligé de loger sous double vitrage dans le but de ne pas ennuyer ses voisins, qui en guise de reconnaissance l'ont dénoncé au maire.

Jeanne a encore tranché. La véranda sera rasée. Affaire reportée en appel. Vingt et une heures trente. Nous pouvons rejoindre nos domiciles. Je n'ai pas envie de dîner chez Jeanne ou Rouget de Lisle. Je regagne ma résidence fonctionnelle derrière la vieille ville.

142

Garderai-je un souvenir quelconque du trois-pièces correct, meublé en rotin ?

Nevers vint à moi en plein hiver. J'avais engrangé les forces vives. Celles qui vous classent, en botanique, parmi les vivaces.

V

INSTALLATIONS

« Pour le moment, évidemment, la
bête semble être très loin ; si elle se
retirait encore un petit peu plus, je
pense que le bruit disparaîtrait aussi et
peut-être tout s'arrangerait-il encore
comme dans l'ancien temps, je n'aurais
fait qu'une expérience pénible mais
bienfaisante. »

FRANZ KAFKA *(le Terrier)*

1992 s'achevait mal pour la justice. Les prisons étaient un souci permanent. La collecte du sang en milieu carcéral, officialisée depuis 1985, continuait en dépit du scandale du sang contaminé (1990) et d'un taux élevé de séropositifs. Les intérêts en hauts lieux médicaux et autres y trouvaient trop d'avantages pour ne pas fermer les yeux. A Clairvaux, une série de révoltes avait accentué le malaise. Huit détenus avaient joué d'un Magnum 357 et d'un pain de plastic. Des policiers tiraient et tuaient. L'Etat avait englouti un argent fou pour son prestige et quelques belles fortunes privées. A quoi bon nous enrouer jusqu'à vingt et une heures aux audiences épuisantes pour coincer une fournée de pauvres types ?

La Bête ? Dolmen, tant d'autres intimement liés au gouvernement. La Bête ne se tenait plus loin et avait ses partisans dans la masse. Les pauvres hères que nous bouclions par fournées aimaient la Bête. Si le diable voulait, la démocratie allait flancher. On entrerait dans le système américain. Tirer dans le tas. Plastiquer les

juges. Quelque chose avait bougé. Etions-nous devenus des chasseurs de sorcières ? Quand je m'installai à
Nevers, quelques juges audacieux s'étaient attaqués à
des puissants. Mes personnages étaient en place. Il
avait fallu, telle la hulotte au creux de l'arbre, au fanal
des yeux qui jamais ne se ferment, l'ombre et un
territoire où mon guet prendrait son sens.

Tout se brouillait. Les évadés de Clairvaux, Dolmen, les tueurs de flics, les flics tueurs devenaient des
vedettes, des élites. Un noyau dur. Un exemple à
suivre. Au fil de mon installation, à Nevers, un nouveau scandale agita la France. Le maire de la ville,
Premier ministre, se suicida. Un juge, la presse, la
foule, qui l'avait pressuré jusqu'à se tuer, un 1er mai ?
Juges et jugesses continuaient leur jogging devant la
plaque commémorative, fichée au bord de la Sermoise,
où le malheureux s'était tiré une balle dans la tête.

Personne, au fond, n'est jugeable.

Le ministre de la Justice se repliait, débordé,
impuissant. Allait-on suspendre le droit de visite en
prison ? Elles regorgeaient, les prisons. Les dealers
pullulaient. Les aventures de Léopoldine Soubiroute
faisaient la une. Les jeunes, les paumés d'une société
croulant sous le chômage, puisaient dans ce mauvais
texte, *les Epreuves de la fourmi*, l'exemple et *l'évasion*.
Chacun se sentait prisonnier (y compris les juges) et
voulait *s'évader*. Même par une balle dans la tête.
Dolmen savait exploiter cette dépression de la société
en mal d'une installation de moins en moins possible.
Les attentats du FIS en Algérie avaient fait tripler les
ventes de *Je ne te quitterai jamais mon fils*. L'Arabe
était la bête noire supplémentaire. *Les épreuves de la
fourmi, Je ne te quitterai jamais mon fils,* devenaient

148

une référence honorable alors qu'il n'y avait là que le compte à rebours de l'honneur.

L'éloge de la bassesse, la prison, le viol, le vol, la drogue, la guerre, étaient devenus l'Eloge tout court.

Les juges devenaient à la fois des vedettes et des bêtes noires. Des taupes dissimulées dans leur terrier.

Les prisons allaient craquer.

Et moi, je résistais. Oiseau de jour, oiseau de nuit. L'œil souvent rivé sur la loupe. Ne pas perdre le cap du grossissement nécessaire.

1992-1993 et longtemps après.

D'autres perversités avaient surgi.

Au nom du progrès, nos lois se bouleversaient, et créaient de nouveaux dilemmes. Sexe, génétique, euthanasie : « le corps », toujours lui, symbolique ou réel, intervenait dans nos codes. Tout sujet, désormais, devenait assigné aux éléments constituant ses complexités. Il y eut des ajouts, des clauses nouvelles. L'individu, à force de progrès médicaux insensés, avait peu à peu perdu sa liberté. La mère d'Isaac Choucroune en était à son centième entubage sans parler de greffes effrayantes. « Mourir dignement et à sa guise », mouvement adversaire, faisait là aussi son beurre. On avait réimprimé chez Dolmen un ouvrage provisoirement écarté par le comité d'éthique, ancien fonds de la société la Sirène d'or, *Se tuer avec un bon mode d'emploi*. « Les droits d'auteur, annonça Dolmen sur les neuf chaînes, iront aux œuvres pieuses de ces grands oubliés les lépreux. » Dolmen avait besoin de lieux communs, de *la morale*. Il lança un salmigondis signé par trois médecinsvus-à-la-télé. L'ultime conviction de ce dépotoir était le rétablissement des familles nombreuses. La femme « bien » devait avoir au moins six enfants. En dessous de six enfants par famille, la France ne serait plus la France. Les Mauresques et autres sous-races pratiquaient la guerre des ventres. A nous de nous défendre contre l'envahisseur qui pullulait. On arriva à la conclusion d'abolir l'avortement, la contraception. Le grand discours du pape à ce sujet, qui avait également interdit d'utiliser des préservatifs en cas de SIDA, fut récité en entier. On allait rétablir l'article 223-12 qui punissait de deux mois de prison et vingt-cinq mille francs d'amende l'interruption de grossesse. La pénalisation de l'auto-avortement, toujours en vigueur dans le code pénal, restitua insidieusement le système répressif qui datait de 1920. Sous le Grand Pétain, on avait guillotiné en 1944, à la Roquette, une faiseuse d'anges. Un nouveau chef-d'œuvre, à couverture rose, sur laquelle était reproduite un beau ventre de neuf mois, s'intitulait *Jamais sans la vie*. Il atteignit un record aussi important que les épreuves de Mlle Soubiroute la bien nommée. *A Votre soirée, votre fortune*, Dolmen avait fait inviter une série de pondeuses à qui il remettait lui-même une médaille en plaqué or représentant son sigle. Munificent, il offrait une série d'invitations gratuites pour le goûter de l'atlantosaure. Il avait répandu cette collation infâme dans les hôtels bas de gamme genre Campanulle et Vive-Vite-Quick. Ce livre (?) eut l'appui de bien des journaux chrétiens. Un des médecins invités et un évêque friand de télé dirent d'une seule voix mouillée : « Le corps de la femme est un temple sacré. » Dolmen opinait, le neveu Houquart avait un mince sourire. Jan-Lou Saxo, sur ordre de Dolmen, s'était fait mécher en blond. Le brun était devenu honni. On ne disait plus « brun » mais « couleur FIS ». Il y eut le bouquet de cette soirée de plus en plus sacrée, *installée* aux profondeurs de l'inconscient du Français moyen. La présentation de la Mère Exemplaire. Isaac Choucroune amena sur le plateau sa génitrice perfusée au point de ressembler à une pelote d'aiguilles montées sur gélatine. Etions-nous à la foire du Trône ? Il la définit telle la Sainte, la Mère, la Matrice Sacrée, la Vie Totale, l'Exemple. Capable de subir tous les martyres afin de voir pousser ses petits-enfants que Dolmen avait interdit d'inviter car il les trouvait trop noirauds. Léopoldine Soubiroute, émouvante telle l'agnelle, vêtue d'une savante robe style postulante au carmel (haute couture), embrassa la monstresse. Elle parla d'une voix pleine de pleurs, ressembla à une fleur sous la rosée matinale. Elle répétait sa douleur de n'avoir pas eu de Mère. Janine la coiffeuse, vigoureuse et blond platine, montra l'enfant autiste et exprima pour la millième fois l'intrépidité que donne la maternité. On était au cœur d'un cauchemar qui s'acheva par l'hypnose en direct d'un barde venu on ne sait d'où.

La Vie, disait-il, était la Divine et Suprême Installation.

Et les petits enfants que l'on vend cent francs pièce.

Aparté. Deux heures du matin, avenue Montaigne, chez Dolmen et Géranium. Géranium sanglote bruyamment, étalée sur le lit dont le prix nourrirait le Zaïre en entier. Dolmen la regarde, ennuyé, comme tout mâle, devant les pleurs d'une femme qu'il n'aime pas, qu'il ne désire plus.

— Où vas-tu ? crie-t-elle.

Il n'a pas enlevé son smoking.

Il a garé dans l'avenue silencieuse la traction de Pierrot le fou.

— Faire un tour.

— Emmène-moi. Je t'en prie !

Elle a beau crier, se traîner à ses genoux, supplier, il la repousse. Les yeux de Géranium sont cernés. Elle a maigri. Il dissimule son goût profond pour les cheveux noirs. Il ne cache pas son rejet de cette femme qui lui a été utile.

Il a quitté la chambre luxueuse et laide. Il a laissé une fille effondrée au sol et qui pleure.

Elle l'aime. Elle se sent misérable et nue. Elle ignorait qu'aimer déchire la poitrine et la brûle, empêche d'atteindre le quart d'heure suivant. Il a dérobé sans son consentement l'émeraude si rare de sa robe de mariée, les deux saphirs, les quatre diamants, les rubis, cadeaux du Régent. Retourner à Dundo, chez son père ? Elle y songe. Elle baisse une tête vaincue, pour une fois sans arrogance.

Elle l'aime. Elle est une femme abandonnée. Une femme qui pleure, que le chagrin jaunit, enlaidit.

Il est déjà loin quand elle se relève de sa crise de désespoir qui a bouffi les yeux, gonflé la bouche. Mourir ?

Elle est tragiquement *installée* dans l'authentique amour. Elle ne dira rien à son père. Elle supportera tout en silence. Pour le garder. Même au prix des insultes et du vol. Elle s'accroche au moindre signe d'attachement. Il porte toujours au poignet gauche la gourmette qu'elle lui a offerte. Une chaîne d'or lourd dont elle avait fait dessiner le nom, Dolmen, en une torsade précieuse. Tant

qu'il portera la gourmette, il sera à elle, n'est-ce pas ?
n'est-ce pas ?

Elle hurle « n'est-ce pas ? » dans une chambre vide.

Dolmen a rejoint le bar de la Boule d'or. Où on
ne recrute plus de mercenaires, mais *les nègres* nécessaires au fonctionnement de son entreprise.

Le bas-fond de la rue Lauriston est ainsi équipé
d'un cheptel curieux. Il y a les « volants » qui ne font
qu'un texte, une préface, et disparaissent. Trois
autres, vissés, dirait-on, pour la vie dans ce sous-sol
sans gloire, à peine éclairé. Un quatrième va et vient
de la cave au domicile de Mlle Lapioche dite Soubiroute. Elle n'a supporté que lui pour son livre.

Les juges enragèrent à bouche close. Il y eut une
soirée chez Jan-Lou Saxo où avaient été conviés les
jurés de la charcutière de Nîmes. Elle avait été
acquittée après avoir tué d'un coup de revolver un
jeune Arabe voleur d'un poulet qui grillait devant sa
boutique. Dolmen préparait déjà le terrain. La charcutière, rose et blonde, le rimmel vert, pleine de bon
sens et de bonne foi, n'aurait plus qu'à « faire » son
livre. Un meurtre, un corbeau, du sang, tous les
ingrédients de *la fable populaire* qui se transforme,
un siècle plus tard, en chausson réaliste, étaient là.
Qui vous interdit d'aller pêcher une vedette aux
sources obscures de l'innommable ? Dolmen, Tigrino
étaient bien allés en Thaïlande faire signer en prison,
acte totalement illégal, le contrat de Mlle Lapioche
dite Soubiroute ! Gobard avait été du voyage et le
médiateur idéal. Vingt-cinq pour cent d'intérêts sur

l'affaire. La fourmi avait signé, feignant de ne rien comprendre.

Un opuscule, *Révisions,* remua la presse. Le Grand Viking, décidément, était en pleine forme. Il publia la thèse révisionniste au sujet des camps de concentration. Les chambres à gaz n'avaient jamais existé. Isaac Choucroune, pour une fois, avait protesté. Dolmen eut un grand sourire.

— Je te fous à la porte si tu ne te fais pas baptiser catholique. Je veux une maison *décente.*

Le père Tic Tac roula des yeux fous. Les trois chaloupes se concertèrent. La fin de l'or ou le baptême ?

— Le baptême est le passeport nécessaire pour devenir un bon Occidental et un vrai Français, trancha Dolmen.

Il hurla, sans que nul n'y comprit rien, « *mais voicy que j'ai advisé. Vous avez bien ouy parlé de ce grand personnaige nommé Maître Pantagruel* »...

Le neveu Houquart murmurait au père Tic Tac quelques apaisements. Mère Marie-Eustache et tous les saints qui allaient et venaient, de la télé aux éditions, priaient avec ferveur pour qu'arrivât la conversion d'un monde trop païen, éloigné du Dieu Vrai. Le barde aussi était chrétien. Barde, mais chrétien.

— Le Christ est un coup médiatique. Lustiger a compris l'importance des coups médiatiques, vous avez raison, conclut le père Tic Tac qui voyait avec affolement les intérêts énormes de sa collection à deux doigts de passer dans des mains trop pieuses.

On baptisa donc le responsable de la collection « Une grande existence ». Ce qui le consola fut le déplacement de la télé, une aile de Notre-Dame de Paris, un évêque célèbre. Tigrino fut son parrain, Géranium sa marraine.

Au moment de recevoir l'eau et le sel, Isaac, qui pourtant s'était fait faire un beau costume en soie, faillit vomir dans le bénitier du XIᵉ siècle.

— Maman ! gémit le père Tic Tac, au lieu de jurer de renoncer à Satan et ses œuvres.

— La ferme ! fit la voix suave de Dolmen devant les vitraux violets.

Géranium portait un tailleur Nina Ricci qui accentuait son allure chevaline. Vieille Maîtresse, un chapeau à voilette. Les jumeaux faisaient la gueule. Les grandes orgues retentirent. L'organiste était célèbre. Le père Tic Tac eut un sursaut de vanité. Il déglutit le sel et l'eau telle une poule un caillou. Sa glotte gonfla. Sa génitrice avait commencé de loin son agonie. « Parjure ! » balbutiait la bouche atone. Lili la huguenote était vexée qu'il ne devînt pas protestant. Elle assista à la cérémonie « par solidarité pour l'entreprise ». Elle conclut dans le Tout-Paris le mot de la fin :

— Dolmen vaut bien une messe.

Dolmen offrit le lunch au George V. De la limonade teintée pour le personnel, le champagne pour ses élites. Les jumeaux songeaient sérieusement à fuir dans un monastère.

Les épouses dans-la-fleur-séchée, enfouies dans le même manteau vert pâle, la chevelure rouge montée en un chou laqué, avaient le sourire aigu que donne la méchanceté partagée comme un plaisir sexuel. Elles se tenaient ensemble, loin de leurs maris-à-la-mairie, et savouraient la scène.

Le père Tic Tac avait repris du poil de la bête et trouvé une idée :

— Maintenant que me voilà catholique, qu'aucune affaire Dreyfus ne peut me menacer, pourquoi n'irais-je pas à Sarajevo chercher le texte de cette grand-mère qui a écrit son journal de guerre ?

Le ministre de la Santé et des Œuvres humanitaires lui en avait parlé. Il avait vu un petit film sur Sladka.

— Elle ressemble à ma mère. On pourrait superposer des images de la vraie guerre et celles de la grand-mère filmée à Paris. On peut louer une fausse famille yougoslave qui pleurera à la télé. On traduira facilement ses graffitis. La belle langue française et catholique fera le reste. Rien n'est plus facile que d'aller à Sarajevo. L'ONU protège la presse.

Dolmen eut un barrissement d'enthousiasme. Il lança une claque amicale dans le dos quelque peu arthrosé du nouveau converti.

— Je t'aurai la Légion d'honneur, ô premier et unique paladin de la chrétienteté !

Mais la fin de la soirée fut tragique. La mère, la martyre piquée d'aiguilles, fut retrouvée morte au petit matin dans un bain de déjections. Choucroune sanglotait « c'est ma faute ! ». La levée de corps ressembla à un cocktail où défilèrent des célébrités. Le fils renié — « Je suis orphelin ! » — se consola. Il accueillait les hommages, chiffrait tout haut les couronnes de plus en plus hautes, qui transformèrent la bière en une étrange montagne d'où se dégageaient des odeurs compliquées sous les branchages inextricables. Quand arriva le fourgon et l'enlèvement au Père-Lachaise, il crevait de fierté. Plus de soixante invitations à dîner : Trois mois sans payer un seul repas.

Il s'assombrit. La moquette souillée, changée, avait coûté trente mille francs.

Bon prince, Dolmen paya.

Quand il signait un chèque, sa gourmette étincelait.

156

Isaac lui avait demandé la permission de la mordre pour en tester l'or et le poids. La signature de Dolmen avait quelque chose d'un ours debout.

Choucroune s'envola pour Sarajevo où un ministre de la Santé l'attendait.

Je me souviendrai toujours de mon installation à Nevers. Procureur J m'avait écrit une longue lettre, achevée par une phrase de Marguerite Duras. *« Dire de Nevers qu'elle est une petite ville est une erreur de cœur et d'esprit. Nevers fut immense pour moi. »*

La ville flottait au milieu des terres. La mer avait disparu. J'arrivais la veille de la Toussaint. Une vague de froid avait provoqué la pluie et la grêle. Nous étions fin octobre et il gelait. Après une série de courriers, la vice-présidente, la procureur et Mlle Taponier, ma nouvelle greffière, s'étaient occupées de mon logement. Rue Gambetta, à quelques mètres du palais. La missive de Mlle Taponier était d'une grande précision. Une écriture de mouche, régulière, sans défaillance : « Vous serez à deux pas de notre TGI. Cela vous épargnera la dépense d'une voiture. »

Procureur J avait raison. Coincée ! coincée du logis au tribunal, du tribunal au logis. Tout avait été organisé pour installer le nouveau petit juge Julia Jordane.

Mlle Taponier m'avait écrit bien des détails. Elle était greffière à Nevers depuis quarante années. Il y avait à

Bourges des assises virulentes et la chambre d'accusa-
tion. Mon logement « était sis dans un immeuble
honorable ». La propriétaire, Mlle Houquart, ne louait
qu'à des personnes convenables. En dépit de ses quatre-
vingt-dix-neuf ans, elle avait toute sa tête. Elle habitait
seule l'hôtel particulier de sa famille, avenue Victor-
Hugo. Je ne la verrais jamais, et n'aurais affaire qu'à
l'agence à qui elle confiait son immobilier. Je jouirais,
pour une somme n'excédant pas le quart de mes revenus,
de trois pièces confortables sous les toits. L'édifice,
ancien et dit classé, était divisé en appartements pour
personnes au-dessus de toute critique. Deux greffières,
veuves, occupaient le second étage. Une institutrice à la
retraite, le rez-de-chaussée. Un syndic, expert en fail-
lites, et son épouse, le palier en dessous. Une demoiselle,
moucheuse de chandelles à l'église Saint-Etienne, logeait
l'unique pièce-tout-confort, dans l'aile la plus reculée.
Peu de bruit, pas d'enfants, pas d'animaux, de beaux
géraniums aux fenêtres que l'on recouvrait de paille
durant l'hiver. « Vous avez l'eau chaude, Mlle Houquart, d'une éducation stricte, ne s'est jamais chauffée de
sa vie. Ses locataires non plus. Mes collègues et moi
avons prévu un radiateur électrique. » Mlle Houquart et
l'agence semblaient ravis de compter un juge dans ces
murs sélectifs. La greffière irait me chercher à la gare, en
date et heure prévues. Elle me présenterait à mes futurs
collègues. J'aurais le temps de visiter *Nos Lieux*. Le
procureur, Mme Marie-Lou Chasseriaux, fille et épouse
d'un proviseur de lycée, m'invitait à dîner ce premier
soir.

La lettre continuait sur ce ton pendant quatre pages.
Je frémissais à l'idée du faible radiateur électrique. La
lettre affirmait pourtant que le procureur — nous étions

là aussi une majorité de femmes — avait loti mon lit
d'une couette. Mlle Taponier avait fourni les draps en
attendant ma propre installation.

Nevers me happait, m'enveloppait, m'enfouissait dans
son gel et ses couettes. Les géraniums de mon balcon,
paraît-il, fleurissaient encore.

— Nous jouissons d'un microclimat, confirmait
l'optimiste Taponier.

Je me souviendrai longtemps des pavés glacés, de la
nuit profonde, d'une pluie en grêlons, de la gare de
Nevers. Des ombres sur ce quai désert.

— Bonjour, madame le juge.

Je reconnus l'émulante Taponier. Un long cheval vêtu
de laine écossaise, en pantalon bien large, doublé d'un
collant tricoté. Une superposition de pull-overs à odeur
d'étable chaude. Un bonnet à poil gris dotait du même
gris une coiffure virile, au ras de la nuque. Une Jeanne
d'Arc, d'âge mûr, ayant allégrement échappé aux
Anglais, évêques et bûcher. Elle me dépassait d'une
bonne tête, sans parler d'une doublure naturelle, graisse
et muscles, répartie sur sa personne. Soixante ans ? L'œil
large et noir, derrière les lunettes à double foyer, me
jaugeait. J'enviais, glacée, la capote imperméable, à la
manière des vieux militaires de 1914, les pataugas
fourrés, achetés par correspondance à ces entreprises
spécialisées dans la chaleur.

— En avant et hardi ! dit-elle, empoignant ma valise
et mon sac.

« En avant et hardi ! » avait été de tout temps et pour
le reste de sa vie, son slogan. En dépit d'une tristesse
mortelle, le froid charrié dans mes veines, ce sentiment
permanent d'exil, je souris. Ce pompeux « En avant et
hardi ! » ouvrait, j'ignorais quelle route vers quels méan-

dres. Josiane s'était chargée de me faire parvenir mes
livres et mes effets personnels. Elle avait participé avec
mes juges de Meaux à mon cadeau d'adieu. Un beau sac
en cuir que je serrais contre moi. Il y avait eu le dîner
bien arrosé en bord de Marne. Nous échangerions des
cartes postales. Mais j'avais froid, un gel intérieur,
mental, total. Le voyage avait été long. J'avais passé trois
jours navrants à Hyères. Gloria était à l'hôpital. Une
crise aiguë. Une anorexie inquiétante. Elle avait maigri
de façon spectaculaire. Mamita avait perdu son sourire
mystérieux.

La grêle se mit à cingler. Procureur J avait raison. La
ville refermait un rempart invisible d'intempéries. Mlle
Taponier conduisait vite et mal. La voiture sentait le
chien mouillé. Elle fut obligée de se garer assez loin.
J'inaugurais mon entrée dans la cour pavée par une
glissade que méprisa ma fougueuse cicérone. Etais-je au
milieu de la piscine soudain transformée en cette glace ?
Qui n'a pas chuté dans le Nivernais par un soir de grand
froid, ignore l'effroi d'un être que la civilisation aban-
donne... Pourtant, la civilisation était à quelques mètres.
La lumière réconfortante de l'ancien palais des évêques
faisait du TGI une installation somptueuse. Ainsi dans
les contes de Grimm, les fenêtres, *le palais*, le château
enchanté étaient à portée de main, impossible à rejoindre. La glace bloquait mon pas. Le toit à ardoises
luisantes, la rumeur des silhouettes, le cri de la chasseresse dont l'ombre dessinait une montagne mouvante
sur la façade XVIIIe siècle, me parvinrent dans mon fossé :

— En avant ! hardi ! relevez-vous sur le côté !

Sur le côté, en m'accrochant au sac tout neuf qui
contenait, outre cette carte rayée de bleu blanc rouge
dont Mamita était si fière, ô excentricité douteuse, la

loupe et le coupe-papier. De quoi me perforer le flanc. Plutôt mal que bien, je fus debout, chancelante, un talon coincé dans une rainure qui se figeait. Mlle Taponier jaugea mes talons au cuir trop fin.

— Madame le juge n'a pas l'habitude des rigueurs imprévisibles de nos contrées.

Elle me lança d'une main habile — il était hors de question de refaire quinze mètres en arrière — un miséricordieux et inutile bonnet verdâtre.

— Ne prenez pas froid à la tête. Rien de plus fâcheux qu'un rhume de cerveau. Cela empêche la concentration et nos affaires ne chômont pas. Un juge malade est un juge déconsidéré. Ce bonnet a servi à un de nos collègues qui jouait le rôle principal de *En attendant Godot*.

Je nommais mentalement la coiffure hideuse dont un authentique clochard n'eût pas voulu, « bonnet pour un juge dans le Nivernais par grandes intempéries ».

Il s'agissait de ne pas blesser celle qui serait mon double et mon tandem. Le précieux œilleton de mes dossiers. Celle devant qui un juge est sans secret. J'enfonçais donc, au risque d'une fatale glissade, la coiffe qui sentait la chèvre qu'on a oublié de traire. Ma natte faisait bosse, des gouttes gelées au bout des cils, je pénétrais dans mon théâtre.

Tout redevint gai, vif, normal. Fière de m'introduire dans « notre maison », Mlle Taponier se chargea de tout. Elle semblait jouir d'une grande notoriété. Elle me présenta au planton, rare créature mâle, derrière son parlophone en verre. Elle m'entraîna dans le couloir des casiers.

— J'ai inscrit ici vos nom et fonction.

Alignement en bois, étiquettes diverses, je repérai, le

visage ruisselant sous les stalactites qui fondaient, ma case personnelle. Trois espaces après le Président, un bâtonnier, le juge de Château-Chinon, on lisait « Julia Jordane, juge d'instruction ». Contre moi, Mlle Taponier, « greffière en chef », suivie de « Mme le juge aux exemptions des peines » et deux substitutes.

Des femmes surgissaient à chaque couloir, chaque porte. « Une profession dévalorisée », ricanaient les hommes. Dévalorisée afin de supporter ce vertige : les femmes. Chacune semblait un atome de cette famille très particulière où sévissait davantage la solitude que l'alliance. Mlle Taponier me présentait sans relâche. On feignait de ne pas me détailler, ce qui est incorrect. J'entendais des bribes de conversation convenables et nécessaires — que je feignais, à mon tour, de ne pas écouter.

— Madame la substitute, où en êtes-vous avec cette affaire de viol ? — Les deux sœurs ont mis quatorze ans avant de porter plainte. Leur père est une brute yougoslave. Je vais argumenter la honte pour justifier un aussi long silence.

— Marie-Lou, voici Julia Jordane.

Marie-Lou, la belle procureur. Je tombais toujours sur des procureurs ravissantes avec qui je m'entendais bien. Marie-Lou : rousse, charnue, la croupe avenante dans un ensemble en maille vert, trop court au goût de Mlle Taponier. Elle dédaignait la jambe si visible dans le collant fin, la chaussure à talon, les pendants d'oreilles. Un rouge à lèvres, trop franc, brillait sur une bouche bien dessinée. Les yeux, gris-vert, semblaient bleus sous le maquillage. Trente-cinq ans ? nous dînions chez elle, rue Gresset. Une alliance bril-

162

lait à la main gauche, coincée dûment par la bague de fiançailles du même vert que la prunelle. Elle avait trois enfants.

— Demain vous aurez votre ligne téléphonique, Julia. Les deux radiateurs ont été purgés. Ne comptez pas sur le chauffage central. Ce n'est pas le genre de la maison Houquart.

Je la remerciais d'un sourire horizontal. La fatigue envahissait mon cerveau d'un voile cotonneux. « Pas de rhume dès l'arrivée ! vous seriez mal notée ! » Le monologue de Mlle Taponier m'apprenait mille petits riens.

Marie-Lou avait épousé le proviseur du lycée. Il n'avait pas son pareil quand il lisait le dimanche l'épître de saint Paul aux Corinthiens. Il est le neveu de la supérieure du couvent Saint-Gildard. Marie-Lou a des bâillements nerveux pendant la messe. Elle ne dissimule pas assez ses sentiments. Elle est un peu volage, mais c'est un bon procureur. Peut-être portée sur le whisky ? Mlle Taponier habite en dehors de la ville.

— A Nevers-Coulanges.

Elle a fait construire son pavillon. La vice-présidente loge rue de Nièvre. Un intérieur rococo, mais de belles faïences dans une vitrine. Un époux radiologue et hypocondre. Le Président, M. Chèremort, n'a jamais invité personne. Il habite une maison de famille (la famille de sa femme) au carrefour de la Croix-Joyeuse, rue des Renardats. On ne voit pas son épouse, qui souffre d'une métrite inguérissable et connaît la chaise longue depuis l'année de son mariage. Ils n'ont pas d'enfants. M. Chèremort communique avec ses collègues femmes par des billets glissés dans les casiers ou sous leurs portes.

Mlle Taponier grimpait les étages d'un pas militaire.

Un sourire troussait la lèvre chevaline quand nous entrâmes dans son royaume. Elle avait baissé le ton avant de pousser la porte en merisier poli.

— Deux d'entre nous sont veuves. Elles logent dans votre immeuble. Les maris se sont pendus. Dépression. Ils étaient de structure mentale en dessous de leurs épouses. Ils avaient leur certificat d'études primaires. La jalousie les a achevés. Beaucoup d'hommes se vengent de leur infériorité naturelle. Ils se tuent pour embêter leurs épouses sans penser qu'ils les libèrent.

Les veuves sont ces dames aux cheveux grisonnants, coupés court. Un gilet noir, un kilt écossais.

— La petite, trop blonde, est en stage. Une maîtrise en droit. Elle a échoué au concours de l'ENM.

Le royaume des greffières, comme à Meaux, est informatisé. Une cafetière électrique apaise mes nerfs. On me fait bon accueil, on remplit pour moi un verre en carton. On regarde discrètement ma main gauche. Non, non, je ne porte pas d'alliance. Le café est bien léger. « Comme ça, vous ne serez pas énervée. » Une galerie en bois court au-dessus des bureaux. Les dossiers, ici aussi, forment cette montagne rectangulaire et sans fin. Mlle Taponier se penche d'autorité par-dessus l'épaule de la première veuve (celle dont le mari s'est tué le premier). Elle porte un serre-tête en écaille, se prénomme Marie-Chantereine. L'autre, de copie quasi identique, est Marie-Madeleine. La petite blonde remplit à nouveau mon verre de café. Elle est jolie, vaguement apeurée par son aréopage de rombières dignes sous tous les rapports. Fixé sur la rambarde de la galerie, nous fixe l'œil de verre d'une fouine empaillée sur une branche séchée, tordue en une élancée artistique. Mlle Taponier devance ma curiosité :

— On avait trouvé cette rareté ici, lors des travaux en 1978. Nous n'avons pas voulu nous débarrasser d'une taxidermie aussi réussie. L'évêque l'aimait beaucoup.

Marie-Chantereine lui montre le courrier.

— Une femme se plaint de la disparition de son mari parti à la pêche un 4 avril 1980.

— Je vois… Il avait eu vent de son histoire d'assises et s'était sauvé. La pêche est un curieux prétexte.

— Est-ce possible de faire un acte de tutelle ?

— Il est surtout difficile d'obtenir un acte de décès, intervient Marie-Madeleine.

— Voyons les filles ! gronde Mlle Taponier. On est déclaré absent et non pas décédé avant que vingt années fermes ne se soient écoulées.

La blondinette prend timidement la parole.

— Excepté dans le cas d'un avion disparu au-dessus d'un glacier.

Mlle Taponier a l'admiration acide et n'aime pas que l'on récite ses cours. Elle secoue son grand nez vers la petite et l'interroge sur les autres clauses.

— Les biens ? que fait-on des biens ?

— La veuve présumée peut disposer des biens au bout des vingt années.

— Une femme, bêle Marie-Chantereine, s'est présentée à quinze heures au sujet de sa belle-mère. Le père, né à Tunis, a disparu. Les héritiers s'agitent.

Aux termes « homme disparu », une moue rancunière et gourmette trousse les bouches pincées. J'interviens machinalement, stimulée par le café et la chaleur revenus.

— Il s'agit de savoir comment régler la succession ? Il a disparu pendant la Seconde Guerre. Il convient de faire un jugement avec présomption d'absence. Né en 1901 ?

Est-il encore vivant ? Il faut saisir le TGI. Un avocat présentera une requête. Il est possible, en attendant, de partager ses biens.

Mlle Taponier a un large sourire. La petite blonde est rose telle une pêche d'été. Les veuves s'inclinent. La nouvelle juge a l'air au courant et fait preuve de sang-froid malgré dix heures de voyage et sa glissade que tout le monde a vue des fenêtres éclairées.

— En avant et hardi ! décida la Taponière.

Elle frappe chez la vice-présidente. Double porte cossue et capitonnée. Bureau d'époque, sobre et chic. Vitrine où s'alignent nos chers Dalloz et autres rubriques. La vice-présidente est mince, délicate, les cheveux cendrés, en mousse légère. Un tailleur, une blouse en soie, au col retenu par un camée évoquant un profil de marquise proche de celui de cette jolie femme de quarante-cinq ans. Son accueil est courtois, murmuré. Le dialogue prend tout à coup une tournure insolite. Mlle Taponier a un hennissement indigné.

— Avez-vous remarqué à quel point il a raté son entrechat ? Marie-Chantereine en était retournée !

— Ridicule ! totalement raté ! La musique de *Casse-Noisette* en devenait vulgaire !

— Qui a osé confier à ce piètre danseur le rôle du hibou ? c'est important, le rôle du hibou !

— Notre Académie est froissée. Cet entrechat, quelle catastrophe !

— Marie-Chantereine a mené l'enquête. Impossible de savoir qui était ce grand bête de hibou. Il aurait, paraît-il, remplacé au dernier moment ce petit assesseur de Moulins, fou de danse et qui avait pris un refroidissement.

— Au fait, Potentienne (?), avez-vous organisé le jour

166

de l'arbre de Noël ? A chaque fois, quelle réussite ! Peut-être faudrait-il éviter la cour pavée. Le temps est déplorable, cette année. La salle des pas perdus serait tout aussi bien.

Mlle Potentienne Taponier est prise d'une émotion qui rougit son nez décidément proche de la demi-livre.

— Mon cher Président, chevrote-t-elle, aimait tellement le rôle du hibou. Quelle obscénité, cet entrechat : j'en ai parlé à Marceau.

— Allons, sourit l'élégante supérieure, ne mêlez pas cette brute de commissaire à la danse. Il n'y connaît rien.

Le tableau de permanence est surchargé. On m'attendait avec impatience. Serais-je bien installée, rue Gambetta ? Vous aimerez Nevers. Au bout de quelque temps, vous aurez l'impression d'y être née. Nos magistrats qui s'étaient crus de passage ont fini par rester. La vice-présidente baisse le ton et désigne une série de billets à l'écriture courte et sèche. Notre président Chèremort n'a pas trouvé d'autre méthode pour nous contacter. C'est le seul homme à la tête du TGI.

— Au fond, un grand timide. Montons le voir. Impossible de déroger à cet usage.

Encore un étage. Trois gendarmes nous croisent avec un bruit de chevaux mal ferrés. Je dépasse le bureau de la séduisante procureur. La porte est grande ouverte. Elle rit avec le bâtonnier à œil de velours et peau ambrée.

— Un pied-noir, murmure la vice-présidente.

Il faut vraiment tendre l'oreille. Un vague émoi colore les joues de la figurine en blouse de soie. Autrefois, c'étaient les juges qui s'émouvaient des rares présences féminines. Nous atteignons le sommet du bâtiment et de la hiérarchie. La porte du président Chèremort.

Nous avons frappé et attendons telles des écolières devant le bureau du proviseur. « En avant et hardi ! » dit tout à coup Mlle Taponier.

— La méthode pour obtenir quelque chose est avec lui une sorte de viol sans sexe. Nous disons alors « je vais violer Chèremort », murmure l'évanescente vice-présidente. Je me suis souvent demandé si nos intrusions d'office (le viol) ne lui procuraient pas une grande jouissance...

— Evidemment ! commente la Taponière. Un homme est un handicapé sans recours. Même ici.

Le président Chèremort, en grande tenue noire (fin d'audience solennelle ?), d'une hauteur vertigineuse, chauve, est un bel homme glacial qui ne me laisse guère le temps d'étaler ma vie privée ou publique. Quelques phrases de bienvenue, un hochement de tête. Pas un seul regard sur ses collègues. Par courtoisie — et pulsion innée de nous refouler —, il nous raccompagne jusqu'aux doubles portes dûment refermées.

Etage des juges. Mon collègue est un doux homme jeune, marié à une enseignante en histoire au lycée du proviseur de Marie-Lou.

Mon bureau.

Jamais de ma vie je n'avais eu un lieu de fonction aussi luxueux. Mlle Taponier désigne chaque détail. L'interphone devant ma porte. « Un juge doit être difficile d'accès. » Le bureau lui-même est un meuble du XVIIIe. Un sous-main en cuir de Russie n'empêche nullement la présence d'un portable et du téléphone à touches multiples. Dans notre métier, le téléphone sonne sans cesse. Mlle Taponier est installée en deux espaces. Une table plus simple, près de moi, nécessaire pendant les interrogatoires. Sa propre pièce, plus petite, communique par une porte ouverte.

— Je serai presque toujours là, dit-elle. Ici ou à côté. Vous pouvez fermer la porte si vous le souhaitez, mais en général « mes juges » laissent ouvert.

J'ose m'asseoir et contempler, fascinée, les trois sièges en velours rouges rangés devant moi. Mon propre fauteuil n'a rien à envier à une chaisière de haut prélat. Mlle Taponier bourgeonne d'orgueil. Les rideaux sont en lourd tissu groseille. L'expression « aller au palais » a pris tout son sens. Je suis dans *un palais*.

— Ah, ah, lance la Taponière, vous avez raison d'admirer. On voit que vous n'avez pas connu notre ancien TGI. Quoique de situation prestigieuse, puisque sis dans l'ancien palais des ducs, il n'était que vent coulis et étagères mal accrochées. Les dossiers s'écroulaient des armoires en fer-blanc. Mais que de souvenirs merveilleux : son Juge à elle était là. Elle l'a suivi pendant une vie entière.

— Trente-quatre ans de vie commune. Nous ne nous quittions que lorsqu'il rejoignait sa famille.

Une moue convulse sa bouche.

— On n'a qu'un seul juge, dit-elle soudain du même ton que l'on dit « on n'aime qu'une fois ».

Machinalement, j'ai sorti de mon sac la loupe et le coupe-papier. Mlle Taponier fait son regard de chèvre.

— Madame le juge devrait se méfier et ne jamais se promener avec ces babioles. Le risque d'une glissade, vous le savez, n'est jamais exclu, pas plus que sur nos parquets cirés à l'ancienne.

Elle se perd dans un monologue où il est encore question de son juge, si brouillon, lui aussi. Elle a passé

169

sa vie à ranger le bureau de ses magistrats. La revoilà peut-être avec un juge brouillon ?

Son regard se fait dur et inquisiteur. Je suis sa première « femme » juge. Je serre les dents. J'en ai assez. Josiane et son rire en folles cascades, son dévouement maternel me manquent. Où est passée la bonne voix qui me remontait quand je me décourageais ?

« Julia, j'attache votre épitoge, je refais votre natte, prenez du café chaud, des biscuits salés. »

Une greffière qui n'aime pas son juge est un espace de l'enfer non prévu par M. Dante.

Mlle Taponier me rend soudain une confiance insolite et chaleureuse. Elle pose les démarcations. Ici, elle dira « madame le juge », tout comme je lui dirai « mademoiselle ». « Mademoiselle. » Elle y tient beaucoup. Son juge disait, quand il était de bonne humeur, « la Grande Mademoiselle ». Hors ces lieux, nos prénoms respectifs seront naturels. Seule, la vice-présidente utilise son prénom dans l'enceinte. Elle développe sa théorie. Elle déteste la familiarité qui n'amène rien de bon. Même « son » juge la vouvoyait. Pourtant, une fois, il y a très longtemps, « elle avait ému son cœur et ses sens ». Elle a fait construire son pavillon à Nevers-Coulanges pour se rapprocher de la Roseraie où s'éteint doucement son idole. Non loin, au cimetière Jautherin, se trouve le tombeau de famille de son grand amour avec sa place à lui.

Elle a baissé son crâne solide, ses épaules trop larges pour un corps déjà hautement charpenté. Même assise, elle a l'air d'un homme. Mais, quand elle parle de Lui, une roseur monte à ses joues, illumine la prunelle.

— En avant et hardi ! dit-elle encore.

Nous dépassons la salle des pas perdus. Joliment

pavée, elle n'en est pas moins foulée sans cesse par toute sorte d'engeance.

— Certains jours d'audience, on se croirait dans une écurie.

J'entends en écho la voix de Procureur J à propos de la salle des pas perdus. « Elle est au tribunal ce qu'est à l'Etat la plainte interminable du peuple. Elle est le vestibule d'un noviciat entre le fouet et l'injure. L'attente surtout. Le placard du diable, le foutoir du Rien. »

De la boue en hiver, de la poussière par tous les temps. Les pas se perdent, en effet. Où aller ? Ni salle d'attente, ni accueil. Ceux qui attendent ici tournent, perdent leurs pas, la trace de leur mémoire. Est-ce un fait exprès de la perversité par l'espace ? Les pieds rentrent en dedans. Les dos se voûtent. Les bancs repoussent. Les vents s'engouffrent. La salle des pas perdus est l'architecture traumatique de l'art oriental et occidental. L'ultime antichambre de la monarchie abolie. L'envie d'ôter ses chaussures comme dans une mosquée. Certains font un furtif signe de croix. L'angoisse a besoin du vide.

La salle d'audience. Du bois, des bancs classiques. Le prétoire est en chêne ouvragé.

— Le style troubadour, explique Mlle Taponier.

Elle désigne sa place sur le côté, son fauteuil bien rembourré où elle ressemble à un père prieur. Il faudra me tenir bien droite pour ne pas perdre un pouce de ma taille. Quand préside le redouté Chèremort, les juges se taisent davantage.

— Les boiseries sont du pur XVIIIe siècle.

Nous avons traversé l'allée centrale et nous voilà en salle de conseil. Moment fondamental du rôle de juger.

Excès de chaises. Il arrive de convoquer ici quelques prévenus quand un supplément d'interrogatoires est nécessaire. On manque parfois de place dans certaines affaires.

Je bute contre deux caisses mal fermées.

— Ne faites pas attention ! crie sourdement la greffière. Nous n'avons pas eu le temps de ranger les objets de la reconstitution « d'une bien jolie affaire ».

Une bien jolie affaire : une jeune fille étranglée dont la main avait été coupée, le cou tranché à la machette. Je me penche au milieu des copeaux fripés. Il y a la machette, d'autres outils informes qui ont servi à taillader la malheureuse.

— Le type était une bête. Il a eu le maximum grâce à Mme Chasseriaux. Trente ans fermes.

Sous son juge, il eût été décapité. Elle est allée deux fois accompagner son idole pour une décollation dans l'enceinte de la prison. C'était parfait et convenable. Même les condamnés se tenaient bien. La tête haute, si l'on peut dire. Dans ces moments-là, ils perdaient leur air bestial. « Le rachat est inséparable de la peine de mort. » Mlle Taponier a passé une langue gourmande sur sa bouche soudain plus rouge.

Voyons les portemanteaux alignés pour nos robes, la vitrine murale, bibliothèque juridique complète, y compris les interminables gazettes du palais. Les classeurs périodiques sont reliés en vert, la *Semaine juridique* en brun ainsi que les bulletins des arrêts civils de la Cour de cassation. Mlle Taponier en oublie la faim, la soif, le froid. Elle me jette un regard en biais.

— Je vous montre votre logement et vous emmène rue Gresset. Avez-vous remarqué cette presse ancienne, héritage de nos évêques ? Elle ne sert à rien, mais quel charme !

Dehors. Il fait nuit noire. La crainte de ne pouvoir ni avancer ni reculer me saisit à nouveau.

L'obscurité, la grêle, les pavés hostiles, les chaussures à nouveau trempées, l'équilibre perdu... Clip, clop, en avant et hardi, devant la porte cochère du 13 bis, rue Gambetta.

Mlle Taponier attendait, ferme et drue, deux clefs à la main.

— La porte d'entrée. Ni code ni gardien. C'est une ville tranquille.

Je n'osais évoquer les jolies affaires de femmes violées et découpées. Les clefs faisaient « cling » dans la main gantée de laine tricotée aux quatre aiguilles. Une réminiscence d'un roman d'Alphonse Daudet m'avait saisie. Ces clefs étaient celles de l'armoire de Jacques Eyssette, le frère du Petit Chose. Les clefs destinées à ouvrir l'armoire au linceul. J'étais devenue, dans ce froid, cet escalier, cette ville inconnue, le Petit Chose et son frère mourant, rassemblés dans un seul et même malheur. L'ombre de Mlle Taponier, sur le mur gondolé, était celle d'un animal venu des pôles.

Les marches disjointes gênaient le pas. Ma natte était à tordre quand enfin, clip, clac, l'indéfectible Potentienne ouvrit ce qui serait mon logis.

Une surprise m'attendait. Quatre caisses que mon hôtesse désigna, triomphante. Mes affaires étaient arrivées. On m'avait installée malgré moi. J'eusse préféré plus de peine, davantage d'indépendance. La précieuse robe avait voyagé avec moi, flanquée de ses accessoires. Le regard en biais de la Taponière avait tout vu.

Elle actionna une ampoule trop faible. Une grande partie de la pièce était dans l'ombre. Mes yeux s'habituaient. J'allais donc loger dans ce trois-pièces, où les volets (« les contrevents » rectifia ma Taponière) demeuraient le plus souvent clos d'une main précautionneuse. J'allai directement à la fenêtre, écartai les rideaux en tulle et ouvris d'un coup. La peinture s'effrita sur la barquette de géraniums. En dessous, la rue sombre et luisante. L'air glacé s'engouffra.

— Vous allez attraper un rhume de cerveau ! J'ai tout aéré, voyons !

Le plancher grinçait, les tapis étaient pisseux. Une salle à manger à douze chaises, un buffet Henri II. La salle de bains me navra.

— Le radiateur est suffisant, devança la Grande Mademoiselle.

Il jetait une faible aurore boréale sur mes jambes à peine vivantes. Il n'avait guère plus de puissance qu'un grille-pain.

— Vous êtes frigorifiée, décida ma cicérone.

Son monologue m'enseignait « qu'il est normal d'aider son juge à ôter chausses et flanelles ». Ahurie, je la laissais ôter mon manteau, secouer mes chaussures au-dessus de la barre rouge. Son Aimé se faisait masser les jambes au Synthol après chaque audience. Il n'aimait pas le froid. Elle enfilait avec dévotion deux paires de chaussettes en coton pour le préserver des varices. J'étais à deux doigts d'accepter le Synthol, la friction, les chaussettes. La baignoire, sur pieds de lion en fer, crachait d'une lourde robinetterie un jet tiède, au calcaire visible. Je détournais l'œil d'un bidet hissé telle une mangeoire.

Au-dessus d'un lavabo d'hôpital, une glace ovale, sans

tain. Une patère, un porte-serviettes dépliant, des carreaux brouillés pour la décence.

Ma chambre. Un lit trop haut, le radiateur en fonte, mal dégorgé, exhalait de la créosote. Une pendule napoléonienne, muette, sur la cheminée en marbre.

— Faites attention à chaque objet. Les Houquart, tante et neveu, sont pointilleux sur leurs biens.

Je n'avais pas dénombré les horreurs de mon univers. Face au lit, la glace obsédante de l'armoire engageait aux cauchemars. Le buffet contenait une quinzaine de soupières. La cuisine, les waters à la chasse d'eau en trombe désordonnée, audible des voisins, le vasistas glacial. Devrais-je insister sur le crucifix au-dessus du lit ? L'artiste en avait tiré une expression d'horreur et de violence convulsées. Il l'avait couronné d'épines ensanglantées. Les mains, les pieds joints étaient percés férocement de clous en relief. Du flanc, jaillissaient trois gouttes proéminentes.

— Vous serez très bien ici, conclut la Vaillante.

Elle referma elle-même mon domaine.

Rue Gresset, chez la procureur. Nous avons changé d'atmosphère. Mes côtes se desserrent dans la chaleur, la lumière. La maison, au milieu d'un jardin clos, éclairée aux lampes halogènes, est profonde. Un feu brûle dans la cheminée d'un salon ancien et charmant. Les murs sont recouverts de livres d'art, des œuvres complètes des meilleurs auteurs. Une pendule à boules, sous cloche, tintinnabule joliment. Des fauteuils crapauds, d'un vieux rose, invitent au repos et à la conversation intime. La salle à manger est visible de la porte aux vitraux. Une table ronde, une nappe élégante, huit couverts en fine porcelaine, des verres à pied. Les veuves sont déjà là et se taisent dès notre entrée. Marie-Lou crie de la cuisine : « Servez-vous en attendant ! » La Taponière, familière en tout lieu, Tourière Générale, tend les amuse-gueules. Un homme taciturne, voûté, un peu vieux, est entré. M. Chasseriaux, le proviseur. Il nous verse un bon champagne qui fleure la rose et le buis. Je me sens bien, nichée au plus près du feu. Les enfants déambulent en pyjama pour le baiser du soir. Trois garçonnets, aux joues piquées de roux. Une nostalgie secrète m'envahit quand l'un d'eux, au hasard, embrasse ma joue. Des enfants, une maison, un mari...

— Marie-toi, Julia.

Rentrer ainsi le soir dans une belle maison gaie et raffinée, au chaud désordre des livres et des enfants, partager le lit et la peau d'un homme sous la couette peu à peu glissée sur la moquette. Marie-Lou surgit, aguichante, en tablier de soubrette. Elle se jeta sur le tapis, embrassa les enfants, vida d'un trait le champagne. Elle riait d'une bouche humide.

— Venez, Julia.

Elle m'avait entraînée à la cuisine. Un mélange de XIXe siècle bourgeois et d'équipement moderne. Des pots en faïence ancienne, une longue table, un poulet visible dans le four à minuterie, une tarte sur un reposoir. Le bonheur, le bonheur. Tais-toi, Julia. Souviens-toi. Le décor du bonheur en est la première dérision. Un rêve de pauvre dont Maria avait été la dupe. Anéantie.

— Evitons de parler du bâtonnier, dit brusquement Marie-Lou. Il a divorcé deux fois.

Et fait jurer sur le code civil à un type qui battait sa

femme de ne jamais recommencer. Pourquoi pas sur les feuilles jaunes du bottin ? avait clabaudé le TGI.

— Mon mari ne le supporte pas.

Je n'avais pas l'intention d'évoquer le bâtonnier, vers qui Marie-Lou se penchait d'une manière relevant d'un rite plus intime que ne l'exigeait la profession. Nous nous regardions, les yeux verts caressaient mon visage.

— Le bâtonnier vous a trouvée ravissante, Julia.

Nous nous plaisions. Elle me faisait du charme et j'aurais besoin d'elle. Nous ne parlerons pas du bâtonnier.

— Un *petit caprice* ne s'étale pas, chuchota la procureur, enfournant un gratin. Les ragots vont bon train.

Un petit caprice, un bâtonnier. Le bonheur n'était pas sans quelque mélange. Le proviseur, grand lecteur de l'épître de saint Paul aux Corinthiens, ne comblait donc pas la fougueuse magistrate ? Elle avait jeté au loin son tablier. L'ensemble en maille moulait les reins cambrés, les cuisses savoureuses sous le bas noir. Qui oserait lui jeter la pierre excepté la ville entière ?

Je rentrais tard, ivre d'un excellent bourgogne. Les greffières commentaient mille potins où se nichaient quelques secrets criminels. Le poulet était un peu brûlé mais les vins subtils. Au moment du café, je savourais, avec Marie-Lou, un vieux cognac. La Taponière s'exclama :

— Du café le soir ? vous allez être *énervée* !

Les trois commères — et le proviseur — buvaient leur tilleul avec une ostentation d'inquisiteurs.

Potentienne décida du départ en se levant brusquement. Les veuves aussi. « Je vous raccompagne. » Elle m'invita d'office pour le dimanche suivant : la Toussaint. Marie-Lou se servit un whisky.

J'eus du mal à tourner les clefs, mais je ne voulais pas être accompagnée. Endurer les veuves jusqu'à leur étage, heureusement loin du mien, était le maximum d'une soudaine intolérance.

En haut de ce logis pour personnes décentes, le juge Julia Jordane, échauffée des bons alcools, enlevait d'une main profane le Christ cauchemardesque. Elle le coucha au bas du buffet Henri II, derrière les soupières.

— Le neveu Houquart se donnait autrefois la discipline devant ce crucifix.

Qui a parlé ? Marie-Lou ? les veuves ? le proviseur qui avait hésité entre le séminaire et l'enseignement ? Le juge Julia Jordane, décidément prise du fâcheux rhume de cerveau, enveloppée d'une couverture, la tête sous une serviette, se faisait une inhalation. L'antique appareil en fer moucheté, découvert dans un placard, sentait l'eucalyptus et le foin mouillé.

L'idée absurde d'être surprise ainsi par le fringant bâtonnier m'arracha un fou rire qui redoubla mes éternuements.

La Toussaint. Je ne suis pas allée à la messe. J'ai eu du mal à quitter la couette, me laver au jet trop tiède. Le nescafé bouillant, la première cigarette m'aident à franchir l'intime désolation d'ouvrir la fenêtre sur le brouillard. Un pantalon, une veste grise, ma natte dans un catogan en velours. J'enfilais mes bottillons, quand, à dix heures précises, Mlle Taponier appuyait sur la sonnette

178

grelottante. A ma demande, elle arrêta sa vieille 4L devant un fleuriste. Je dénichai un bouquet printanier.

— Il ne fallait pas, Julia, dit-elle.

Jusqu'à son domicile, elle développa sa théorie du rapport juge-greffière. Il est de son devoir de se déplacer, mais rien ne l'oblige, insistait-elle, d'un coup d'accélérateur féroce, à inviter son juge chez elle.

— Pourquoi donc, Potentienne, le faites-vous ?

Un large sourire révéla un appareil en acier qui n'avait jamais réussi à repousser une avancée chevaline.

— Nos collègues sont aujourd'hui en famille. Vous êtes seule dans cette ville. Les Nivernais sont hospitaliers.

Le saint jour des morts, Mamita est allée au cimetière. Elle a fleuri la plaque si simple. « Vous devez reconnaître le corps. » Il ne restait rien de Maria et pourtant Gloria avait poussé un feulement sauvage. Mamita aussi. Elles savaient que c'était elle, ce rien, calciné et noir pour lequel elles ont voulu un beau cercueil. Elle repose auprès de son père, l'homme tué par l'absence du bleu. Dans la chambre, la vierge et les photos ont été fleuries. Mamita est allée à la messe. Elle a prié pour nous toutes. Pour mon installation.

Je serre les dents. Existe-t-il un brûlant espace où nos exils s'abolissent dans la lumière d'une impossible demeure ?

Les dimanches de Mlle Taponier ressemblent au jour de la Toussaint. Elle rend quotidiennement visite à son vieux président. Marie-Lou m'avait entretenue, dans la cuisine, du président Ducaty, quatre-vingt-neuf ans, la passion de Mlle Taponier. Il y avait des années, il l'avait honorée d'une seule et définitive nuit d'amour. Personne n'est sûr que ce fut une nuit entière. Elle l'a suivi partout. Il l'avait conservée toute sa carrière comme greffière. Elle lui était indispensable tel un meuble familier, dont l'absence gêne et que l'on oublie dès qu'il est à portée de main. La Roseraie, ce mouroir, est bâtie à quelques mètres du pavillon de Mlle Taponier. Pour se rapprocher de cette maison de retraite destinée à la magistrature, elle avait vendu son appartement en ville.

Elle s'est garée devant une barrière blanche. Une haie de thuyas vert sombre, tristes, entourent un terrain modeste. Sur la pelouse bien taillée, un prunus s'empourprera au printemps. Un massif de rhododendrons ruisselle sous la pluie. Un rosier grimpant n'est qu'épines et branches raides. Un forsythia dépouillé, un lilas maigre, quelques pensées sur le muret au-dessus de la boîte aux lettres. Elle ouvre la porte d'entrée passée par ses soins au vernis marin.

— Vous portez un prénom rare, dis-je au hasard.

— Ma mère, native de Châtillon-Coligny, que Dieu repose son âme, vénérait sainte Potentienne dont la fontaine est célèbre là-bas. Sainte Potentienne préserve de la sécheresse.

En effet : dès que je suis à ses côtés, il pleut. L'unique allée est recouverte de gravier.

— Epatant pour entendre le pas de rôdeurs.

Une maison standard, un quatre-pièces dont on voit partout le modèle. Le living, au carrelage blanc cassé, rutilant, donne froid. Une table en plexiglas ; quatre chaises pliantes assorties.

— Je reçois très peu. Les gendarmes n'ont qu'à se tenir debout pour me parler.

Un canapé en bure unie, les murs recouverts d'un papier bleu ciel. Des rideaux en lin orange. La télé dans un meuble encastrable, qui ferme à clef. Un guéridon transparent. Un porte-revues avec des gazettes du palais, le programme de la télé, des magazines *Votre jardin, votre maison*. Sur une table roulante, d'un modèle ancien, des bouteilles d'apéritif. L'étagère du fond contient un mélange de livres allant du théâtre de Corneille aux feuilletons sur la une. *Le Château des eucalyptus, la Marée d'amour*. Un peu d'ésotérisme, *les Epreuves de la fourmi*. Un roman audacieux, *Tropique man*, d'Elrir Santiago, avait autrefois fait scandale et réjouissait Procureur J. La cuisine est un ensemble de meubles encastrés, fonctionnels, orange et bleu.

— Les couleurs favorites de mon Président.

Elle me sert d'autorité un Byrrh cassis.

— Il m'avait fait découvrir cette alliance capiteuse quand nous déjeunions, une fois l'an, au Rendez-vous des chasseurs.

Une fougue de jouvencelle l'irrigue en pivoine.

— J'ai fait un soufflé et une salade composée. Pas de viande au saint jour des morts.

Mamita ne cuit pas la viande au saint jour des morts. Elle dispose dans une coupe, au pied de leurs portraits, des fruits multicolores et gais. L'Aimé de Potentienne trône dans un cadre biseauté, en grande tenue rouge et hermine (non ! du lapin). Il porte son mortier ce qui lui donne l'aspect d'un sanglier debout. Il est beau à sa manière. Est-ce un vrai juge ? Un acteur ?

L'amoureuse déchiffre ma pensée.

— Gabin en plus beau ! en plus beau !

Un œil largement ouvert, une chevelure argent. Un homme à femmes vêtu en femme. Un maigre rayon de soleil arrache des ombres fauves aux joues que le photographe, à la demande de l'amoureuse, a encore rougies.

Un instantané, en noir et blanc, attire mon attention. On reconnaît le sémillant magistrat, mince, jeune — en début de carrière, sans doute —, en robe noire. A ses côtés, Mlle Taponier en tailleur écossais, les cheveux roulés sur un « boudin » au-dessus d'un col Claudine. Un éclat contrit et extatique dans le regard baissé. Une Potentienne à la jambe bien faite, sur la semelle compensée. Elle a les bras chargés d'une lourde serviette.

— Je portais toujours ses affaires.

Elle brandit avec le fol orgueil des sacrifiées son amour misérable voué à son idole indifférente.

Il a eu des femmes. La sienne, d'abord. Une glauque fortune de la ville. Une lointaine cousine des Houquart. Il a eu des aventures au vu et au su de tous, au Rendez-vous des chasseurs. « Là où Dolmen a fait construire un hôtel particulièrement vulgaire nommé La Vache enchantée. » Potentienne a connu les affres de la jalousie, l'attente, l'insomnie, le goût du meurtre, la soumission progressive. L'illusion d'une pauvresse.

— J'ai pargagé avec lui plus d'heures que toutes ces créatures !

Elle a crié « créatures ». Désormais, elle goûte au pur bonheur de soigner ce reste d'homme que maintiennent en vie les tubes, et autres infamies du progrès.

— J'aurais tué pour lui, avoue ma Taponière en extirpant le soufflé d'un geste sans réplique. Aimez-vous les yaourts ? Rien n'est plus convenable que de manger des laitages au saint jour des morts.

Nous bûmes le café dans des tasses délicates. Potentienne avait arrangé mes fleurs dans un vase contre le portrait de sa passion.

— Il est quatorze heures, dit-elle, solennelle. Allons-y.

En dépit du café, indispensable à ma survie, du chauffage central — quoique faible — , je frissonnais.

J'enviais, outre le pantalon de soldat anglais de mon hôtesse, son moral à toute épreuve.

— Vous auriez dû apporter mon bonnet, Julia. En avant et hardi !

Ces brèves hypothermies devaient souvent se reproduire durant ce premier hiver. Mlle Taponier, enfouie dans sa capuche de moine inébranlable, saisit dans l'entrée un pot de chrysanthèmes. Elle ferma les volets, boucla la maison. Le quartier était lugubre et désert. Je montais près d'elle, les fleurs entre nous. Son nez auguste brillait d'un éclat de lanterne.

Quelques silhouettes se faufilaient dans les allées. Le funèbre éclat des fleurs inondait les granits divers d'une ondée multicolore. J'aperçus les veuves. Elles se tournaient le dos. A chacune son défunt.

— Des hommes sans importance, commenta Mlle Taponier. Elles sont bien plus heureuses comme ça.

Un tombeau noir, à croix et inscriptions multiples, tenait une place considérable. Un petit homme serré dans un manteau étriqué s'inclinait d'une dévotion penchée.

— Le neveu Houquart, chuchota la Taponière.

Il frappait par son insignifiance. La nuque dégarnie, les mains trop petites, gantées, roulaient un chapeau inutile. Il fixait en aveugle, au-delà du coffre hideux, les circonvolutions d'un rêve obscur. Je regardais ce profil sec, ce teint incolore, le cerne mauve, la lèvre avalée. Il sortit un mouchoir à carreaux et essuya l'inscription « Famille Houquart » qui dérobait les dernières forces à la lumière de novembre. J'avais rejoint ma commère qui monologuait devant un catafalque d'une grisaille désolante. Elle se lança dans une déplorable leçon de choses.

— A droite, repose sa mère. Le père, un conseiller à la cour de Bourges, est au-dessus. Six tantes, des demoiselles... Ici se trouve son épouse.

Elle posa d'un geste rude le pot fleuri.

La folle amante — au sens du XVIIe siècle — assumait toutes les corvées. Même l'entretien de ces mortes qu'une sourde hostilité avait liées davantage qu'un amour. Ces mortes la tenaient toujours. L'épouse légitime et ses sœurs avaient ricané des années durant : « Victurnien s'est attaché une laissée-pour-compte. »

La laissée-pour-compte enlevait les fleurs pourries, maugréait d'intimes malédictions. La retraite de l'antique magistrat payait la Roseraie. Sa fille unique — une garce partie avec un Brésilien —, décédée de façon tragique, n'était jamais revenue à Nevers. En accord avec ses sœurs, l'épouse avait mis en viager la maison de famille. L'argent fut légué à la Société protectrice des animaux. Elle n'avait jamais pardonné à son époux ses adultères et à sa fille de s'être enfuie avec un homme trop bronzé. Le père et la fille avaient les mêmes goûts qui les couvraient de honte, elle et ses sœurs. Elle détestait d'instinct son petit-fils, né d'un tel stupre, qui portait un nom de sauvage. Elrir Santiago. Vous savez, Julia, l'écrivain Santiago ? Il a trente-quatre ans. Il avait eu un prix littéraire, il y a dix ans, avec *Tropique Man*. Un livre scandaleux : du sexe, du sexe, du sexe ! Il a continué sur la même veine. Ses romans ne se vendent plus. Il végète comme nègre. C'est un gentil oiseau. Il a une grosse moto, une peau ambrée, comme vous, Julia. Il adore son grand-père. Il lui rend visite. Il le nomme « Pépé-mon-Moko ».

Son Président a l'air tellement heureux quand il le

voit ! Il l'appelle Tante-Tampon. Il passe quelquefois une nuit dans son pavillon. Elle l'aime comme un fils. Sa mère est morte à Caracas. Une autre histoire, un autre amant, un accident de voiture. On l'a incinérée là-bas. Elle était, en femme, la copie de son Juge. Il n'a pas bien supporté son décès. Les sœurs ont ricané « c'est bien fait ! ». Le prénom « Elrir » avait été une idée de son Président. Il avait aimé, en Tunisie, une fille à la peau couleur safran qui avait accouché d'un très joli Elrir.

Elle sortit de son cabas un chiffon, rapporta de la pompe un broc. Elle entreprit un nettoyage qui ressemblait à une série de coups de pied. Elle devint très douce quand elle s'occupa de la partie gauche du granit. Il y avait, gravé de frais, le nom, les quatre prénoms de son Président. Sa date de naissance (1908).

Elle se tourna vers une tombe neuve, simple où était inscrit son nom.

— Je dormirai près de lui.

Elle époussetait le nom de son Elu. Les yeux mi-clos, les genoux puissants écartés, la peau irriguée violemment. Il faisait sombre.

La Roseraie. Un château fin XIXᵉ siècle, laid, confortable, entre l'hôtel et l'hôpital. Les buissons de roses, taillés court, justifiaient l'appellation. Des vieillards, au-delà de la vieillesse, pullulaient. Il me semblait normal de perdre ses parents bien avant d'être trop vieille, trop lasse. La collection « Toujours avec la vie » avait flatté le prolongement insensé de l'existence. Comprenons les puissants intérêts financiers des mouroirs. Dolmen avait fait publier *Nous serons tous des centenaires*. Potentienne, ragaillardie, avançait d'un pas de capitaine de gendarmerie en action. Nous traversâmes une salle où un piano muet occupait le centre. Des ombres courbaient un corps vaincu entre les attelles d'une hideuse béquille en forme de chaise sans fond. Un Alzheimer avancé s'agitait en tout sens. Il avait été jadis un brillant conseiller.

— Liez-le ! criait une vieillarde folle de haine, veuve d'un procureur, liez-le !

Une odeur d'urine atteignit mes narines sensibles.

Cris, rumeurs, clameurs, le soudain silence d'une terreur surgie entre deux crises. Nulle perfusion bienfaisante pour abréger ce scandale. Alerte depuis son deuil, Isaac Choucroune avait, lui aussi, fait son livre. Il avait été filmé dans un vestibule de centenaires. « Jamais sans la vie » comptait un chef-d'œuvre de plus : *Je ne t'oublierai jamais, maman*. Il pleura, tout le monde pleura, les centenaires eurent peur et se mirent à hurler à son encontre une série d'obscénités. Le son fut coupé, on amena une pièce montée fournie par la chaîne de l'atlantosaure.

Avant d'entrer dans la chambre de l'Aimé, Potentienne sortit un peigne, une houppe à poudre, un bâton de rouge.

— Ça va ? murmura-t-elle, incertaine et touchante.

Vaincu dans un lit-fauteuil, son Amour trônait en dépit des mains tremblantes, d'une bombe en acier reliée à la narine. En pyjama de soie sous une veste en cachemire orange et bleu. Les babouches ne dissimulaient pas les œdèmes. Pas un seul de ses cheveux argent n'avait bougé. Mlle Taponier se chargeait du shampooing, de l'ampoule bleutée. A mon entrée, il se redressa péniblement. Il fixait mes yeux, ma bouche, mes jambes. Un sourire erra devant ma natte noire et brillante.

— Mon nouveau juge, cria Mlle Taponier comme s'il fut sourd, ce qui eut l'air de l'agacer. Mlle Julia Jordane.

Il eut la force d'un geste impérieux pour la faire taire. Il avait conservé son intelligence. Aucune force pour échapper au traquenard des aiguilles, orchestré par la frénétique amante qui ne voulait pas qu'il mourût. Il articula avec peine « laissez-moi vous contempler ».

Mlle Taponier endura encore une fois la jalousie.

Je m'étais assise le plus loin possible, dissimulant ma répugnance. Les secs oreillers servaient à soulager l'étouffement chronique.

— Débranchez cette horreur... balbutia-t-il.

La pitié me saisissait. Une fille à la peau couleur de safran, une jambe de gazelle... Il s'apaisait à me regarder. J'avais ôté mon manteau.

— Où sont tes tatouages, jolie Bédouine ?

— Je suis née dans un pays chaud, dis-je doucement. Mes parents étaient natifs d'Afrique du Nord.

— Merci d'être aussi jolie. Azyadé avait vos yeux mordorés.

Je déchiffrais sur ses lèvres.

— Vous lui faites du bien, madame le juge, fit la voix aigrelette de la pauvre greffière.

Elle avait repris sa distance et sa souffrance. Ces deux sommets amers sur lesquels elle aimait survivre.

La main droite portait la trace des perfusions. Une infirmière entra avec le plateau-repas. Potentienne, à la grande honte du vieux Don Juan, le nourrit à la cuillère. Il déglutissait avec peine. Le pire arriva. Vengeance de l'amante bafouée ? Je n'eus pas le temps de me détourner. Vivement, Potentienne changea la couche confiance de l'infortuné. Elle plia le pantalon souillé qu'elle remplaça par un autre lavé par ses soins. Je reculai davantage.

Sur une étagère, elle avait arrangé le coin personnel de son idole. Des photos. En chéchia, il était assis dans un salon oriental aux côtés du président Bourguiba. Mlle Taponier brossa la chéchia dûment conservée. Elle la posa sur la tête de l'Aimé qui ressembla à un poussah. Contre une rangée de cailloux dits roses du désert, un coffre sculpté de poissons enfermait d'autres trésors. Des colliers de coquillages, des bijoux arabes ternis, une main de fatma en argent. Sur la pellicule jaunie, une belle Tunisienne, vêtue à l'européenne, riait. Les cheveux déroulés sur les épaules jaillies d'un bustier, la robe en corolle, les talons aiguilles, pendue à son bras. Le poignet fin, flatté de sept bracelets, entourait le cou de l'amant. La « semaine » reposait dans le coffre.

Contre la malle aux trésors, refermée par la tendre taulière, les livres préférés de l'aventurier. Il avait puisé ses extases, sa cirrhose, et d'autres misères honteuses, dans des tribunaux en marbre blanc, sous des ventilateurs qui transforment l'air bouillant en moiteur meurtrière. Il avait bravé l'opinion avec la belle Orientale, habile à refaire sa virginité au jour imposé de ses noces avec un des siens. « Du sang de poulet, l'aide d'une matrone et une éponge maritime », murmura la Taponière du ton d'une reconstitution légiste.

— Je hais Nevers ! articula le magistrat.

Sur l'étagère, s'alignaient des livres. En collection d'origine. *Le vrai visage de la femme* du docteur Besançon. Des ouvrages signés Géo Londo dont *les Gaietés du prétoire*. Un certain Peljoux était l'auteur d'une série surannée dont *Promenade au palais*. Quant au thème impensable, *la Bonté dans la magistrature*, M. Picard, substitut général en 1924, avait eu la bouffée délirante d'en faire cette folle niaiserie.

Seconde étagère. *Cloud, le communiste à la page,* de Jean Fontenoy, *Aziyadé,* de Pierre Loti, *les Juges* de Louis Casamayor. Le portrait en couleur d'un jeune homme, beau, brun de peau, riant au soleil, contre *Tropique Man.* Un sourire éclairait son visage. Il me fit signe d'ouvrir *Tropique Man.*

Mlle Taponier avait revissé la manette du poumon d'acier. L'effet des drogues apaisait le tourment sans relâche de vivre malgré soi. Installé pour sa nuit, sous la veilleuse, il était redevenu beau. « La présence d'une jeune femme lui a toujours fait du bien », avoua la sainte.

Il ne me quittait pas du regard. L'envie de séduire agitait la main droite. Potentienne lui tendit un calepin à stylo attaché à la table-plateau. La main inscrivit une zébrure, la route soudain barrée d'un chemin qui ne pouvait aller nulle part. Il but un peu d'eau à la pipette et Mlle Taponier me tendit le feuillet. Je déchiffrai : « Défaites vos cheveux, jolie Bédouine. » Mlle Taponier avait lu. « Julia, offrons-lui tout ce qui peut lui donner un peu de joie. » Je rougis. Le vieux magistrat avait un sourire flottant. A cause des barbares appareils, je déroulais la nappe tiède. L'œil se noyait d'une brume qui rappelait celle des déserts et ses aubes. « Approchez, dit Potentienne. Il veut toucher vos cheveux. » Elle aida la main torturée à effleurer cette richesse destinée à l'ombre et à l'amour. La mouvance de cette ondée sauvage entraînait son sommeil. Le bonheur n'était plus de ce monde et je doutais qu'il fût du mien.

La nuit était tombée.

VI

DIALOGUE DE CHASSEURS

« Le juge applique le Droit positif,
mais il parvient à en résoudre les antino-
mies, à en combler les lacunes grâce à
une certaine faculté de le modeler par
des retouches ou des compléments. »

Annales de l'Ecole nationale
de la magistrature

Dolmen et sa bande consacrent la Toussaint au plaisir de la chasse. Ils logent à La Vache enchantée. La patronne, l'imposante Mme Dolmen, a bien fait les choses. D'énormes bouquets d'hortensias en soie bleue ornent chaque chambre, les consoles, les couloirs, le bar, le hall d'entrée. Ils se reflètent à l'infini dans les glaces et les doubles vitrages. Le neveu Houquart a grimacé « je dormirai chez ma tante ». Maître Gobard occupe « la suite princière ». Deux salons éclatants, un boudoir, un aquarium d'hortensias au pied du baldaquin. Rien ne repose la vue. Chromes rutilants, barres lumineuses sous chaque miroir, téléphones à touches invisibles. Les baldaquins, réplique des hortensias, relient des lits jumeaux reliés.

L'argent mystérieux de la colline brûlée a été parfaitement utilisé.

— Royal ! s'est exclamé Gobard. Cher ami, tout ce que vous entreprenez est royal !

Il a amené Mlle Lapioche dite Soubiroute, « son petit Léo ». Dolmen n'a pu éviter Géranium. Le Régent vert

193

n'est pas content. Sa fille se plaint d'être délaissée. Pourquoi n'a-t-elle toujours pas d'héritier ? Son gendre aurait-il la semence claire ? Dolmen et ses amis portent un costume de chasseur. On pense au *Freischütz*, l'opéra de Carl Maria von Weber, à l'air des chasseurs. Au premier acte, quelqu'un tire un unique coup de fusil. Chacun a son fusil.

Dolmen est arrivé avec la voiture du groupe et son chauffeur. Les fusils tiennent de la place. Les chiens ont été rabattus sur les lieux. Les repas se déroulent dans une salle à manger de vitraux et de bois travaillé. Autrefois, s'y tenaient les rendez-vous galants. Nul n'y est convié sauf quelques « huiles » utiles aux projets de Dolmen. Le service est assuré par Ruy, l'Hindou, et Ahmed. Sourds, muets, aveugles. Seule règle pour servir ici.

Sourds, ces êtres qui savent capter le galop lointain des moussons, les imperceptibles rumeurs du silence ? On les traite en ânes utiles, pas même en âniers pensants. Dix-sept heures de labeur quotidien, le smic, le couvert, le coucher, la carte de séjour en règle. Maître Gobard sait arranger ces détails. Il dîne en ville chez tant de ministres. Ahmed est le frère de Mustapha, le mari de Janine la coiffeuse. Dolmen a le sens de la famille et sait toujours où caser ses esclaves. Le barde lui a confié Ruy, utile à sa secte.

Le neveu Houquart a rejoint son groupe le lendemain de ses dévotions. Il évite le sémillant Gobard, vêtu de cuir vert pâle, trois plumes assorties au coin du feutre incliné. La carabine Winchester appartenait, se vante-t-il, au grand Wild Bill Hickok. Dolmen siffle de considération. Le neveu Houquart a conservé son costume étriqué. Il rougit sous la chaleureuse houspillade de Gobard qui veut lui apprendre à tirer à la Winchester.

— Tiens-la droit ! clame l'avocat.

Houquart est devenu inexplicablement purpurin. Il bafouille un retrait poli.

Le déjeuner est copieux. Menu « Grand Veneur ». Les vins, des grands crus de Bourgogne. La patronne, vêtue style hortensia, maquillage compris, surveille le service. La table Napoléon III, ovale, est flanquée de douze fauteuils de la princesse Mathilde. Cadeau de Gobard en contrepartie des intérêts du contrat de Mlle Soubiroute qui-a-rapporté-gros. La desserte regorge d'entremets et de coulis divers. Les tables roulantes vont et viennent, chargées de cloches d'argent. Ruy et Ahmed, sobres de culture, dissimulent leur mépris devant ce cannibalisme occidental. On s'exclame, on applaudit, on bâfre. Le neveu Houquart, tourmenté par un ulcère à l'estomac, habitué à du pain et du lait froid, est au supplice. Ruy lui apporte discrètement une bouteille d'eau minérale.

Maître Gobard, empêtré dans le rince-doigts en vermeil, lance des regards vifs à l'homme au teint jaune.

— Votre tante a toujours son sublime Sisley ?

Oui ; *Femme dans le brouillard* se couvre, hélas, de crottes de mouche. Que faire ? Les personnes âgées ont leurs petites manies. On ne peut tout de même pas les tuer.

Elle ne tolère aucune intrusion dans sa maison. Elle accepte la visite mensuelle de la camionnette de l'hôtel. Ruy lui remet son linge lavé et repassé. Faveur du neveu

et de la maison Dolmen qu'elle a eu du mal à accepter.
C'était gratuit, elle a fini par consentir. Elle n'a pas
confiance dans la grosse fille qui époussette si mal et lui
fait ses repas. Une tasse de thé, une biscotte trempée
d'une main en osselets qui ne tremble pas et manie bien
la canne.

— Ne pas manger, n'aimer personne sauf les bêtes, ne
rien dépenser conservent centenaire, répète, à juste titre,
Mlle Houquart.

Elle vit au premier étage. Elle passe ses nuits dans un
fauteuil contre la fenêtre d'où elle voit tout. La camionnette sur laquelle est peinte une vache flottant sur un
nuage. Ruy sonne trois fois. Mlle Houquart actionne le
bouton électrique et crie d'une voix sèche « Montez ! ».
Ruy a grimpé l'étage avec une promptitude d'oiseau et
de chat. Mlle Houquart aime les oiseaux et les chats. Elle
ne déteste pas, côté jardin, assister au spectacle de
l'oiseau broyé par le chat. « On ne peut pas sauver tout
le monde ! » chevrote-t-elle devant le tas de plumes mêlé
de sang. Ruy s'est incliné. Dans sa culture, on respecte la
vieillesse. Mlle Houquart aime qu'on s'incline devant
elle. Ruy ne parle pas, autre sujet d'appréciation. Il pose,
comme si c'était un trésor, les draps, les serviettes nid
d'abeilles, rivés à cette famille depuis toujours. Le temps
n'a pas effacé un « H » brodé d'une envolée de
colombes. Ruy s'incline une seconde fois. La demoiselle,
debout dans sa robe de chambre qui retient les miettes
de biscotte, est appuyée sur sa canne. Sa bouche, affaire
de gènes, est identique à celle du neveu.

A Nevers, on respecte les Houquart. Outre leur
fortune, leur méchanceté légendaire a établi une vénéra-
tion confuse.

Elle n'est pas dupe du neveu qui la fait blanchir gratis

par ses vulgaires amis. Elle ne lui donnera *jamais* le Sisley qu'il convoite désormais à demi-mot. Le « demi-mot » chez les Houquart correspond à la violence chez le commun des mortels. Pour clore la visite de Ruy, elle frappe au sol sa canne. Les doigts serrés en griffes sur le hibou d'argent. Troisième inclination de l'Hindou.

La cérémonie du linge a duré dix minutes.

Mlle Houquart en retire une grande jouissance.

Ruy avait réussi à passer des frontières de Ceylan à la France. Il appartient à la secte du barde. Les adorateurs de la déesse Kali. La secte recrute dans le monde entier. Les adorateurs, dont le barde est le gourou, se consacrent corps et âmes à leur maître. Il est le Médiateur entre eux et la Déesse qui décidera de l'ultime réincarnation. Un sacrifice humain, sous n'importe quelle forme, est exigé de ceux qui veulent franchir les passages nécessaires au nirvana final.

Le barde a besoin d'argent pour sa forteresse et leurs dépendances, dans un marécage en Picardie. Dolmen a besoin du barde. Ruy a besoin de Dolmen pour franchir sa septième réincarnation. L'émission de Jan-Lou Saxo se modifie le vendredi soir en *Votre soirée, votre mystère*. Les livres (?) du Grand Viking consacrés à ce sujet défilent. La foule vénère le barde, achète *Jamais sans nos morts*. Un guide en dix leçons pour convoquer, chez soi et sans danger, les défunts. Le numéro du CCP du barde s'inscrit sur l'écran. Mère Marie-Eustache et tous les saints ferment les yeux. Ils ont accepté d'être invités avec le barde.

— Dieu nous a donné la mission de lutter contre la

misère. Tout est bon pour que le message puisse atteindre le maximum d'individus.

Tout est bon y compris ces dangereuses sornettes qui chauffent les têtes. Le CCP du barde se remplit davantage que celui de mère Marie-Eustache et tous les saints.

Le barde avait autrefois été invité à Ramatuelle. Il lisait l'avenir à Tigrino. Dolmen, Isaac, Houquart avaient vite compris l'intérêt d'une telle alliance. Il repartait pour son marécage dans son avion privé, servi par Ruy, l'Hindou. Qu'il a *donné* à Dolmen contre ses passages répétés à la télé. Le barde s'est composé une image qu'aime la masse. Barbe et chevelure argent, tunique blanche, faucille d'or. La barbe et les cheveux sont faux. Chauve et lisse, il est, vu de près, fortement asiatique.

Gobard rêve du Sisley. Mlle Soubiroute lui a enseigné quelques ruses pour *tout obtenir*. M. Hop Hop ose couler une œillade au neveu Houquart, coincé contre Lili la huguenote qui ressemble à un archet ivre.

— La grâce est là ! s'enthousiasme-t-elle, une forte pointe de chablis dans le nez.

Le neveu a rougi de façon désastreuse. L'œillade a tordu en lui le désir de Sodome. Mlle Soubiroute sourit, sourit, sourit. Elle n'est que silence et lents calculs.

— La prison m'a purifiée, avait-elle murmuré d'une voix impubère qui avait fait pleurnicher la France.

Ruy et elle se comprennent sans parler ni se regarder. Leurs codes passent par d'imperceptibles mouvements du visage.

Sourds, muets, aveugles.

Elle ne mange guère. Elle a observé les invités de son protecteur, issus de la grande bourgeoisie ou haute crapulerie. Ils savent se tenir. La futée a assimilé les nécessités de la survie. Une affaire de mimétisme selon le monde animal. On peut confondre la distinction avec le silence et la sobriété. Elle joue de façon délicieuse, quoique répétitive, d'un simple geste qui découvre un bras charmant. On lui apporte un cendrier, ses cigarettes. Ruy s'empresse. Elle feint de n'avoir rien vu. Dans le beau monde, on ne dit jamais « merci » à un serviteur. Vêtue d'un fuseau et d'un sweater noirs, les cheveux brillants, elle délaye son sourire en une promesse voluptueuse. Les prunelles trop rondes atteignent une fixité hallucinée et sans émotion. Ils n'expriment à peu près rien. Excepté un éclair doré, « si joli sous la caméra, Cocotte », dès que le neveu Houquart lui donne ses chiffres. Gobard lui lance au hasard des fromages flanqués d'un nuits-saint-georges, un compliment.

— Cette petite est étonnante. Par discrétion, elle refuse de vivre totalement chez moi. A sa demande, je l'ai installée dans un HLM de la ville.

Grâce à des gens utiles aux maires de tous les arrondissements. Trois pièces dans une tour, à Pantin, louées au nom de la servante sénégalaise.

Chacun se récrie comme si Mlle Soubiroute occupait une planète extravagante. Excepté Dolmen et sa mère qui se souviennent de l'immeuble Méditerranée. Ils détestent que l'on parle de HLM.

Léo a baissé un front timide. La voix murmure, fragile dans son exquise pudeur.

— C'est mieux pour me concentrer et écrire mon nouveau livre. L'habitude d'une cellule m'a donné le goût du dépouillement. Mère Marie-Eustache aime aussi sa cellule. *Tout sacrifice procède du religieux, de l'offrande.*

Cette dernière phrase lui a été dictée par son nègre. Elle l'a apprise par cœur.

Gobard a une répulsion pathologique du neveu suri. La passion frénétique des chefs-d'œuvre l'a abaissé à la saynète de l'œillade. Les teintes merveilleuses du Sisley apaisent son dégoût.

— Je me suis bien soumise quelquefois, susurre la voix de fillette. On prenait mon corps mais *mon âme restait pure...*

— Cette petite est remarquable, ronchonne l'avocat.

Elle sourit, sourit, sourit. Elle n'a jamais rien donné au croulant mondain, excepté une paire de fesses adorables — laisse-moi t'aimer comme un petit garçon, Léo ! —, une bouche habile qui lui tire des gémissements issus du registre animal. Son être est ailleurs tandis qu'elle exécute l'indispensable corvée au nom de ses avantages. Sa nature et la prison ont agencé en elle un système schizoïde très utile. Elle oublie et divise les forces. Pendant ces manipulations, elle voyage. Les tropiques de feu et de moiteur, les mers de Chine, les fleurs opiacées. La poudre blanche qui ouvre des contrées fabuleuses. La peau douce de ses compagnes préférées. Le corps si beau, si doué, de son amant, son nègre, Santiago.

— Un Sisley est un bonheur sans fin, murmure-t-elle. Tout se paye, en ce monde. Vous le savez bien.

En riant, elle lui a exposé les charmes du neveu Houquart. « Je ne le trouve pas si laid. Vous fermerez les lumières. Qui sera Qui ? Vous risquez même d'éprouver un plaisir inouï. Contre un Sisley. » Elle sourit. Les deux comparses, grands manipulateurs en affaires, sont au bord de la folie pour satisfaire chacun leur passion.

Ruy a un ennemi parmi les employés : Ahmed. La patronne le houspille et le traite de bougnoule. Il passe sa vie au sous-sol de la blanchisserie. Les machines à laver et à repasser fonctionnent sans relâche. Ahmed est entouré d'une buée qui lui arrache des quintes de toux. La patronne applique sur les employés la même méthode que celle de la rue Lauriston. Un seul homme doit faire le travail de dix contre le quart d'un salaire normal. L'insulte est de rigueur. Les esclaves filent doux. Au bout de seize heures de repassage et de pliage, Ahmed a un cerveau désagrégé. Il est devenu une machine. La nuit, il rêve d'un tambour géant qui tourne, tourne, tourne. La lessive, les assouplisseurs, l'eau de Javel l'étouffent. Quand finira ce bagne ?

L'argent gagné de la chair de l'enfant, de la complaisance pourrie de Janine, de la sienne propre, a été versé aux groupes intégristes.

A ce prix, Janine pourra cesser de trembler. Ils ne la tueront pas quand elle reviendra dans la famille avec leur fils.

Ruy s'incline devant un hibou en argent, qu'il porte au cou. Il se courbe devant la photo du barde et une image de Kali. Monstresse à mille bras, chevelure de serpents, tête et yeux de chouette.

Ahmed frémit devant une telle insulte à Allah.

Leurs réduits se font face et chacun en silence surveille l'autre.

Ahmed et Ruy, aux antennes si fines, savent tout de ce qui les entoure.

La visite du neveu Houquart à sa tante s'était mal passée. Elle l'avait reçu avec plus de sadisme que d'habitude. Les années avaient décuplé sa malignité, l'obstination à vivre uniquement pour contrarier. La grosse fille de service, avant d'être congédiée d'un geste méprisant, avait préparé deux couverts en porcelaine de Limoges. Ils déjeunèrent d'une demi-escalope et de pommes cuites à la saccharine. « Je n'aime pas le sucre, disait la voix aigre. Je ne changerai mes habitudes pour personne. » Les pommes venaient du verger, jamais entretenu. Il fournissait cette débile provende.

Le Sisley était accroché face au neveu. Une lumière particulière le nimbait d'une grâce exquise. Les bleus, les orangés, un certain rose, des ombres ocre, créèrent un vitrail qui désola davantage le neveu. Il avait offert à Gobard, en édition originale (1666), de Félibien : *Entretiens sur les vies et sur les ouvrages des plus excellents peintres anciens et modernes.* Sa passion le reprit telle une attaque de grippe. La vieillarde arithmétique tournait le fer rouge dans la plaie de son comparse de même sang.

— Quel bonheur d'avoir chaque jour sous les yeux une telle beauté ! Bonheur d'autant plus grand que le prix de ce chef-d'œuvre aiderait un jour tant de bêtes à ne plus être martyrisées en laboratoire.

— Bien sûr, ma tante, disait le neveu, la main sur la tige en cristal de Bohême d'une coupe remplie d'eau du robinet, bien sûr.

— Allez-vous faire votre dévotion sur nos tombes ? J'y tiens beaucoup, vous le savez.

Elle explora le profil de ses locataires, rue Gambetta. La dernière en date avait une excellente situation, « juge au tribunal », mais était « de basse extraction ».

— Ces faux Français qui nous ont fait perdre nos colonies...

Elle en profita pour ricaner sur Dolmen. « Votre patron dont la peau a la couleur de la pègre nourrie de pommes de terre et de cochon. Ne m'amenez jamais ici ce vil. »

Elle avait le ton aigre de ceux qui salivent amer. Depuis soixante années, elle faisait danser une famille entière de promesses jamais tenues. Elle s'était ainsi créé un réseau d'esclaves qui la servaient, la torchèrent parfois, et ne reçurent jamais rien. Ils moururent dans le doute, la rage et la frustration. Ils se détestaient entre eux, à la jubilation de la manipulatrice. Seule certitude ? Etre ensevelis dans « le trou-à-bêtes », comme elle disait. La tombe hideuse, où était inscrit le nom de ces êtres pour rien : « Houquart ». Le dernier vivant était devant elle et leur haine mutuelle rassemblait celle de leurs défunts. Il l'observait en détail, tâchant d'oublier l'inaccessible tableau.

Mlle Madeleine Houquart, de taille nabote, pesait trente-trois kilos. Elle avait compris à quel point l'absence de sentiments est un puissant congélateur. Le neveu, certes, au temps du séminaire, s'était parfois donné la discipline pour racheter les uns et les autres. La discipline lui créait des suavités compliquées. Il avait renoncé et rejoint le monde des affaires. Le brillant Gobard avait alors jeté, sans le savoir, un trouble insensé dans cette âme aussi torse que celle de son aïeule.

Il avait passé la nuit chez elle, dans la chambre de bonne glaciale, à l'édredon moisi. Il avait fait quelques ablutions au robinet jaunâtre qui coulait, mince et froid.

— Au revoir mon neveu. A l'année prochaine. Je vous observe de la fenêtre. Vous jouissez d'une bien belle voiture. Méfiez-vous du chauffeur. Ces gens-là répètent tout. Avez-vous prévu des chrysanthèmes ?

Elle refusa son baiser à cause des microbes. On ne mesure jamais assez les venins de la salive.

Isaac Choucroune, avec l'aide de Médecins pour tous était à Sarajevo. Il négociait, protégé dans un bon hôtel de l'ONU par les casques bleus, un contrat singulier. Une aïeule aurait écrit son journal de guerre. L'interprète était un jeune homme. La grand-mère, sous un fichu de paysanne et un gros manteau tricoté, roulait des yeux fous. Elle était nu-pieds dans des bottes d'homme. Elle avait vu sa famille tuée au fusil, son immeuble crouler sous les bombes. Elle n'avait rien écrit, bien sûr, mais était un témoin authentique. L'interprète traduisait avec patience les propositions du père Tic Tac. Contre du bel argent et sa venue à Paris, on transcrirait en langue française son « journal ». Finies la faim, la peur, la misère ! La vieille femme pleurait, se jetait dans les bras d'Isaac, lui aussi en larmes. « Maman ! on dirait maman ! » Il se remit vite et jaugea au-delà des cadavres, visibles de la fenêtre, le « coup » sensationnel. La fortune à presser de tant de morts comme le moût du raisin frais.

On leur prêta une voiture militaire. Il neigeait. L'aïeule psalmodiait des prières. « Vous allez devenir riche ! » l'encourageait le père Tic Tac. Un photographe de *Paris-Mon-Grand-Match*, un cameraman de Jan-Lou Saxo les accompagnaient. Elle indiquait du geste des chemins défoncés, des carrefours éboulés. On entendait tirer — mets le son, Coco —, craquer, gémir, tomber. La pierre qui éclate, l'arbre qui se fend. La grand-mère était redevenue indifférente. Savaient-ils, ces voyeurs, ces assassins, que la guerre, l'abolition des siens avaient creusé un grand trou noir où ne se nichait plus la moindre émotion ? N'avaient-ils pas vu qu'elle était devenue folle ? On arriva dans son village. Un fatras éboulé, aboli. Filme, Coco, prends la vieille sous tous les angles. Des tombes fraîches étaient à peine recouvertes. Des relents de fumée, de décomposition, flottaient au-dessus de la neige salie.

C'est alors qu'éclata le drame.

Une bande bosniaque leur tomba dessus. Isaac Choucroune, calculant l'impact sans frein des images, donnait des ordres. Il indiquait, comme dans un bon scénario, les mouvements que devait exécuter le prochain auteur du Grand Viking. Avancer vers les ruines, s'agenouiller, se tordre les mains sur une tombe. Des types masqués, couleur feuillage, entourèrent d'un bond le père Tic Tac.

Filme, Coco, filme. Foutons le camp, maintenant ! hurla Paris-le-Grand-Match à Choucroune. Les partisans dédaignaient la voiture. La caméra et le photographe, tandis que le chauffeur manœuvrait d'une main nerveuse, filmèrent la scène. Le père Tic Tac recula, avança d'un pied sur l'autre, disparut dans le cercle des agresseurs. Le son, Coco ! le son ! On put discerner, au milieu de glapissements effroyables, ceci :

— Je suis un catholique comme vous ! On ne tue pas ceux de sa religion ! On fait famille !

La caméra fouaillait au mieux. Le père Tic Tac avait ouvert sa veste fourrée. Il montrait la croix traversée d'émeraudes. Un ricanement s'empara de la soldatesque. C'étaient des musulmans. La grand-mère riait aux éclats.

— Je suis musulman ! piaula lamentablement Choucroune. Vive Allah !

— Vive Allah ! répéta la vieille, excitée par l'habitude de ce genre de scènes.

Le père Tic Tac tomba à genoux. Le pire arriva. L'un d'eux, cagoulé de noir, sortit une arme blanche et coupa le cou de l'infortuné directeur de la collection « Une grande existence ». La grand-mère devint convulsive quand il brandit l'affreux trophée.

La bande s'était enfuie avec la tête. Ainsi l'âme de l'ennemi errerait à l'infini, tronquée de la part essentielle où se niche la pensée.

A la grande honte de la famille Choucroune, on ne retrouva jamais la tête du père Tic Tac.

Il fut inhumé, tronqué, au Père-Lachaise, près de sa mère.

Toutes les chaînes diffusèrent cette atrocité au grand goût du public. La victime passa pour un héros.

Le cameraman et *Paris-Mon-Grand-Match* touchèrent une somme folle pour ce reportage. Ils furent invités à en parler en direct, la vieille femme au milieu. Il n'y avait plus qu'à lancer en un mois *le Journal d'une grand-mère* et le tour était joué.

Deux sadiques, influencés par de telles images, décapitèrent leur voisin à Paris et en plein jour.

La crise rendait aiguës bien des névroses qu'excitaient la télé et les cassettes vidéo sauvages. Les hôpitaux psychiatriques relâchaient, faute de moyens, trop de fous.

La justice traversait ces nouveaux crimes avec impuissance. De grands avocats se mêlaient de défendre, au nom du médiatique, de redoutables meurtriers.

La justice flottait, atterrée, pleine de doute.

A La Vache enchantée, les chasseurs en étaient à la Veuve-Clicquot quand l'infortuné Choucroune perdait sa tête.

Ils allèrent dans les bois.

Géranium en tenue de chasseresse ressemblait aux hommes qui marchaient devant. Lili la huguenote avait conservé sa casquette à visière. Elle parlait chiffres et fusils. Léo était délicieuse, de cuir doux, de laine fine et de soie. La tête de Houquart agaçait Dolmen. Le clabaudage des femelles aussi. Il les distança et se rapprocha de Gobard.

Avant de quitter le restaurant, il avait traversé le bar. Deux femmes étaient assises dans les fauteuils profonds. De dos, elles semblaient jeunes et jolies. Des petites-bourgeoises de la ville ? La brune l'intéressa. La natte noire, si longue, à chaque mouvement, frôlait la moquette. Etait-ce l'effet du champagne ? La rousse semblait plus charnelle. Il y avait le tintement des glaçons sur le whisky, un cliquetis de bracelets. Il reconnut dans le miroir aussi large que le mur, au-delà d'un bouquet géant, Julia Jordane. — La Jordanie.

Vêtue de noir, la jupe courte, les jambes gainées de

soie, croisées et belles, les seins visibles sous la maille fine, elle buvait sans se presser, penchée vers la rousse qui riait.

Il avait déjà éprouvé cette vibration particulière au moment de tuer ou de jouir.

Leurs regards se croisèrent. La Jordanie. A portée de main et impossible à toucher. Faudrait-il un jour traverser le miroir quitte à tout briser pour la tuer ? La voler ? L'emporter où bon lui semblerait ? L'obliger à toutes les soumissions ? Ce sentiment jamais éprouvé pour quiconque lui serrait les côtes. Le bonheur était cette suavité venimeuse ? Il détestait le mot « bonheur » et l'avait fait biffer des livres qu'il avait publiés. Ses nègres s'acharnaient sur des synonymes. « Bonheur » était une idée dangereuse. La pire, celle qui avait fait danser le monde entier depuis toujours, le rongeant jusqu'aux cendres. Le bonheur rôdait tel un voleur qui déroberait sa Fortune.

« Bonheur » portait une natte d'écolière de l'ancien temps, un profil parfait jusqu'à la dureté, la bouche tendre.

— Un sang plus chaud que le vin.

Ma parole, elle le rendait lyrique, cette orgueilleuse à allure d'orpheline sournoise !

Elle s'était levée. La bouche avait pâli en mauve. Il aima son trouble, son doute.

Ou sa haine.

Il tira en l'air, au hasard. Il abattit un moineau et cela le fâcha. Il le ramassa et le tint dans sa main. « Belle prise ! » ricana Géranium qui souffrait de son indifférence. Il haussa les épaules. Le moineau palpitait, lisse, casqué de sombre, le flanc doux. L'image de Julia Jordane s'interposa. Un oiseau minuscule qui tenait tout entier dans sa main. Une fille gracile qu'il eût voulue tout entière dans ses mains. Il jeta violemment le moineau sur les feuilles. Le neveu Houquart l'écrasa d'un air indifférent. Dolmen le foudroya du regard. Lui seul avait le droit de fouler ses proies.

Deux beaux chiens approchèrent. Gobard, très en forme, leur gratta le crâne. Ils éclatèrent en jappements joyeux. Un dialogue s'engagea entre les deux hommes. Dolmen était fasciné par la chienne noire, aux oreilles de feu, tremblante sur des pattes de grande coursière. Elle frétillait et se roulait sous les caresses.

— A quoi, grand maître, correspondent ce que l'on nomme « les chaleurs » chez les chiennes ?

Gobard entra dans une démonstration éblouissante, qui fascina Lili la huguenote.

— Cher ami, les « chaleurs » de leurs vrais noms sont appelées « chasses » ou « jeux ». Caractérisées, comme chez les femmes, par des modifications anatomiques et comportementales. Vous devriez faire un livre là-dessus. Les chasseurs sont nombreux en France. Ainsi que chez la femelle humaine, la vulve de la chienne augmente brusquement de volume. Elle est œdématée. Des pertes sanguines sont obervées à la commissure des lèvres vulvaires.

Le neveu Houquart prit un air dégoûté. Gobard devenait de plus en plus brillant. Léo souriait, souriait, souriait. Pendant « les feux », la femme, non, la chienne, est plus irritable qu'à l'accoutumée.

— Songeons à nos compagnes, dans ces moments-là, cher ami. Il faut, hop, hop, aller vite, sinon, quel enfer !

« La chienne attire le mâle dont elle refuse les hommages. Au bout de huit jours, continuait l'inébranlable chasseur, l'œdème vulvaire régresse. Quelle répugnance ce flux chez nos compagnes ! La femme, non, la chienne, est prête alors à accepter la saillie.

Lili la huguenote apprit beaucoup de choses. Le moment délicat pour faire saillir sa femme, non, sa chienne enfin fécondable, se situait dans une brève période.

— Je suis puritaine, avoua Lili la huguenote. Je n'aime guère le terme « saillir ». Cher maître, cela appartient, en effet, aux animaux.

La saillie ! Saillir la Jordanie. La réduire et l'exalter à coups de crocs dans la nuque. En faire la Bête et la Fleur.

— Ma chienne, ta femme, tutoya soudain le fougueux Gobard, ont connu cet échec précis. Pour faciliter la prolificité, il faut optimiser les chances de la saillie.

Le fiasco était avant tout un traumatisme de mâle.

— J'ai plaidé autrefois un meurtre épouvantable. A cause de l'échec de la saillie, une femelle avait coupé les testicules du mâle dont elle avait provoqué la panne.

La panne ; leur angoisse à tous. La Jordanie était bien le type de femelle à provoquer la panne.

Dolmen tira sur une envolée d'oiseaux à la gorge rose. Gobard tenait par les oreilles le chien, un mâle de velours moucheté qui tremblait telle une feuille de saule.

— Une malformation anatomique de la verge ou du fourreau contrarie l'érection et l'intromission.

La prostate demeurait un sérieux handicap qui

n'épargnait ni les mâles ni les bêtes et rendait l'accouplement impossible.

— L'échec vient de la femme, non, de la chienne.

Trop nerveuses, craintives, ou agressives, elles peuvent, les garces, rendre la saillie impossible.

— Arrive le moment clef.

La femme, non, la chienne, s'affaisse tout à coup. La soumission liée à la mémoire d'une race sans honneur. *Noubliez pas, monsieur Dolmen, qu'« honneur » s'écrit avec deux « n ».* Chienne ou femme, elles s'abaissent car elles se souviennent de la dignité originelle perdue. Les saints savent expliquer ces choses. Une autre misère entrave la saillie. L'arthrose vertébrale. Elle rend le chevauchement douloureux. La femme qui vieillit, en préménopause, supporte moins nos chevauchements.

— Est-ce pour cela que les chiens se flairent sans cesse le derrière ?

Le timide Houquart avait voulu se hisser à la théorie audacieuse de l'objet de sa passion.

Gobard fixa le neveu rabougri dans son imperméable dont l'ourlet se défaisait. Il contint une envie de le gifler à la volée. La vision du Sisley, le sourire de Léo qui s'était approchée telle une fine couleuvre, le calmèrent. Gobard s'adressa au neveu Houquart qui frémissait, ainsi la chienne ployée.

— Il existe l'ultime recours : l'insémination artificielle.

— Au fond, murmura le vieux garçon impur, tout est lié à une affaire de goût.

Il ravala au fond de lui le « goût » d'une certaine saillie sous l'homme qui aimait si fort les œuvres d'art. Dolmen s'irritait du goût pour cette fille à la natte noire. Léo dissimulait des goûts divers. L'argent, bien sûr, mais aussi la peau de Santiago, le véritable auteur de sa lamentable histoire. Géranium se mourait du goût pour Dolmen. Il serra contre sa poche une boîte. Il avait fait exécuter une broche par le meilleur bijoutier de Paris. Elle représentait un scarabée. Les pierres précieuses venaient de la robe de noce de sa femme. Le corps du scarabée était une grosse émeraude piquetée de diamants. La tête, un rubis accrochant la lumière. Les yeux, deux saphirs.

On courait sur les feuilles. Ruy brandissait un fax expédié par les trois chaloupes.

Le Grand Viking jura.

Isaac Choucroune s'était fait assassiner sauvagement par un groupe de Bosniaques. Certains détails dépassaient l'entendement. Il y eut, sous la futaie, un épais silence.

— Allons, conclut Gobard, lâchant les chiens qui se chevauchèrent de façon frénétique, c'est l'antichambre d'un coup formidable.

Chacun était d'accord.

Léo souriait, souriait, souriait.

Marie-Lou m'avait invitée à boire un verre à La Vache enchantée. Notre coup de foudre amical continuait. Elle avait joyeusement grimpé mes étages. Belle et fraîche sous la toque en fourrure, elle fit en riant le tour de mon domaine. Je lui montrais le crucifix couché derrière les soupières. Elle fit une moue renseignée et répugnée.

— Mon mari adore ce genre de choses. Il passe son après-midi dans un groupe de prière. Il a embarqué les enfants.

Elle se repoudrait.

— Et les compensations bâtonnières, Marie-Lou ?

— Viens, dit-elle.

Elle me tutoya de façon spontanée. Nous nous sentions bien ensemble. Elle grimaça devant les dossiers sur la table. J'avais une telle habitude du travail, dimanches compris !

— J'en ai autant chez moi. On les retrouvera ce soir.

Elle était un remarquable procureur dont on critiquait la désinvolture. Elle avait insisté pour refaire ma natte qui ondulait. Je la laissais maquiller mes paupières, mes joues, ma bouche. Elle avait choisi dans l'armoire funèbre un ensemble court et moulant.

— Tu es sexy, Julia. Le bâtonnier nous rejoindra.

Dans l'immeuble, le silence était trop épais pour être naturel. Marie-Lou haussa les épaules.

— Ils sont tous derrière leurs œilletons.

Elle conduisait ventre à terre et avait mis à fond une cassette des Rita Mitsouko. Elle criait dans la fureur des rythmes et de l'accélérateur.

— Achète une voiture, Julia. C'est indispensable.

Je me détendis dans le fauteuil moelleux du bar.

— Deux Haig ! commanda Marie-Lou.

Une musique psychédélique annihilait agréablement toute volonté.

— Spirit Dance, dit Marie-Lou plus rompue que moi au whisky et à ces sons métalliques, perforant le cerveau.

Le bâtonnier fit une entrée de bel homme sportif, signé de petits crocodiles au coin des vêtements, y compris chaussures et chaussettes.

— Il habite une vieille ferme retapée sur la route de Clamecy. Il a fait construire une piscine couverte où il sait si bien jouer au triton.

213

Il baisa ma main, jeta un œil oblique sur mes jambes et mes cheveux. Il lança à Marie-Lou ce regard outrageant et flatteur des hommes que l'on a contentés.

Je ne détestais pas son sourire carnivore et ses goûts simples.

Tout à coup, Dolmen apparut. Etait-ce l'effet de l'alcool et de cette musique innommable ? Nous n'étions étonnés ni l'un ni l'autre. Ce face-à-face appartenait à la capture d'un miroir au fond duquel se reflétaient, à l'infini, des hortensias de plus en plus bleus.

Il y eut ce bond si souple, une bouche vivante et chaude dans le creux de ma main. Une gourmette trop lourde, où brillait son nom, Dolmen, effleura ma peau.

Il avait disparu. Marie-Lou siffla de considération.

— Bravo, Julia, pour ta première touche nivernaise ! Le Grand Viking en personne !

Le bâtonnier haussa les épaules.

— Quelle vulgarité, cet endroit !

— Vous n'avez pas toujours détesté leurs chambres, murmura l'Audacieuse.

— Que n'aimerait-on pas avec vous ?

Je descendis au fond des images qui avaient hanté mes angoisses. La main qui avait tenté son approche était responsable de vies en miettes. Il était détestable, le plaisir ténébreux goûté à son baiser trop chaud.

Nous étions mi-décembre. Je m'étais organisée au mieux. Marie-Lou m'avait prêté sa femme de ménage. Elle passait deux fois par semaine un grinçant balai-brosse et secouait les tapis. J'avais acheté une voiture. La bouche de Potentienne se pinça.

— A votre guise, Julia.

La BX d'occasion dormait dans la rue. Les dossiers étaient ce vertige bien connu. Les audiences s'achevaient avec la nuit. Aucune de nous ne regardait à sa peine. Légère dans le privé, Marie-Lou était un bourreau de travail. M. Chèremort m'avait déjà envoyé un billet.

— Soyez plus brève dans vos notes de synthèse.

Nos greffières étaient occupées à préparer l'arbre de Noël, quand une nuit, le téléphone sonna. C'était Marie-Lou. La gendarmerie venait de l'avertir. Mlle Houquart avait été assassinée.

— Je suis sur les lieux, Julia. Avenue Victor-Hugo. Appelle la Taponière et viens.

Je serrais un châle contre moi, sinistrée de froid et du spectacle qui allait suivre. Je composais le numéro de ma greffière. Elle décrocha aussitôt, rompue aux appels de nuit. Elle lança un joyeux « En avant et hardi ! ». Elle aimait les crimes, ce qu'elle nommait « une belle histoire ».

— Je vous prends chez vous, madame le juge.

Le réveil marquait une heure quarante. Le Nescafé brûlant, une cigarette, l'eau fraîche sur le visage. Un jean, un pull à col roulé, mes cheveux tordus en un chignon rapide. J'enfilais un caban et une écharpe, quand la Taponière sonna chez moi.

Devant le vieil hôtel, le fanion bleuâtre de la voiture de police tournoyait. La maison en entier était éclairée, les rideaux des voisins soulevés. Nous franchîmes un barrage de gendarmes. A l'étage, le commissaire Marceau donnait des ordres. Les portes étaient ouvertes. Le vent soulevait une lamelle de parquet, faisait claquer un volet. Marceau était un homme dans la cinquantaine, en forme de marteau longiligne. Trois gendarmes prenaient des mesures, des photos. Marie-Lou, en pantalon et pull, veste en mouton doublé, non maquillée, avait troqué son éclat de jolie femme contre l'urgence de sa fonction. Elle donnait des ordres à Marceau. Elle désignait la forme couchée au sol. Un flash crépita.

Le vent grondait par la cheminée à moulures.

Le spectacle était hideux.

Nous nous penchâmes.

— Sa tête ressemble à un sac de noix, grogna Marceau.

— Il faut pratiquer l'autopsie au plus vite, dis-je.

Nous parlions avec économie, employant le ton bref de ce genre d'expédition.

— C'est fait, dit la greffière. Demain — ou plutôt, tout à l'heure — à huit heures.

— Regardez, madame le juge.

Les mains gantées de Marceau tournèrent vers moi ce qui avait été la tête de Mlle Houquart. Les oreilles avaient disparu. A leur place, un caillot de sang coagulé.

— Intéressant, dit Marie-Lou. Un sadique ?

Mlle Houquart, en robe de chambre, était devenue cette tête violacée, où se stratifiaient des hématomes. Les lèvres étaient gonflées. Le cou, presque noir. Les yeux révulsés fixaient un point invisible. Un grand désordre l'entourait auquel on n'avait rien touché. S'était-elle défendue ? La canne gisait près d'elle, le pommeau arraché. Le fauteuil où, visiblement, elle gîtait quelques heures auparavant, avait été renversé. Une vitre de la fenêtre avait volé en éclats. Une vitrine remplie de porcelaines était brisée. Une table ronde et massive, à l'envers. La trace d'un tableau enlevé marquait le mur d'une tache plus claire.

— Il y avait là un Sisley, dit Mlle Taponier. Je suis déjà venue ici.

La greffière avait ouvert sa machine portative qui rivalisait avec le power book de l'adjoint de Marceau.

— Qu'avez-vous trouvé d'autre ? dis-je.

Nous allâmes de pièce en pièce. Onze en tout. Une série de salons inutiles, aux meubles estampillés. La poussière et un ordre funèbre régnaient. Les rideaux, cramoisis, s'effritaient. La violence n'avait eu lieu qu'à l'étage de la victime.

— Que donne l'enquête immédiate ?

Les voisins, peu habitués à entendre battre les volets, avaient téléphoné au commissariat.

La machine à écrire de Mlle Taponier sonnait à chaque ligne.

— Commencez l'enquête : les témoins, les derniers visiteurs. A vous, Marceau. Rendez-vous à huit heures avec le légiste.

« Nous pratiquons les autopsies non plus au cimetière Sainte-Gudule, précisait Mlle Taponier très en forme, mais aux Pompes funèbres générales. On nous loue, à cet effet, une pièce discrète et équipée.

— Avez-vous prévenu Audouat ? demanda Marie-Lou.

La greffière eut l'air froissé. Bien entendu ! Audouat, patron de la Roseraie, chirurgien, était aussi légiste quand il y avait urgence.

— A tout à l'heure, conclut Marie-Lou. Marceau, êtes-vous sûr qu'on ne retrouve pas ces satanées oreilles ?

Elle bâillait de fatigue, la peau trop blanche, de mauvaise humeur d'être vue à son désavantage. Elle rêvait d'un whisky.

217

— Je ramène Mme le juge, piaula la Taponière.

Marie-Lou haussa les épaules.

— A votre guise, Potentienne. Marceau, prévenez le neveu. Je n'aime pas du tout cette histoire.

Cette histoire : un tableau disparu, un bond prodigieux au bord du tunnel que guettait depuis si longtemps ma vigilance. Un sourire incongru erra sur ma bouche décolorée.

La canne tronquée avait l'air, elle aussi, assassinée.

Il était trois heures quand je rentrai chez moi. L'aube était noire et le vent cognait. « Potentienne, téléphonez-moi vers sept heures. Laissez sonner longtemps. » Elle était restée un moment chez les veuves qui nous attendaient sur le palier. L'ambulance avait emporté les restes de Mlle Houquart dans une housse en plastique. On avait mis les scellés. On avait ramassé avec des gants les détails. Je m'allongeais, tâchant d'oublier.

Peut-on nommer sommeil ces demi-songes éveillés où un double de soi erre, entend, voit, comprend ?

Un hibou, disaient des voix aigrelettes, un grand bête de hibou qui rate ses entrechats !

La tête de Mlle Houquart était un sac de noix emporté sur le dos d'un hibou géant à jambes humaines.

La sonnerie était stridente. Je sursautais.

C'était Marceau.

Il n'avait pas perdu son temps. Dès six heures, il avait interrogé le dernier témoin. Le chauffeur de l'ambulance. Ce qui l'avait amené à faire arrêter le petit brancardier.

Hier, à neuf heures et demie du matin, l'ambulance de

218

la Roseraie était venue pour emmener Mlle Houquart à son contrôle mensuel. Cela s'était mal passé. Le chauffeur de l'ambulance lui avait conté une histoire édifiante. Il s'était garé devant la maison Houquart. Comme d'habitude, le petit brancardier était monté après avoir sonné. Le chauffeur avait entendu un « entrez ! » si sec, qu'il avait conclu « qu'elle était d'une humeur de chien ». Vingt minutes après, le petit brancardier était redescendu. Seul. « La vieille est très méchante aujourd'hui », avait-il dit. Elle l'avait insulté plus vivement que de coutume et refusé de le suivre. Tout le monde voulait la voler. Il avait tenté de la raisonner et de lui prendre le bras. Elle le griffa à la joue et lui dit « des vilains mots ». Quand elle porta la canne en l'air pour le frapper, « il lui avait donné une gifle pour lui apprendre ». Elle avait fait alors « pipi sous elle » et l'avait « tapé » avec la canne. Il a une bosse sur la tête. Quelque chose de rouge était descendu dans son cerveau et il l'avait giflée.

— Pour une claque c'est une claque, triomphait Marceau. J'ai fait mettre le gamin à la souricière. Mme Chasseriaux est au courant. Qu'en pensez-vous ?

— Je l'interrogerai à quatorze heures. Rejoignez-nous pour l'autopsie.

— Le neveu est au courant. Il arrive dans la matinée.

— Je souhaite le voir après le brancardier.

Il y eut une seconde sonnerie. La ponctuelle Taponière appelait non sans faire remarquer que cela sonnait occupé depuis un moment.

Je lui raconte l'enquête de Marceau. Elle sait tout de ce qui touche la Roseraie.

Le petit brancardier est un môme de la campagne. Il a été placé chez des fermiers. Les bonnes œuvres du proviseur l'avaient recommandé à Audouat. Il l'avait engagé comme garçon à tout faire. Porter les vieilles personnes, les impotents. Il aidait Mlle Houquart à descendre de chez elle pour ses contrôles médicaux. Ses parents adoptifs ont une ferme sur la route de Bourges. Il se rend chaque matin, en mobylette, à la Roseraie. Il a vingt-trois ans.

La pièce aux autopsies ressemble à un bloc opératoire sommaire. Propre, bien équipé, fortement éclairé. Une jeune femme blonde, en blouse blanche, assiste le docteur Audouat. Il est de mauvaise humeur. Irrité par cette histoire qui pourrait éclabousser son établissement. Il enfile blouse et gants, rejette en arrière une chevelure qui doit à la teinture des reflets dorés. Marceau est là, tout à son enquête. J'ai besoin des conclusions du légiste pour signer une inculpation. En blouses, masqués, nous nous approchons d'une cuve en inox.

— La tête a pris un sacré coup, grommelle Audouat.

Il jure devant l'ablation des oreilles. Mlle Taponier note chaque détail. Sous la blouse et le masque, elle ressemble à un boucher en gros.

Je demande une analyse sanguine. L'assistante blonde s'en occupe. Le prélèvement prend du temps. Audouat sifflote. D'un coup de scalpel, il dessine un « Y » sur la poitrine déplorablement dépourvue de Mlle Houquart. Il dicte au fur et à mesure ses constatations. Le dictaphone, dans sa poche, a un couinement de hamster en fin de constat. Il a jeté les poumons dans un seau. « Pour voir si la victime n'a pas été noyée auparavant. »

Le constat gynécologique est pire. Il a fallu à l'assistante bien du cœur pour lier les pattes de hanneton dans des étriers en acier.

— Pas de sévices sexuels. Aucune trace de sperme. La victime est vierge.

L'estomac gît dans une boîte transparente et fermée. Le laboratoire explorera le contenu.

Quand traverserai-je une planète de beauté, la mer cousue aux cieux, l'oranger en hiver, la provende des vignes, le peuple émouvant des fleurs ? Y a-t-il, sur la terre, une cité aimable et tendre, la promesse d'un amour fou, le clin d'œil des dieux ?

— Vous vous sentez mal, madame le juge ?

Marceau avance un bras. Marie-Lou mord une lèvre de plus en plus blanche. La Taponière clame « En avant et hardi ! ». Marie-Lou a sorti de son sac une flasque de whisky.

— Bois, Julia.

— Aucune trace de carbone dans le sang, continue l'indifférent Audouat qui agite une pipette sur une flamme.

Restent évidents la strangulation, les coups violents portés à l'occiput. Les oreilles ont été coupées à la lame. Le décès remonte à une vingtaine d'heures.

— On a retrouvé les empreintes du brancardier sur la joue droite, les avant-bras, le cou, dit Marceau. Il a avoué « l'avoir tapée et tenue par le cou ».

— Une présomption immédiate n'explique pas tout, dis-je.

Le whisky avait éloigné mon malaise. On allait transporter Mlle Houquart à la morgue. L'ambulance de l'hôpital s'affairait. Le neveu devait reconnaître le corps recousu à gros points. Audouat enleva sa blouse, alluma une cigarette, déposa brièvement sur le petit brancardier. Ma greffière consignait sans répit. Marie-Lou, tout ouïe, se maquillait d'une main rapide. Marceau prenait des notes sur un calepin.

— La Houquart était une telle garce, bougonna Audouat. Elle insultait tout le monde. Je meurs de soif, madame le juge. Pas vous ?

De sommeil, surtout.

Quel était l'usage chez les Houquart ?

Une sale vie et un magnifique cercueil.

Mlle Taponier, décidément en pleine forme, sonna une dizaine de fois vers treize heures pour que je m'éveille. Se percutaient les entrechats du hibou par-dessus une paire d'oreilles, fichées dans le tableau de Sisley.

La prison est ce long mur près de chez moi. Tout se tient bien, à Nevers. La prison avait été au XIXᵉ siècle, un orphelinat. Le suspect avait passé quelques heures au guichet d'attente après un premier interrogatoire par Marceau. Un espace de quelques mètres carrés, un œil-de-bœuf. Marceau avait déjà établi sa fiche de personna-lité quand on me l'amena, menotté, effaré.

Il a l'air d'un enfant rachitique, roux et pâle. La tête est trop grosse pour le corps. Il est né de père inconnu, mère disparue, dans ce département d'élevage et de petites cultures où l'argent comme toujours n'appartient qu'à l'argent. Un enfant recueilli, qui a appris tôt à se taire. Son père adoptif roule entre ses doigts crevassés un béret et sa honte. La mère est muette, serrée dans une veste tricotée. « Il est gentil, dit-elle, il est gentil. » Le père répète : « J'aurais dû te donner d'autres raclées. T'as jeté la honte sur nous ! » Le môme répète : « Elle m'a tapée. Tout le monde m'a tapé. Je l'ai pas tuée. » La greffière note dans un silence religieux. Il bafouille, il faut tendre l'oreille. Il s'embrouille dans mes questions pourtant simples. Je fais éloigner les parents qui se mettent à répondre à sa place. Je lui parle avec douceur. Je ne suis pas là pour lui faire du mal mais tâcher d'y voir clair.

— Le chauffeur de l'ambulance a témoigné que vous vous étiez disputé avec Mlle Houquart. L'avez-vous vraiment giflée ?

Il éclate contre le chauffeur. « Un rapporteur qui lui veut du mal. » Je m'y prends autrement sous l'incisive surveillance de la Taponière qui me jauge à l'œuvre. Suis-je un juge digne de vivre à ses côtés en dépit de mes vapeurs lors d'une pauvre petite autopsie de rien du tout ?

— Comment s'est passée votre dernière journée de travail ?

Le vouvoiement le gêne. Personne ne lui a jamais dit « vous ». Le « vous » accentue son angoisse. Je répète la même question en le tutoyant et avec moins de douceur. Ça marche. Potentienne se redresse. Le chauffeur le taquinait avec des mots qui font mal dans la tête. Des fois, « il lui donnait une tape » quand il n'allait pas assez vite. Tout le monde le tapait. Le père avec la ceinture. Mlle Houquart disait : « Tu es trop bête, tu sens le pauvre. J'ai envie de te donner des tapes. C'est pas pour ça qu'il lui a coupé les oreilles. »

Au début, il était fier de porter une blouse blanche. Il avait l'air d'un docteur. Mais on s'était moqué de lui.

— Qui ?

Mlle Houquart. Il n'aimait pas monter les étages et descendre « la vieille ». Elle sentait le pipi. Dès qu'elle le voyait, elle faisait sous elle, exprès. Cette fois-ci, il n'a plus supporté. Il lui a donné « une tape pour lui apprendre et serré le cou ». Mais elle avait pris sa canne et « tapé si fort sur sa tête qu'il a une bosse comme un œuf ».

Il baissa un crâne où courait de l'eczéma, un début de pelade. Une bosse, en effet, était visible. Il se tut. On ne pouvait plus rien en tirer.

La greffière attendait.

— Tu vas avoir un avocat d'office. Il sera là pour te défendre. L'interrogatoire se déroule en plusieurs jours. Ton avocat parlera quand je l'y autoriserai. Un psychiatre va te demander des choses. Son rôle est de nous aider tous les deux. C'est avant tout un médecin, pas un gendarme.

Tout porte à croire que le petit brancardier a tué malencontreusement Mlle Houquart. Mais qui est venu lui tailler les oreilles, voler le tableau, frapper sauvagement ? Quelqu'un est venu *après* le passage du brancardier.

L'infortuné se rabougrit dans le fauteuil en velours. Ramassé, réduit, hagard. Je suis obligée de le laisser en prison.

Le neveu Houquart se présenta. Il était passé à la morgue, avait reconnu les restes. J'abordais une planète obscure. Mlle Taponier penchait sur son clavier un visage neutre. Le neveu portait le costume entrevu à la Toussaint. Une expression de glace et de componction. Ni crainte, ni hâte, ni hésitation devant mes questions. Excepté un minuscule brandon au fond des yeux qui ne regardaient jamais en face. Il déplorait cette histoire.

— Aimiez-vous votre tante, monsieur Houquart ?

Il retint un sourire dédaigneux qui amincissait davantage une bouche à demi avalée. Il soulignait ainsi l'indécence du terme « aimer ».

— Vous voulez dire si je « respectais » ma tante, madame le juge ?

— Non. Je ne veux pas dire « respecter ». Aimiez-vous votre tante ?

Il eut un flottement. Un mépris subtil à mon encontre signifiait que nous n'étions pas du même monde. Dans la grande bourgeoisie, « on respecte ». « Aimer » est du registre du petit brancardier. Le neveu se mit à ressembler singulièrement à la défunte. Je passais à une vitesse supérieure. Mon œil se glaça, ma voix devint ce tranchoir sans freins. Mlle Taponier était heureuse, rengorgée.

— En vérité, vous vous détestiez. Peut-être préférez-vous, étant donné le feutrage de la distinction sans limites, que j'emploie le terme « mépris » ? cela vous choquera moins ? Elle vous méprisait. Votre intérêt était son décès. Quel a été votre emploi du temps ces deux derniers jours ?

Il daigna attarder son attention.

— Envoyez un commissaire rue Lauriston. Mon emploi du temps est facile à vérifier.

— C'est fait, monsieur Houquart. J'attends vos réponses. Voyons si elles recoupent notre enquête.

Il devint circonspect. A mon tour de le toiser et de l'entraîner vers les pentes qu'il évitait. Les témoignages rapportaient qu'il avait assuré ses journées sans relâche au milieu des chiffres. Le matin du crime, il était en réunion avec le Groupe.

— Il est toujours facile, monsieur Houquart, d'envoyer quelqu'un exécuter une mission désagréable et si utile, dis-je d'un ton très doux.

Il sourit franchement, s'appuya au dossier élégant.

— Vous avez raison, dit-il. Ma pauvre tante ! Lui couper les oreilles ! Le ridicule peut vraiment tuer, n'est-ce pas ?

— L'absence de ridicule aussi. Qu'avez-vous fait du Sisley ?

Il sourit davantage.

— Que j'aimerais l'avoir ! Ma tante, si respectée de tous, ne m'a rien laissé, vous le savez bien.

Je fis un signe à Potentienne. Elle posa devant moi le second interrogatoire du petit brancardier ainsi que le rapport d'autopsie. Je fis la lecture au neveu qui frôlait une insolence contenue. Il opinait aux détails de l'autopsie. Il prit un air distrait aux dires du brancardier.

Il confirmait l'histoire de la gifle et du cou serré. Il avait grimpé l'étage de Mlle Houquart à dix heures quinze. Elle était d'une humeur exécrable et avait crié « tout le monde veut me voler, surtout mon sale neveu. Il rôde ici pour mon tableau. » Elle répétait « voleur ! » en désignant le Sisley. Le petit brancardier avait eu du mal à décrire le chef-d'œuvre. « Un barbouillage comme à la maternelle. » Il avait précisé avec exactitude la taille du tableau. A chaque fois qu'il venait, elle criait « mon neveu est un voleur à cause de ça ». Il avait fini par retenir « ça ». Il ne comprenait pas qu'on pique une crise pareille « pour du barbouillage ». Le matin de sa mort, elle était plus excitée que de coutume. Elle s'était débattue, l'avait frappé, lui, un innocent, d'un coup de canne sur sa tête. Faut le comprendre. Il l'avait giflée. Un peigne était tombé de son chignon. Elle gigotait pire qu'une volaille. Il avait eu « du rouge derrière les paupières ». Le rouge des tapis, des rideaux, du fauteuil. Tout sentait le pipi. Le tableau était devenu un barbouillage sanglant. Elle le « tapa » une seconde fois. « Mon neveu est une sale bête ! criait-elle. Il n'aura rien. *Même s'il me tue...* » Le petit brancardier avait reculé si fort qu'il avait renversé une table. « Misérable, criait-elle, c'est un Boulle ! » Pourquoi disait-elle « boule » quand sa boule à lui était devenue plus chaude que le feu ? Il eut peur quand elle se jeta sur lui, la canne en avant. Il l'avait « serrée au cou ». Un goulot de bouteille dont on sentait un truc dur, qui laisse le passage à des vilains mots. Il avait serré « pour qu'elle arrête de cracher des paroles qui font du rouge dans la tête ».

— Intéressant, dit le neveu Houquart. Ma pauvre tante aurait donc perdu la vie à cause de ce petit imbécile ?

J'avais la folle envie de cogner cette face cireuse, cette assurance démoniaque qui en présageait tant d'autres. Potentienne devenait prudente, légère. Une oreille grande ouverte.

— Je me vois dans la pénible obligation d'envoyer chez vous une commission rogatoire. Nous cherchons le Sisley. Ne quittez pas le territoire sans autorisation.

Le neveu, enfin, perdit un peu de son contrôle. Un tic agita sa jambe maigrelette sous le pantalon à rayures. Le teint verdâtre, il distilla sa morgue.

227

— Nevers possède un juge exceptionnel. On m'a dit que vous logiez chez ma tante ?

— C'est moi qui pose les questions. Vous ne manquez pas d'alliés parmi les avocats.

Il se contint et devint neutre.

— Je suis venu rendre les derniers devoirs à ma parente. Le docteur Audouat a signé le permis d'inhumer.

— Après mon accord, Houquart, et celui de Mme le procureur. La perquisition aura lieu quarante-huit heures après réception de la lettre recommandée envoyée à votre domicile. Vous avez le temps d'inhumer la *respectable* Mlle Houquart assassinée et volée par *quelqu'un d'autre* que ce misérable gamin.

Je fixais le blême rejeton dont la haine avait envahi la pièce et la rendait étouffante.

Notes d'une greffière :
— Du double visage de l'inculpation ;
— L'interrogatoire de première comparution. Il intervient la première fois que l'inculpé comparaît devant le juge ;
— A été notifié au petit brancardier une inculpation et lui ont été précisés par le juge Julia Jordane les faits d'origine ;
— Il n'a rien compris. Il avait peur devant certains mots. Il répétait « elle me tapait, je l'ai tapée » ;
— Le premier interrogatoire a duré neuf quarts d'heure ;
— A été précisé à l'inculpé qu'il se trouve devant son premier droit : être informé de ce dont il est accusé ;

— Il n'a rien compris ;

— Il a été possible au juge Julia Jordane de procéder à la notification d'une rapide inculpation car les indices graves et concordants existaient à l'encontre du suspect ;

— Le petit brancardier, nanti d'obsessions et de confusions que vont démêler un psychiatre, ne comprend pas que l'inculpation est obligatoire en ce sens qu'elle est génératrice de droits. Les siens ;

— Il a le droit de choisir son avocat désigné par le bâtonnier-qui-aime-les-femmes ;

— La « tape » et « le cou serré » semblent avoir tué Mlle Houquart ;

— On n'a toujours pas retrouvé les oreilles et le tableau signé Sisley ;

— L'interrogatoire du neveu Houquart a été intéressant. Il s'est comporté à la perfection. Le juge Julia Jordane a de fortes présomptions sans fondement à son égard ;

— Elle a fait parvenir une commission rogatoire à son domicile parisien, sis rue de Vaugirard ;

— Marceau, parfois un peu brutal, a soulevé jusqu'au plancher ;

— On n'a rien trouvé au domicile du second suspect ;

— L'inhumation de Mlle Houquart s'est déroulée dans une grande dignité. Les notables étaient là, le neveu, parfait. L'entreprise Le Grand Viking avait offert une couronne majestueuse ;

— Le juge Julia Jordane n'en démord pas. Ce n'est pas le petit brancardier qui a mutilé et volé Mlle Houquart. Elle mène son enquête du côté de la rue Lauriston et de La Vache enchantée ;

— Le procureur, Mme Chasseriaux, boit et fume plus que jamais. Très embêtée par la colère du président

229

Chèremort à l'encontre de ce petit juge qui perturbe la paix de notre TGI ;

— Tout le monde fait la gueule à Julia Jordane ;

— Le bâtonnier a enlevé Julia Jordane dans sa voiture sportive de jeune homme. Il a tenté de la rendre raisonnable. Il l'a emmenée chez lui, dans sa ferme retapée, destinée davantage à ses ébats qu'à des séances de travail. Mme Chasseriaux est une habituée de la ferme retapée et de la piscine couverte où le bâtonnier et ses jugesses jouent à triton et tritonnes ;

— Le proviseur ferme les yeux et lit plus que jamais l'épître de saint Paul aux Corinthiens ;

— Le juge Julia Jordane a passé un après-midi chez la procureur qui fume désormais des havanes. De quoi ont-elles parlé ?

— Mon Président a eu la force de sourire et articuler « ah, la subtile petite Bédouine ! » quand je lui ai narré l'affaire ;

— Le célèbre avocat maître Gobard, cœur noble des causes perdues, défend le petit brancardier ;

— Nous détestons toute forme de scandales. Nos crimes nous suffisent et nous avons toujours réglé nos affaires sans tapage ;

— Julia Jordane a décelé la ruse de maître Gobard. Eviter à l'inculpé les assises, glisser cette affaire en correctionnelle. Belle manière de couper ainsi les ailes du juge Julia Jordane ;

— La presse s'en mêle. Julia Jordane, obsédée par cette affaire, ne descend pas cette année passer Noël dans sa famille ;

— Marie-Chantereine, Marie-Madeleine et moi avons composé l'arbre de Noël dans la salle des pas perdus. Une réussite. Le goûter et les cadeaux ont eu lieu le 22 décembre. Il y avait autant d'enfants que de chiens en laisse. Notre arbre a été plus beau que celui de la gendarmerie ;

— La réforme judiciaire a substitué les termes « mise en cause » au dégradant « inculpation ». Le résultat est strictement le même. Il s'agit de « ménager la dignité des accusés » ;

— Le petit brancardier comprend de moins en moins. « Mis en cause » l'épouvante davantage ;

— Je passerai Noël avec mon cher Président. Son petit-fils a promis de lui rendre visite ;

— La Vache enchantée a offert un goûter aux déshérités de la ville. Un atlantosaure géant crachait les cadeaux d'une bouche en chocolat. La télé est venue. La patronne offrait les cadeaux. Des pochettes-surprises dans lesquelles il y avait des gadgets en plastique mêlés à beaucoup de bolducs ;

— Julia Jordane a reçu, le lendemain de Noël, un ami personnel qu'elle nomme Procureur J. Il a dormi chez elle, accompagné d'un jeune homme. Ont-ils couché dans le convertible ? Mes greffières sont intriguées. Les couchages chez notre juge sont limités ;

— Nous sommes froissées de cette cachotterie. Nous aurions sans peine offert l'hospitalité à ces jeunes gens. Un procureur et un assesseur d'Amiens, d'après l'enquête de Marie-Chantereine ;

— L'agence a rassuré les locataires de la rue Gambetta. Leur bail court toujours ;

— La Société protectrice des animaux hérite de tout. Elle n'a rien contre les locations et les locataires ;

— Le neveu Houquart a fait appel et nous le comprenons ;

— Les éditions Le Grand Viking ont publié *le Journal*

231

d'une grand-mère. La grand-mère est touchante à la télé, si simple avec son fichu. Elle rit, elle pleure, elle baise les mains de Jan-Lou Saxo. Mère Marie-Eustache l'a présentée comme l'espoir de la fin des guerres ;

— Il fait grand vent du Morvan à Nevers. Notre maire traverse de gros soucis. Des accusations, des rumeurs. Notre maire se promène à pied, le dimanche, en famille. Il a toujours aimé le bord des fleuves. Cette promenade est un réconfort qui, n'en doutons pas, l'aidera à franchir cette dépression ;

— Qu'ont donc les juges à se déchaîner contre tout ce qui brille ? Aigreur ? Envie de gloire ? Autrefois, ils savaient conserver la distance et la hauteur ;

Surtout à Nevers, ville exemple de la bonne tenue.

VII

LES ANIMAUX
NE PARLENT PAS

« Il s'agit d'un bruit qui n'est pas une
petite affaire. Mais, qu'elle soit importante ou non, j'ai beau chercher, je ne
trouve rien, ou plutôt, je trouve trop. »

FRANZ KAFKA *(le Terrier)*

« La mise en détention, acte du juge
d'instruction, ne doit plus être un préju-
gement. » *(Loi du 17-7-1970)*

Profession, écrivain. Nom, prénom, devenus un seul qui signe mes livres : Santiago. J'ai trente-quatre ans, une moto qui a toujours soif (moi aussi). J'aime les filles, le Haig, vivre, écrire. Et mon grand-père à Nevers, Pépé-mon-Moko.

A tous ceux qui n'ont jamais connu la rage, le compte en banque à zéro, je dirai ceci.

Quand on rencontre ce genre de type, on n'a ni angoisse ni mal précis. Les choses semblent s'arranger. Les éditeurs Rive Gauche en avaient assez d'un oiseau qui écrivait de mieux en mieux et vendait de moins en moins. Alors, il y a eu le type au bar de la Boule d'or. Donnant, donnant. Ma science contre un chèque. Les mots écrits sans peine, vite, vite. Profession : nègre. Il avait un sourire éblouissant et sans bonté. Qui parle de bonté ? Il jouait des écrivains et des faux auteurs comme d'autres au baccara. Il avait tendu un discret contrat. Un simple imprimé. Il m'offrit un double Haig. La glace cliquetait, je signais. J'avais lu l'essentiel. Cinquante mille francs de suite, quatre pour cent sur les ventes.

— Une belle affaire, Coco.

Soit. Ma moto avait soif, moi aussi. Une flatterie m'avait aidé à griffonner « lu et approuvé ». Le type avait doré la pilule. « Tu es un écrivain génial. » Il répétait un peu trop « génial » et donnait dans le « tu ». Il avait signé le chèque — Dolmen —, d'une écriture où le « D » pointait sa montagne d'orgueil. Le reste était illisible. Il vérifia les chiffres en avalant sa troisième bière. Voilà qui allait arranger ma carte bleue, ciel vidé d'étoiles. L'électricité en retard, le téléphone à deux doigts d'être coupé. « Cet enfant ne sera jamais économe ! » Grand refrain de tante Tampon dite la Crampon par les mauvaises langues de cette famille, la mienne, plaquée depuis longtemps. Le succès de *Tropique Man*, autrefois, m'avait permis d'acheter deux chambres de bonne, tout confort, rue de la Roquette. Pépé-mon-Moko avait viré une gentille somme (ses économies) sur mon compte. Il était si fier de moi ! J'avais tout claqué dans un engin d'argent et d'acier qui fonce à deux cents à l'heure. Tante Tampon pousse des hauts cris quand j'arrive ainsi dans son quartier. « Tu vas te tuer et tu fais un bruit d'enfer. » Elle bougonne ; je ressemble à ma volage de mère, mon voyou de père trop bronzé.

J'adore la vitesse en vagues de fond. Je plonge tout vif sur le papier. Mes nuées et leurs méandres. La ribambelle de filles nues, que je baise et baise. Je vis comme j'écris, je parle comme j'écris, tout à l'avenant. Je ne m'attaque qu'au réel. Vivier fantastique qui m'enivre autant que le Haig. J'écris d'un seul jet, n'importe où, dans les bars et les feuilles de chou. Ma soif, ma faim, ma moto. Je revenais d'une terrible histoire d'amour. Sanda venait de décéder. Je m'étais, comme aurait dit la Tampon, pris en main. Il fallait, vite, la perfusion d'un chèque. De quoi émerger tel un ballon crevé. Ma feuille de chou rendait l'âme. Sanda aussi. Une porcelaine délicate, assez folle pour mentir jusqu'à mourir...

A tous ceux qui n'ont jamais connu ces affres et ces nuits blanches et Sanda que je couvrais de roses, je dirai ceci.

J'avais franchi la ligne Maginot des interdits. J'avais pactisé avec M. Court-Terme, l'ennemi numéro un des écrivains. Au bar de la Boule d'or, je devins le mercenaire d'un mercenaire. J'avais posé le pied, que dis-je, la main, celle qui écrit, sur le pavé glissant du trottoir littéraire. Je fermais les yeux, un Haig de plus dans le corps. « C'est ma tournée, Coco », disait le type en blouson et gourmette en or. Je pensais de toute ma force à Sanda-qui-est-au-ciel. Je ne foncerai plus à Bichat, couvert de roses blanches. Je serrais les dents, ravalais ma fureur et mon deuil. J'étais lié à ce ratafia. Il clignait un œil trop pâle. Etais-je la bonne machine adaptée à ses besoins ? « Tu entends, Coco ? un livre par mois. Simenon, moins génial que toi, mettait moins que ça. » Je n'écoutais plus. J'avais un compte à régler. Je serais peut-être le seul à casser le morceau. Jeter en tous lieux la foudre qui, par un miséricordieux pugilat de ma nature, était en train de remplacer ma peine. La lâcheté généralisée, le succès d'Antoine Bollard, l'auteur des *Aubes sauvages,* avaient bâillonné chacun. Là encore, le fric avait gagné. Qu'importe que Sanda et tant d'autres fussent morts d'avoir couché avec Antoine Bollard. La presse l'avait hissé au niveau d'un ange noir. Ce gourou d'une insensée carte du Tendre savait qu'il avait le SIDA. Il s'amusait à le taire pour ne pas crever seul. Il mena au paroxysme le grand jeu des sens et de la mort. Il joua jusqu'au bout et eut, lui aussi, ses esclaves. Tu me tiens par la barbichette, je te tiens, tu auras une tapette, mourons ensemble. Une roulette russe du sexe. Celles, ceux — ils étaient légion — qui l'aimaient, devaient renoncer aux préservatifs. Une nuit avait suffi pour assassiner la traîtresse que j'aimais. Par je ne sais quel miracle, j'étais sorti indemne des relations qui avaient suivi. Elle avait parlé. La honte et la fièvre baignaient son visage. Elle criait « pardon ! ». Ma peine était inouïe. Je hurlais les pires insultes et la secouais à la désarticuler. Je tuerais Bollard jusque dans sa mémoire. Aucune loi ne pouvait arrêter cette petite frappe, le jeter tout vif dans une basse-fosse ? Etait-ce à moi de le faire ? Il ne se privait pas de continuer ses meurtres au lit et à l'écran. Ses fans l'idolâtraient, sa bande grossissait. J'écrivais le contraire de cette pourriture. Je dévalais l'autre versant de la vie. J'avais traversé le cauchemar de la prise de sang. L'attente. Sanda. Va-t'en, Maudite. Négatif ! avait dit l'infirmière. J'appartenais encore aux vivants. Alléluia : j'allumais un cierge dans chaque église de Paris. Je riais d'avoir échappé à la chose. Sanda, déjà loin, s'ensablait dans les premières chimios. Quelque chose avait remplacé la colère et aboli ma passion. La tendresse, le devoir d'accompagner cette enfant de vingt ans dont j'étais le seul à calmer les angoisses. J'allais trois fois par jour à Bichat. Je glissais à son cou la médaille de mon baptême. J'avais au cœur la foi increvable de mes voyous d'ancêtres, à sombreros et winchesters, fous de Dieu, de rapts et de femmes. J'eus, malgré cette peine aride, l'infinie jouissance de rouer de coups Bollard un soir, au pied de son immeuble. Il se mourait, mais il encaissa la correction sans broncher. Il souriait, osait apprécier ma fureur. Il ne se défendait pas ; ce qui accentuait ma violence. Je frappais cette gueule d'ange malade. Je décelais un désir à mon encontre, plus fort que son increvable pourriture. Qui nous sépara ? J'allais l'égorger à l'opinel, quand sa bande de morts vivants surgit. Ils me rossèrent dans un glapissement de poulailler en délire. Ils me laissèrent K-O au fond d'une impasse. Ils ne m'avaient pas violé. Ces crimes-là aussi existent. Je me traînai, ma moto et moi, dans un bar et avalai un whisky. Au printemps, Bollard crevait enfin. Lui, et sa braguette du diable. Mais Sanda était depuis longtemps la cendre d'une rose blanche...

Une nouvelle qualification légale commençait à sourdre devant ces crimes particuliers : « empoisonnement volontaire ».

Tout ça est déjà du passé. L'avenir est derrière moi, avec ses morts, ses mortes, l'obstination de vivre. Cogne dans ma tête le troisième mouvement de la *Tempête* de Ludwig van Beethoven. Il y avait si longtemps que je ne jouais plus. J'avais survécu à mon temps nivernois grâce au conservatoire de musique que l'on m'avait accordé. Je transcendais ainsi mes humiliations, ma solitude, l'absence de soleil. *La Tempête* et son troisième mouvement qu'aimaient Sanda et Pépé-mon-Moko. Où jouer sinon au hasard des pianos-bars ?

Je vais tenter d'oublier l'incinération de la petite.

Calmer ma peine à deux cents à l'heure sur l'autoroute.
Que de monde au funérarium ! Y compris Jambe-de-
laine, poète, nègre pour survivre. Nous nous connais-
sions. Jambe-de-laine, foncièrement gentil, célibataire,
laid, entre deux âges, avait écrit : *Je ne te quitterai jamais
mon fils*. Il devait son surnom à sa claudication. Il s'était
approché, clip, clop. Aimait-il ma silhouette de cuir, de
jean, aux bottes courtes ? Dans mon crâne sifflaient,
outre *la Tempête*, des envies de vengeance. Rouer de
coups de pied cette caisse qui allait brûler. Est-ce que tu
vas être morte longtemps ? Jambe-de-laine me présenta
ses amis qui, depuis que la vie les contraignait à la
négritude, se faisaient appeler Marcel Proust. On disait
« les deux Marcels ».

Avais-je été le seul à prier avec l'aumônier ?

Ce goût de sel est celui des larmes. L'hostie fond dans
la bouche. Il y a des joies que nul ne peut vous voler, qui
foncent aux moments les plus sombres.

Les deux Marcels ressemblaient par je ne sais quelle
ironique hallucination, à l'écrivain dont ils avaient
emprunté l'identité. L'œil charbonneux, la lèvre épaisse
et mauve, le plastron raidi comme s'ils revenaient de la
plage de Bolbec. Tout y était, y compris le cerne noir,
l'essoufflement asthmatique, le regard tendre, éperdu.

Je n'en pouvais plus des cadavres.

Et des roses blanches.

Les deux Marcels et Jambe-de-laine publiaient à
compte d'auteurs des plaquettes dignes de Mallarmé.
Qui les lisait à part leurs amis ? Les écrivains régressaient
insidieusement au douloureux statut des poètes. Ceux

qui ne voulaient pas crever tout à fait se rendaient au bar de la Boule d'or. Les plus courageux se suicidaient.

Les vaincus avaient rejoint la cave de la rue Lauriston. A mon tour de remplir le contrat dont j'avais plus qu'entamé l'à-valoir. Il s'agissait, avait dit le type, « d'aider à mettre en page l'histoire d'une fille sortie de prison. Une belle affaire pour toi, Coco, on va mettre le paquet ».

Paris-le-Grand-Match l'avait photographiée, nue dans un bain moussant.

— Tu l'as vue en couverture sur dix magazines. Elle a touché un joli magot pour ces photos. Elle ne dira jamais à quel point ça paye de se mettre à poil dans de la mousse ! Médiatiser d'abord. Le livre suit tout seul... Pigé ?

Grâce à *Je ne te quitterai jamais mon fils,* Jambe-de-laine avait un deux-pièces, Porte d'Orléans. Les deux Marcels, la certitude de se chauffer l'hiver, manger à leur faim. Ils allaient chez Dolmen comme dans une usine à la chaîne. Ils en revenaient le cerveau en mou de veau. Leur vrai talent expirait. L'inspiration, déesse exigeante, les abandonnait après dix heures, au bas mot, de la tartine interminable. Mémoires, dépressions, réincarnations de vedettes en tout genre. Ce contrat était une prise d'air pour ma carte bleue, rien d'autre. J'essayais de me persuader. Comment mesurer l'infini dégât d'avoir loué ma pulpe à une pouffiasse et sa bande ?

— Tu as de la chance, je te mets dans les mains d'une pépé de choix, m'avait lancé Dolmen. Tu ne t'embêteras pas. Elle a l'habitude de filer doux. Elle couche avec Gobard, la maligne. Elle te traitera bien. Je veux un produit. Le reste, style compris, je m'en fous. Ne me déçois pas, je suis aussi teigne que fidèle.

241

J'avais haussé les épaules tandis qu'il filait du côté du XVIᵉ arrondissement.

Je jouais gros. La perte de l'identité ? Sa dislocation ? Dolmen ricanait ; ce qu'il en avait à foutre de l'identité des écrivains ! L'engrenage commença aussitôt. A huit heures, un matin. Trois nescafés, un cigare et une douche froide me réveillèrent. En avant, rue Lauriston. L'immeuble du Grand Viking ressemble à une clinique de luxe. Pas de plaque, son sigle absurde, un trompe-l'œil assez sot dans l'entrée. Des palmiers devant une plage. Est-ce une agence de voyages ? Un aller simple, troisième classe, dans l'immonde ? Une standardiste robotisée répétait dans les courants d'air : « Grand Viking, bonjour ! — Elle fit clignoter son tableau de bord. — On vous attend. »

Elle désignait une porte basse. Quatre marches, ça descend, c'est sombre. Où est la fenêtre ? une lampe halogène blêmit les visages de plâtre de mes trois compagnons penchés sur les écrans allumés.

Jambe-de-laine vint à ma rencontre et devança mon dégoût.

— L'entresol, dit-il. Quelle mauvaise langue, style rive gauche en prurit de copie, a donc parlé de cave ? C'est nous, les caves.

Les deux Marcels développèrent nos avantages.

Entresol ou entre-les-sols. Voyez cette ferronnerie de luxe qui clôt ce soupirail derrière lequel il est permis de soupirer ! Lieu paisible pour des créateurs. Discrétion assurée. Sandwich à midi trente, le droit d'aller pisser. L'appareil à café, payant comme il se doit. Lieu célèbre, puisque la Gestapo y avait installé un gentil appareillage de baignoires et de gégènes. Ils avaient décapité à la hache une mauvaise tête qui ne livrait que son nom.

Mes doux amis hochèrent une tête verdâtre. Sur un écran clignotait : *Je ne t'oublierai jamais, maman.* Sur l'autre, le document d'un médecin célèbre : *Comment sauver la Sécurité sociale en devenant centenaire.* Tout le monde est dupe, susurrait un des Marcels.

Etaient-ils déjà morts d'un tel régime ? Dolmen et Houquart, disait Jambe-de-laine d'un ton badin, chut, on nous écoute, parlons bas, ne veulent pas de manuscrits. Plus une seule trace écrite. Le texte est craché en quelques jours, effacé aussitôt du disque dur.

— Un écran vierge, Coco. Quoi de plus beau ! La place de créer des milliers de livres !

On passait ensuite la copie, en dessous de deux cents pages, au-delà personne ne lit, aux employés de la boîte. La standardiste, le chauffeur, la femme de ménage, le magasinier, ce que la foule aime lire, donnaient leur avis. Les meilleurs juges ! Le vrai tribunal de la fortune ! Lili la huguenote avait soufflé cette idée. Quoi de plus sympathique que les petites gens ? Ils sont pleins de bon sens, savent où situer les émotions authentiques. Eux seuls devraient composer nos comités de lecture. Nous ne sommes pas obligés de les fréquenter ou de les inviter à Ramatuelle. Cela les troublerait et fausserait la pureté de leur opinion. Laissons-les développer *leur morale.* Le planton avait ses idées, le laveur de carreaux des solutions sociales. Tuer les bronzés et les filles qui couchent avec eux. Les exégèses des lieux communs triomphaient. Les ventes devenaient de la folie. L'auteur (?) n'avait plus qu'à signer le bon à tirer, le nègre oublier jusqu'à sa propre existence. L'usine tournait sans relâche, dimanches compris, sur un bel écran vide qui avalait la vue, les méninges et la raison. On finissait, à ce régime, par croire que la fortune est une roue. On ne retrouvait *jamais* l'auteur réel. Tout avait disparu. La cave (l'entresol, Coco) était impossible à cerner. Les écrans étaient un micmac. Le neveu Houquart accentuait sa jouissance en obligeant les deux Marcels, Jambe-de-laine, à gommer eux-mêmes cette ponte à lapins.

Mon rejet du lieu fut immédiat.

Je voulus foncer à l'étage, mais l'attachée de presse aux canines en avant se tenait derrière la porte.

— Ça ne va pas ?

Lamentable, infect, impossible ! Elle m'entraîna dans le bureau du Viking.

— Quelque chose te déplaît, Coco ?

Dolmen nageait dans les stucs, les pieds sur un bureau de nacre et de bronze.

— Je te comprends, Coco. Tu es un délicat. Voilà Léopoldine en personne. Une fleur sensible. Tu vas travailler chez elle.

Sur un tabouret d'or et de velours, souriait une fille vêtue en garçon. Du noir, des bottillons, des semelles de vent... Belle, les yeux fauves, les cils abaissés en signe de pudeur. Si simple, celle dont tout le monde parlait ! Elle me salua d'une voix qui évoquait un fin jet d'eau. M'avait-on injecté une drogue inconnue, à puissance retard ? Je devins doux, faible, heureux. Elle distillait, sans bouger ni parler, l'exquise paralysie des lents venins dont on ne revient jamais. Elle représentait, si lisse sur le tabouret qui mettait en valeur les longues jambes étendues, *l'innocence*.

Tout le monde souriait et Dolmen me servit un Haig.

— Je vous invite à la soirée du contrat, Elrir, murmurait Piège-de-mort-tout-en-soie. J'ai adoré *Tropique Man*. Je l'ai lu en prison au moment où j'étais au plus mal et cela m'a aidée à dépasser la peur.

Elle savait flatter, restituer votre éclat perdu, créer la complicité fallacieuse, l'illusion que vous étiez l'unique et le plus beau. Le plus doué, surtout. Ses antennes aiguës avaient décelé mon envie de foutre le camp, mon puissant désenchantement. Sanda n'était plus, mon roman crevait tout seul, ma feuille de chou, ma moto et mon Moko aussi.

Elle secouait doucement le miel des cheveux, penchait la nuque délicate. Elle se leva de toute sa longueur. J'admirais le charme d'un être en forme d'ange blessé. Un tic au coin de la bouche entravait l'ensemble des traits sans réelle régularité. Il y avait aussi une ombre jaune, un peu sale, sous la peau. Un sang qu'un microbe quelconque ou des idées étranges pourrissaient. Je n'y regardais pas de si près. Cette enfant d'à peu près trente ans en paraissait dix-sept quand elle se rencognait dans l'ombre ou sous les habiles éclairages des médias.

— Devenons amis. Ne m'en voulez pas.

Je cédais, un peu ivre. Elle allait obtenir de moi le meilleur de ma plume. Je l'emmenais en moto jusqu'à sa porte. Elle avait posé sa joue contre mon dos de cuir. Elle cernait ma taille avec la tendresse respectueuse d'une créature de harem.

Dolmen et Houquart nous avaient regardés filer par la fenêtre. Dans la cave (l'entresol, Coco), la galère continuait. Vogue vogue, quand on est laid, aucune fille ne monte en moto derrière vous. Voguez, pauvres hères, devant les écrans, ciel brouillé, où aucun Dieu n'apparaît.

La soirée du contrat mérite un arrêt sur image.

Nous étions une vingtaine dans un appartement des beaux quartiers. Un vieillard alerte était notre hôte. Un beau monde, de même style, était là. Léopoldine, une fois de plus, arrangea tout. Rose telle une jeune vierge, robe haute couture si simple qu'elle crevait les yeux, elle me prit par la main. Elle dit exactement aux uns et aux autres ce qu'il fallait.

— Santiago va « m'aider » à écrire mon livre. Je ne mérite pas un tel honneur. Un si grand écrivain !

Le grand écrivain jetait un regard torve aux croûtes en tout genre qui encombraient l'espace surchargé. Passons sur Dolmen qui se forçait à la discrétion. Tigrino trônait, une rosette à la boutonnière.

Je devenais incertain, étiolé. Je perdais ma hargne si vivifiante. La fourmi délicieuse et délicate me surveillait du coin de l'œil. D'un geste léger, elle donna un ordre. Un serviteur hindou s'occupa exclusivement de moi. Du whisky de grande classe, des petits fours salés et sucrés. Chacun souriait, évaluait les trésors aux murs, au sol. La fourmi avait l'air fort à l'aise dans le luxe comme si c'était là son bain naturel et légitime. Quoi, ce Picasso si rare à portée de main ? On mangeait, buvait surtout, calculait ce que la tendre Soubiroute allait rapporter. Chacun avait un intérêt dans cette affaire, moi compris, quelle saleté parfois la vie. Une affaire qui reposait, au quatrième niveau de son montage, dans la si obscure main droite d'un écrivain à demi crevé. Léopoldine me bichonnait particulièrement. Elle avait refusé les nègres de la maison. Je lui convenais. J'étais l'oiseau rare. Ne t'envole pas, ou gare à toi. On t'aime, tu sais ? On fait famille. Au troisième whisky, les lèvres si belles crispè-rent mes mâchoires d'un désir âpre et naturel. Faire l'amour, recevoir, donner, abolir à jamais toute agonie. Les défunts ne sont pas de la même race que nous. A bientôt, à tout à l'heure, au paradis, mais lâche-moi un peu les basquettes, Sanda. Le whisky et les vivantes sont là pour ça. Léopoldine s'assit contre moi. Elle m'effleurait, sentait l'œillet, me servit elle-même un quatrième whisky. Ses doigts manquaient de finesse, mais avaient belle forme. Les ongles courts devaient à une habile manucure cet aspect de coquillage naturel. Je haussai le verre devant mes yeux. A la tienne, Fillette. A travers le verre signé Labique, captant la lumière, son visage se déformait. Il atteignait sa vérité. Il était préférable de retomber dans l'illusion. L'ivresse est une chose utile. La lucidité devient la perfection indisposante. Je lâchais la main de l'Imposture souriant au désir que j'avais d'elle. Vivre était ce culte sauvage dont je n'avais pas prévu les tours de passe-passe. Mais qu'est-ce qu'une existence programmée ? Ceux qui m'entouraient avaient organisé cette toile du hasard. J'étais bel et bien coincé, et je désirais *l'araigne*. Les bijoux cliquetaient, l'or étincelait jusqu'au bord des assiettes. Dolmen surveillait son monde. Son épouse, charpentée, éternellement vêtue en cavalière, bottes comprises, le couvait d'un œil hagard. Houquart, ravalé sous un Van Dongen, un verre d'eau de Vichy à la main, rivait un regard jaloux sur notre hôte. Jan-Lou Saxo prenait autant de place que le lustre en cristal qui descendait sur ce groupe échauffé. « Il vient de la chapelle Sixtine, s'exclama une voix aiguë. Certains tableaux dont nul n'osait aborder la provenance étaient des thèmes religieux. Une vierge délicate de Piero della Francesca…. L'émotive Soubiroute avait les yeux humides. « Je prie sans cesse devant elle. » Jan-Lou Saxo, la mâchoire veule, l'œil rond, les traits sots et mous, clabaudait avec deux rédactrices de magazines célèbres. Il y avait des épouses et des maîtresses ayant fait alliance, Lili la huguenote, sa casquette à visière, et aucun écrivain.

— Vous êtes unique, Santiago, caressait Léopoldine. Je vous rends grâce.

Elle s'inclinait à la manière des Chinois quand ils remercient de vous laisser arracher jusqu'à la peau.

Je n'eus pas à réfléchir longtemps sur ma qualité si exceptionnelle.

Maître Gobard, d'un bond plus souple que ne l'eût présagé sa vieuseté, me jeta un ordre et son sourire à implants.

— J'ai à vous parler. Entre hommes.

Ce fut un grand moment. J'étais totalement ivre, c'est-à-dire dans l'état bienheureux d'un roman enfin achevé. La Soubiroute avait adroitement dosé le whisky. Ni trop ni trop peu. Mes facultés étaient intactes, ma volonté nulle, ma sexualité en quenouille. Un bon nègre est-il un castrat ? la Soubiroute, ma foi, m'avait gentiment coupé les couilles (mais non mon désir) avec la douceur de la vierge de Piero della Francesca.

A celui qui n'a jamais écrit de sa vie, ni entendu ce qui va suivre ni vécu cette particulière ponction de la moelle épinière, je dirai ceci.

Le salon du vice et de la fortune, les visages, les voix se greffaient tels des tatouages embrouillés. J'en tirais un suc amer qui m'abolissait agréablement. Mes sens, ma moto, mon Moko, la chair de velours blanc de la fille souriante jouaient sur mes nerfs enfin détendus. L'habile enfant avait orné un vase de la Chine du ve siècle de roses blanches. J'étais dans leurs mains et m'y sentais merveilleusement bien. Ainsi agit la morphine sur une mortelle douleur.

Gobard m'entraîna derrière une portière cachée pa une pendule Cartier.

Etais-je en train de rêver ?

Quatre mètres carrés maximum. Les murs passés à la chaux. Un lit de camp. Une table en bois blanc, quelques bics, des dossiers. Un tabouret de prison. Sur une étagère, Bernadette Soubirous, agenouillée devant une grotte étoilée où se nichait la Vierge. Le tout en plastique. Une simple lucarne à barreaux.

— Assieds-toi.

Il désignait le lit de camp qui se creusa sous la couverture de soldat. Il prit place sur le tabouret.

— Mon vrai lieu de travail et de repos. Aucune femme ne pénètre jamais ici.

La tête appuyée sur un poing orné d'une chevalière à son chiffre, il me posa d'indiscrètes questions sur ma sexualité. Aimais-je les petits garçons ? Léo est bisexuelle et je la comprends. Qui résisterait longtemps à la frustration en prison ? Le double désir est en nous, n'est-ce pas ?

J'étais, hélas, monstrueusement normal. Il fixait les saintes en plastique. Il parlait sans me regarder.

— J'ai longtemps été pauvre. Je priais dans ma chambre de bonne, glacée, devant ces saintes. Je me rends incognito au pèlerinage de Lourdes. J'ai lavé et porté des malades.

249

Il y avait dans son regard, pour une fois, un frisson d'humanité. Il avait ouvert ses mains telles des coques vides.

— La mort fera de nous ces humiliés et ces dépouillés. Quel repos ! Ne reste pas longtemps pauvre. Tu en mourras. Dans ce monde et, qui sait, dans l'autre. Que sais-tu de la lutte affreuse pour rester riche ? Qui es-tu pour juger Léo ?

Sur la table en bois, les dossiers portaient des noms prestigieux et louches. Il haussa les épaules.

— Le contrat officiel a été signé. Une vieille histoire. Ce soir, c'est du tien, dont il s'agit. Le complément de celui de la Boule d'or. Pas question de mettre ton nom sur la couverture. Viens, maintenant.

Avant de quitter la pièce, il s'était incliné et signé devant Bernadette et la Vierge. Elle portait une couronne aux étoiles ternies. Une rose sur chaque pied. Il alluma un cierge à quatre sous. Il récita le *Confiteor* en latin.

Nous nous retrouvâmes dans le salon.

Allons ! disait-on comme si j'avais été un cheval qui renâcle. Allons !

On avait éteint le lustre. Une lampe Tifany éclairait un seul champ de cette histoire. Deux portes coulissantes s'ouvrirent. Gobard nous fit signe d'entrer. Nous étions loin de la pièce à la lucarne. Le serviteur en livrée apporta sur un plateau rutilant un stylo Montblanc. La fourmi, confuse telle la fiancée à son contrat de mariage, approcha. Le contrat était là, solennel et blanc. Au cheval d'accepter son mors. La Soubiroute signa chaque page qu'elle me tendait en caressant légèrement mes doigts. Est-ce qu'un galant homme relit ce qu'une dame lui confie ? Le sourire était suppliant, enfantin, prometteur, le stylo, énorme. Mon nom doublait le sien. Elle s'empara du dossier avec une promptitude extraordinaire. Le chiffre de mes pourcentages n'était plus de 4 pour cent mais de 0,4 pour cent. Un tonnerre d'applaudissements éclata : « Bravo, Léo ! bravo ! » Le serviteur à bras de fer me repoussa au dernier rang de cette foule agglutinée en mouches attentives. Par je ne sais quelle confusion collective, on m'avait oublié. Seul, nié, je reculais, quitte à renverser le vase Ming où les roses blanches m'étouffaient. Un coup de poing amical, trop vif à mon gré, me fit trébucher, déclencha mon envie d'une bagarre.

— Applaudis ! souriait Dolmen.

Je fus tout à coup seul à battre des mains devant un bureau vide, un groupe silencieux. J'applaudissais ma lâcheté abominable.

La Soubiroute avait disparu. Le Haig et les petits fours aussi.

Gobard nous mit à la porte. « Mes enfants à bientôt, j'ai sommeil. »

La rue était glacée, déserte. Ma moto zigzaguait, moi aussi. Je me douchais longtemps. Je revenais d'un bain infect, où je m'étais trempé volontairement, non sans volupté.

Traitement de faveur. Je rejoignais la cave une fois par semaine. On m'avait installé un note book contre le soupirail. Je revoyais mes trois compagnons. Lili la huguenote nous rendait visite. Elle avait toujours des propositions à nous faire. Des pin's et des posters de ses banques à dix pour cent de rabais. Nous l'avions surnommée Notre-Dame-du-dix-pour-cent. Elle nous appelait « mes enfants ». La visière aubergine, la jambe alerte, le tailleur en laine bourrue, elle distillait son discours direct et toujours menteur.

— Quelle chance, mes enfants, d'écrire dans une telle retraite ! Vos poèmes et vos romans se forgent tout seuls dans votre inconscient. Vous faites d'une pierre deux coups.

Elle penchait un œil vif, imprévisible, sur les écrans. Elle surveillait la bonne marche de ses pourcentages, ajoutait de-ci, de-là une phrase, un mot.

— Que cet enfant est nerveux ! riait-elle, la prunelle glacée.

J'avais repoussé avec trop de vivacité la main ridée qui fouaillait mon écran.

— Je suis sûre que vous me laisserez *voir le manuscrit,* mon petit Elrir. Je comprends les humeurs des créateurs. Je vends quatre chandeliers à dix pour cent en dessous de leur prix. Je n'en parle qu'à vous.

Les deux Marcels disaient :

— Que ferions-nous de quatre chandeliers, Lili ?

— Un chacun ! j'irai jusqu'à moins onze pour cent. Je vous prête ma villa à Ramatuelle si vous avez besoin de vous concentrer davantage.

Le fou rire nous prenait aussitôt la porte basse refermée.

— Ne va jamais à Ramatuelle, dit Jambe-de-laine, elle t'accuserait d'avoir volé ses draps. Elle a déjà fait le coup à Bienheureux et Zéphirin.

Leurs chuchotements étaient sans cesse interrompus par la porte brutalement ouverte. L'attachée de presse aux canines en avant, un crapaud dans le verbe. Le chauffeur aux épaules de videur de boîte de nuit. La lampe halogène, le reflet des ordinateurs détruisaient fâcheusement les visages. Nos bouches semblaient vertes, nos yeux, ces trous sans orbite.

Le neveu Houquart m'évitait. Sa famille connaissait la mienne. Nous avions, pour des raisons différentes, détesté notre jeunesse à Nevers. Il marchait de côté, dans la cave, tel un crabe, les lundis où je planchais, du fiel dans la bouche. Il restituait d'un coup, outre un rejet épidermique, la glace de mon enfance. J'avais quatre ans quand brûlèrent sous le soleil ma mère et son amant. Mon père enfui, on me réexpédia dans un avion d'acier, une pancarte au cou. Une hôtesse très gentille essuyait mes larmes. Mon Moko vint me chercher. Tante Tampon conduisait. Son idole repartait sous les tropiques. Ils furent obligés de me livrer tout vif aux araignes que l'on nommait « Tantes » dans la grande maison jamais chauffée. « Qu'il est noir ! s'écrièrent-elles. Victurnien, êtes-vous sûr qu'il n'y a pas eu échange ? Il va falloir endurer la honte de la ville. »

Il y eut des cris. Mon Moko vociférait. Les nabotes le couvraient de reproches, le refoulaient. Tante Tampon attendait dehors, sur le gravier mouillé, telle une domestique. J'avais froid, partout, de tout. On me fit approcher d'une chaise longue où gémissait une vieille femme qui se détourna.

— Votre grand-mère ! piaulèrent les tantes.

Elle avait refusé mon baiser trop négroïde à son gré. J'oscille entre un Aztèque et un Andalou. Pour Nevers, j'étais le cul du diable.

« Nous ne pouvons nous résoudre à appeler cet enfant de son nom de sauvage. Nous dirons " Paul " comme le grand saint. Est-il seulement baptisé ? »

Je me mis à honnir ce « Paul » inconnu auquel je ne

répondais pas, ce qui pouvait me faire passer pour un autiste.

— Santiago, ma beauté, murmurait mon Moko. A bientôt. Courage, sois un homme.

Les vieilles étaient surprises de la vierge à mon cou. Mlle Houquart, une taille en dessous des nabotes, la main de la sorcière tendant la pomme à Blanche-Neige, était accourue. Elle commentait :

— Grâce aux missionnaires, ces sauvages ont sauvé leurs âmes. Leurs ancêtres pratiquaient le sacrifice humain. Approchez, mon enfant. Elle me touchait du bout d'une canne à tête de hibou. « Mon neveu est tenté par la religion », continuait-elle, me retournant telle une chose un peu dégoûtante.

Le neveu, grelet jeune homme, hochait la tête tonsurée d'un séminariste. Il se tenait dans le coin le plus reculé des chuchoteuses. Elles buvaient un thé pâle et grignotaient des petits Lu.

Je crevais de faim. J'eusse avalé jusqu'aux vieilles plus dures que des corneilles. Vous avez raison, mes ancêtres pratiquaient le cannibalisme. La France, celle-là, donne aux bronzés des idées de cannibalisme.

Trente années plus tard, le neveu Houquart avait la même allure. La tonsure était devenue calvitie, le dos s'était courbé, la maigreur, accentuée, le teint, jauni, la bouche, édentée en partie. Quand nous nous rencontrâmes chez Dolmen, l'enclos sans recours des araignes ressuscita. Le neveu Houquart détourna la tête. Nous nous étions détestés dès le salon où craquaient les petits Lu moisis dans ces bouches dégarnies. Le neveu Houquart avait changé d'espace, non son être semblable à ces monstres femelles qui distillaient la mort lente au rythme d'un grignotement de rats sur les biscuits infects.

La momie gémissante — votre grand-mère, Paul-Elrir. Embrassez-la avant la mise en bière — fut bientôt inhumée dans un lourd caveau qui ressemblait à la maison. Comment ai-je pu survivre à la faim, au froid si bourgeois, à l'absence totale de sentiments ? Le pire fut cette école privée où je déclinais *Rosa* la Rose, le *Confiteor* sous la série de coups bas flanqués à la volée quand je m'y attendais le moins. « Sale nègre ! » disaient les ombres bien pensantes qui me rouaient au sol. J'appris à me méfier. J'étranglais à demi un agresseur en forme de neveu Houquart. Il y eut un beau scandale.

— Paul, vous êtes infernal. Vous mériteriez la maison de correction. Avoir levé la main sur le fils du conseiller à la cour d'appel ! Nous envisageons la pension.

La pension fut une horreur, mais mon Moko s'en mêla. Il éprouva, moi aussi enfin, quelques bonheurs aigus. Les araignes, l'une après l'autre, rejoignirent le bloc gris du cimetière. Mlle Houquart, ferme sur la canne à hibou d'argent, flanquée du neveu couvert d'une invisible poussière jaune, commentait : « Je les enterrerai toutes ! toutes ! » Elle offrait l'azalée la plus sotte et la moins chère. Mon Moko m'arracha brusquement à la pension-prison. La tête rasée, le corps bleu par endroits, le meurtre au cœur, je ressuscitai d'un seul coup. Il m'emmena, ô merveille, à Madagascar. La tante Crampon-Tampon en était. Une fille aussi sombre que moi, nommée Ranavalona, « ma reine », disait le Moko, obscurcit la vie de la Taponière et éblouit la nôtre. Elle partagea la belle maison coloniale, à Tananarive. Elle me couvrait de baisers, de rires éclatants. Elle déployait une queue de cheval jusqu'aux reins et ravit mon pucelage un long après-midi silencieux de plaisir et de chaleur... La Tampon faisait la gueule. J'avais quinze ans passés.

Nevers se referma à nouveau sur nous. Mon Moko avait réglé la succession compliquée de la vilaine maison-mouroir. Nous n'héritions de rien. Les momies décédées dans la frustration haineuse avaient tout donné à la SPA.

— En principe, disions-nous, nous aurions dû tout avoir. Nous étions des bêtes pour elles.

Mon Moko haussa les épaules. « Ne te marie pas, Santiago. Fais l'amour, ce sera bien suffisant pour ton plaisir et tes ennuis. N'en rajoute pas. » Il m'aimait assez pour s'occuper de ce sale dossier provincial et fourbe. Il ébranla la loi et les lois, récupéra sur ma tête une somme suffisante qui priva de canigou je ne sais combien de clébards Houquart. J'avais atteint ma majorité, mon bac, gribouillé mon premier livre. J'habitais enfin Paris. Mon Moko était devenu d'un seul coup vieux et malade. La Taponière se chargea de lui, mue par la louche exultation de la possession. Es-tu sûr de vouloir rester à Nevers, Pépé-mon-Moko ? J'étais inquiet, malheureux. Son emphysème doublé d'une cirrhose avait empiré. Il avait renoncé à Fort-de-France. Il était à la retraite, le teint jaune, le ventre trop gros, le souffle désespérément court. Heureuse, la Taponière avait repris son service au tribunal, fait construire un pavillon. Il voulait rester à Nevers. « A un certain degré de souffrance, rien n'a d'importance, petit. Tu m'importes encore et un peu ma pauvre Tampon. Mes heures, mes secondes se passent à tenter de reprendre mon souffle. En temps et heure, je compte sur toi. »

Il désignait les appareils et me jetait un regard éloquent. Je me détournais. Ne me demande pas ça, mon Moko.

— Je compte sur toi, petit. Cette folle de Tampon me prolongera à l'état de squelette. Elle aura l'illusion de l'amour. Amour, que de crimes en ton nom... J'en sais quelque chose, crois-moi.

Un sourire errait sur la bouche desséchée. Ma première publication, *Tropique Man,* était inspirée de la fille nommée Ranavalona. Mon Moko et moi avions même partagé une histoire d'amour sans nous fâcher. Il l'avait chargée de la première mission sur le chemin d'un homme. Le plaisir, la vie, ses sources étaient cette chevelure noire qui embrase le ventre, les reins, les souffles.

— Tu me donnes une grande joie avec ton livre. Retiens ceci, petit. Un juge est un romancier qui s'interdit l'imagination et un romancier est un juge qui utilise l'imagination.

Il laissa tomber une tête épuisée. Le cœur me fendait. O mon Moko.

J'étais à mon tour dans une impasse. Une cave, une araigne plus dangereuse que les vieilles de mon enfance. Elle s'était insidieusement emparée de mes sens. Je ne parlerai pas d'amour, d'accord sur ce point avec mon Moko. Je flambais, tel un nègre au corps des blanches. Ce fut aussi bon qu'une lampée de whisky avalée sans mesure. Le neveu Houquart connaissait mes frasques, celles, autrefois, de mon Moko. J'avais décelé le sens de son regard cauteleux et misérable dont il couvait Gobard. J'endurais mal les lundis sous la lampe halogène où j'inscrivais sur l'écran vide les inepties de la semaine.

Je passai six jours entiers chez la fourmi de miel et de mensonges dans ses circonvolutions de boa lisse et tiède.

Elle me recevait tel un prince d'Orient dans l'appartement de Gobard absent. Elle continuait ses attentions exquises. Mon whisky préféré, mes havanes, l'encre et le papier. « Déchirons le brouillon », murmurait-elle, sans maquillage, en pantalon et pull moulants. Elle me fixait de ses yeux trop ronds, quand je lui fis remarquer la surprenante descente de mes pourcentages à 0,4 pour cent. De quoi me couper l'inspiration. Elle prit un ton outré.

— 0,4 pour cent ? J'en parlerai à Maître. Une simple erreur, Elrir. Tout va s'arranger. Qui parle d'inspiration puisque je vais raconter ma vie ? C'est moi qui dois m'inspirer pour vous aider !

Elle pointait un doigt qui menaçait de façon charmante. Halte là mon gars, file doux, *ce n'est pas ton livre...*

— Allons-y, dis-je, les jambes coupées, une fatigue hors d'âge. Parle.

« Parle » provoqua un blocage. Me prit-elle pour un juge ? Elle préférait la concentration silencieuse, la divination flatteuse aux rudes réalités. Elle allait au hasard de chemins si embrouillés que la fatigue fonça une nouvelle fois, inconnue, détestable. Nous n'y arriverions jamais. Je dus fouiller une telle vidange, mener à terme une sale histoire, ordinaire, en somme. Rendre captivante une banale fugueuse, dealer, capable de vendre son âme pour l'argent. La transformer en *une héroïne*. Elle jaunissait légèrement à chaque précision offensante pour l'image qu'elle comptait donner. Elle dosait adroitement le mensonge et le réel, inventait le piège où ses blanches mains n'avaient jamais trempé. On avait manipulé son innocence, exploité sa confiance amoureuse. Comment eût-elle soupçonné que ces paquets contenaient de la drogue ? La terre s'était dérobée sous ses pieds quand la police thaï lui avait frappé sur l'épaule. L'amant australien, bien sûr, avait disparu. Je devais prendre garde à ma spontanéité, mes intuitions. (Pourquoi avait-elle laissé échapper que l'Australien l'attendait en Suisse ?) *Un romancier est un juge d'instruction qui carbure à l'imagination.* Je dus biffer le fil si noir du réel. Une innocente de vingt-deux ans ! Une amoureuse ! Santiago, connaissez-vous la puissance aveugle de l'amour ? Dans quel feuilleton avait-elle lu cette phrase qui fait tourner la terre et la tête des imbéciles ? Oui, oui, disais-je, consignant la phrase idiote, elle y tenait. Comme *j'écris bien,* grâce à votre présence, Santiago ! Oui, oui, répétais-je, fasciné par la bouche si proche, ses mains brusquement accrochées à mon épaule. Oui, oui... Elle consentit à parler de l'incarcération telle une gloire à part entière. Ses actions là-bas, la chance (elle disait « le destin », friande des termes de romans-photos), l'avaient progressivement sortie d'affaire. Y compris l'intervention de Maître. Le gouvernement thaï s'était contenté de la boucler huit années alors qu'en Malaisie, on pendait pour moins que ça.

— Parlons de choses gaies, disais-je, reprenant la phrase de Goldoni qu'aimait Sanda.

La voix de plus en plus enfantine, elle racontait le quotidien d'une prison en carte postale. Juste assez laide, juste assez étrange pour faire rêver et trembler. Les compagnes, leurs caresses ou leurs coups, les gardiennes, sauvages ou maternelles. Une saison immuable et bleue, l'envie de sourire.

— Bon dosage, ricanait Dolmen au rapport de lecture.

Elle avait aimé la prison. Elle disait « ma prison » avec
la tendresse d'une amante. Ces insidieuses fadaises
modifiaient mes jours et mes nuits. Fini le harassement.
Je courais à ce rendez-vous troublant où je trouvais un
autre compte que celui de mes 0,4 pour cent.

Nous ne restâmes pas longtemps dans ce foutoir pour
antiquaire.

J'écrivais sur mes genoux, incapable de m'installer au
bureau absurde de l'homme d'affaires. Elle penchait vers
moi un front délicieux. Elle surveillait ma main qui
cahotait, se bloquait. Il lui fallait bien avouer une ou
deux turpitudes. Ça ne tenait pas debout, tant d'innocence. Je m'échauffais, elle remplissait le verre de
whisky, me tendait un havane. L'œil devenait cet acier
sous le velours. Elle baissait la voix. « Je suis glacée, je
tremble, vous ne m'aimez pas. Personne ne m'aime. »
Les larmes s'en mêlaient. Elle savait pleurer sans
déchoir. Les traits ne se convulsaient pas, mais resplen-
dissaient. J'aimais ses pleurs. Une offrande dont j'étais
responsable.

— Je ferais mieux d'être morte. Je ne suis qu'une
pauvre fille.

Elle avait gagné. Je me penchais à nouveau sur le bloc-
notes. La paranoïa brouillait son regard quand mon
stylo lâchait malgré lui *la vérité,* aussi rude qu'un caillou
au fond d'un puits.

— Non, Elrir, disait-elle avec une douceur d'enfant
malade. Je n'ai jamais dit ça.

J'avais fort bien compris et biffais des informations
qui eussent fait le bonheur d'un juge.

— J'ai dû mal raconter. Pardonnez-moi. D'avoir vécu

tant d'années en Asie m'a fait perdre ma langue natale.

Un instinct, digne du sien, me souffla de sauver ces blocs-notes. Dûment photocopiés, les doubles étaient entre ses mains et créaient l'illusion de la possession. Le doute persistait sur les originaux. Dolmen n'aimait pas ça. J'avais appris à mentir à leur manière.

Elle s'offrit à moi pour obtenir le manuscrit (les blocs-notes). Elle avait su me mettre au bord de la transe. Elle essuyait sans broncher mes saynètes. Nous baisions, baisions, baisions chez moi. D'un geste large, je l'invitais à fouiller. Je devenais pervers.

— Il n'y a plus rien, Rolande. (Elle détestait que je l'appelle « Rolande ».) Je suis affreusement brouillon. J'adore jeter. Va fouiller chez ton ami Dolmen !

Contrariée, souriante à nouveau, elle s'accrochait aux photocopies comme si ce fût son manuscrit. Elle y ajoutait de son écriture primaire des phrases dignes de Barbara Cartland. Chaque mardi, je revenais la voir, une vingtaine de pages crachées. La moisson de la semaine.

Elle relisait, le front dur, l'œil fixe, sans émotion, la cigarette allumée, les antennes aiguës. On allait découvrir la vie d'une sainte, d'un ange bien sexué : elle y veillait avec une singulière habileté. Elle riait à nouveau.

— Avouez, Elrir, que je deviens un écrivain.

Nous étions à la moitié de cette épicerie à 0,4 pour cent. Elle m'entraînait à table, sous le lustre en cristal, devant la porcelaine de Limoges et une sole meunière. Le domestique en frac remplissait nos verres d'un merveilleux chablis. Nous buvions à mon livre, notre livre, son livre. Je la tutoyais et elle continuait son vouvoiement habile.

— N'as-tu pas une chambre à toi ? Chez moi, c'est le foutoir. Je suis mal, chez ton amant.

Il débarquait à l'improviste, scrutait d'un regard aigu, disparaissait dans la pièce au lit de camp… Il soulevait en moi un noir méandre oublié : la jalousie.

Je laissais en plan mon bloc-notes et ses fadaises.

Où était passé mon beau talent ? Mon éditeur, le vrai, le dur, s'étonnait. L'hiver s'achevait. Quatorze pages, la tête vide, des phrases que l'on me dérobait telle une ponction lombaire. Une perversité nouvelle s'insinuait. L'interdit d'écrire. Quelle était cette maladie effroyable nommée la grâce perdue ? Mon stylo flanchait, mes idées foutaient le camp, la fièvre bienheureuse n'était plus. Avais-je seulement été un écrivain ? Certains étaient morts de cet abandon si singulier. Mes bars du soir avaient disparu, mes aubes bénies aussi. Les mots, les miens, devenaient cette cosse vide. Je tombais épuisé sur mon lit. Le langage débile, débité par la voix impubère, était devenu un goutte-à-goutte mortel qui me détrui-sait. Ecrire avait toujours été la mise en route d'un bolide formidable, décollant du sol, et là-haut, vas-y mon gars, mets toute la gomme et continue de prier ! J'étais au ras du sol, enchaîné, livré au ventre du note book de la rue Lauriston qui m'avalait tout vif. Mes comparses de la cave avaient un sourire malheureux et renseigné. Ils savaient. Paralysé par le joug invisible, n'ayant pas mesuré son étendue, j'en voulais à la terre entière. Y compris aux innocents. Sanda disparue, mon Moko si malade. Tout allait de travers, tout me man-quait. Pourquoi étiez-vous morts ou en train de le devenir, ô mes amours ? Plus que de perdre la vie, je frôlais la fin de l'écriture. Le feu magique du texte, mes

262

équipées lointaines, le désert, la mer, la fille ambrée de Madagascar s'abolissaient. Où en étais-je et qui étais-je devenu ? Amputé de cette part essentielle, écrire, vivre à mon rythme, aimer, j'allais mal. Mon cœur devenait cet ascenseur bloqué à je ne sais quel sous-sol où j'étouffais. Mon Moko avait également dit ceci :

— Un juge d'instruction est un romancier raté et un romancier est un juge raté.

Etais-je en train de tout rater ? juge ou écrivain, même métier, même ratage ? Mêmes pannes diaboliques quand on frôle une vérité, une phrase unique, la pépite au fond de tant de boue... J'avais cuisiné la Soubiroute tel un juge. J'étais allé quérir la banderole souillée de son histoire. Elle ne se rendait pas compte qu'elle avait avoué. Je ne pouvais noter l'aveu : l'Australien, elle le savait, appartenait à un réseau de drogue international. Elle abominait le quart monde d'où elle venait. Si le diable l'avait voulu, elle l'aurait suivi. Elle n'était ni une agnelle ni une victime. J'avais décelé l'aveu, celui qu'aucun de ses juges ou avocats n'avait obtenu. Quel orgasme dans une telle désolation ! Juge, écrivain, de face et de dos, le non-lieu n'est pas pour tout le monde. Des métiers, des tâtonnements plutôt, où le hasard devenait une organisation. Coupable ? non coupable ? Où est le crime dans trois cent cinquante grammes de poudre plus légère que le pollen des roses de Sanda ? Ecrire, était-ce traquer un crime, une preuve ? Tout livre procède du forfait.

— On peut toujours écrire un autre livre, rectifiait mon Moko. On ne refait pas un homme pris dans les rets de la justice.

Notre matériau — l'humain et ses vibrations — divergeait. Monter un dossier était une austérité sans fioritures. L'écriture du juge : laconique, précise, où les « Attendu que » castrent tout espoir de conter une histoire. J'avais vu travailler Pépé-mon-Moko et la Taponière. J'avais écouté à quelques banquets juges et procureurs évoquer leur théâtre, parler du coupable. Avais-je puisé, élevé en partie au milieu de cette citadelle d'hommes de robe, l'envie d'écrire ? J'en étais arrivé à des vérités abruptes. Les hommes sont des monstres, les juges ont un cœur, un foie, une digestion difficile et des humeurs.

A une frontière précise, juges et écrivains se tournent le dos.

Je n'en pouvais plus d'être ensablé dans mes quatorze pages tandis que le texte de la Voleuse s'achevait. J'en étais à ne plus me supporter et à me rêver *nègre*. « Que cet enfant est donc noir ! » avaient dit les nabotes nivernaises. Je m'éveillais la bouche pâteuse, la gorge sèche, la plume sèche. Tout flanchait. La Soubiroute trouva la solution.

— J'ai un lieu très simple à moi. Porte de Pantin.

Le mot « simple » tenait une grande place dans son vocabulaire et son existence nébuleuse.

Derrière moi, sur la moto, elle riait. Je redevins d'un seul coup vif, normal, jeune, plein d'avenir. Je me sentis bien dans ce HLM devenu « appartement de la ville de Paris ».

Je la mordillais, bouche et cou, un peu méchamment, plaquée contre la moto. Je me foutais des passants. Elle riait et répondait d'une souplesse lente, enveloppante. Nous étions jeunes, un feu normal soudait peu à peu le cuir de nos blousons — nos peaux. Viens, dis-je, viens ! Attendez ! murmurait la voix d'aéroport. Elle extirpait d'un geste gracieux le bloc-notes. Pas folle, la guêpe. Oui, oui, j'ai bien mes latex quelque part.

Elle riait, la prison était comme la vie, un seul et même dressage.

— Lèche et tais-toi.

Nous fîmes l'amour, sur le couvre-lit si blanc. De la baie au rideau transparent, on voyait les toits, le lent trafic d'un périphérique. Nos corps vivaient un ballet sans défaillance. Elle était aussi une affamée qui avait renoncé, argent oblige, à son envie brûlante de jeunesse et d'amour. Cet amour-là, nous l'achevâmes sous la douche à pleins jets. Le rire jaillissait de la belle bouche qui avait révélé une éducation sentimentale menée à la trique en tout genre. La douche avait excité nos ardeurs, nous étions déchaînés. Nous recommençâmes sur la moquette.

— Il est gentil, ton protecteur, un HLM à moquette blanche et lit Roche & Bobois, c'est assez rare.

— J'ai voulu recomposer ma cellule, ma paix, disait-elle.

Je n'aimais pas qu'elle parle, je n'aimais pas ses mensonges. L'après-midi était largement avancé. J'avais perdu la notion du temps. Nue sous le drap, elle me versa du Haig. J'observais son domaine sans couleur. Elle avait aboli dans le blanc, grossier simulacre de la pureté, ses troubles intimes.

C'est ainsi, dans toutes les positions possibles et les fougues du plaisir, que j'achevais corps contre corps *les Epreuves de la fourmi*. Avec un happy end.

— Vous avez eu des petites joies à tailler ce chef-d'œuvre, murmuraient, perfides, les deux Marcels.

Quel homosexuel peut supporter qu'un mec lui préfère le corps des filles ? Ils glissaient un œil inexpres-

sif sur ma silhouette trop vive. J'endurais de plus en plus
mal la cave. Jambe-de-laine m'avait téléphoné de passer
le voir chez lui. Il avait à me parler. O Soubiroute-ma-
sainte, au-delà de tes foutaises destinées au caniveau, de
ton procès en bêtification, il y a un frôlement sacré,
quelques secondes seulement quand tes yeux meurent en
même temps que les miens. Au grand jeu des sens, elle
avait su m'extirper un texte trop bien écrit. Le printemps
commençait. J'en étais toujours, pour mon compte, à
mes quatorze pages.

Elle recommença à me tanner au sujet du manuscrit.

— Elrir, donnez-moi *mon texte*. On finira bien par
retrouver ce brouillon ?

Elle oubliait qu'un écrivain est souvent le contraire
d'un éthéré. J'avais organisé depuis Nevers les ruses et
les issues. Je détestais cette fille pâlie dont la bouche
s'amincissait en un tic déplaisant. Le désir s'en allait.
Chez moi, elle se heurtait à un monde où elle n'avait rien
à faire. Elle se flétrissait à vue d'œil, dans mon esprit
tout au moins, telles ces plantes vénéneuses qu'un
certain terreau extermine. Elle se heurtait à ma violence.
Elle n'insistait plus. Avaler des couleuvres faisait partie
de son métier.

Elle osa murmurer une proposition.

— Dix mille francs en liquide.

Dix mille francs en liquide pour m'arracher les blocs
où courait mon écriture irrégulière. Elle sortit une
enveloppe de son sac. Je la giflais à la volée. Elle
encaissait les coups, je m'échauffais, la jetais au sol.
Peut-être l'eussé-je étranglée si elle ne m'avait planté son
regard dans le mien, pour une fois sincère. Enfin, elle
disait « tu ».

— Tu peux y aller, pour ce que la vie m'a gâtée ! Je ne

suis que votre chose à tous. Ce sont eux qui m'ont chargée de ce fric. Qu'est-ce que tu connais à l'épouvante et à la misère, Elrir ? Petit-bourgeois, va ! Tu peux me tuer, ça me rendra service. Quel repos, la mort...

Elle savait comment s'emparer à nouveau de moi. Elle ne partit qu'à la nuit.

Les blocs-notes étaient à Nevers, chez mon Moko.

— J'ai tout jeté, dis-je, dans un sursaut nommé survie.

Le tic désagréable avait disparu. Elle avait repris le vouvoiement.

Elle me supplia de l'aider à répéter les mots nécessaires à la télé. « Je ne vous l'ai pas encore dit mais je suis invitée chez Jan-Lou Saxo. Vous aussi, bien sûr. »

Telle une actrice, elle apprit par cœur les réponses aux questions qu'on ne manquerait pas de lui poser.

— Pouvez-vous me noter l'essentiel, Elrir ?

Elle empocha ces feuilles contre l'enveloppe aux dix mille francs. Elle resplendissait d'une tendresse inouïe. Elle avait réussi son second rapt. Mes mots, qu'elle débiterait à toutes les émissions et qui n'entraient pas dans le 0,4 pour cent des pourcentages.

La fatigue m'avait repris. Mais j'avais commencé à réagir.

J'étais allé chez Jambe-de-laine, Porte d'Orléans. Clip, clop, nous avions grimpé à pied ses trois étages. Il logeait au calme dans un appartement ancien, petit, délabré. La semi-obscurité régnait. Une antre de vieux garçon, des livres anciens. Le plancher était disjoint, le lit à une place, entouré d'un « cosy ». Un bateau en verre filé, quelques photos anciennes — « ma grand-mère Titine et le chat ». Le domaine touchant d'un être qui osait rêver une éternelle amitié avec un garçon. Pure-ment. Il endurait dignement son corps et son visage malmenés par la maladie. Le regard sauvait tout : profond et doux. Un poète de grand talent. Sur une table à tréteaux, une vieille Remington. Elle le reposait des stériles ordinateurs. Une douche mal ajustée, contre un évier trop vieux, un réchaud à gaz, deux chaises.

« Je suis heureux ici, disait-il. C'est mon havre de paix. Ce n'est pas beau mais moi non plus, je ne suis pas beau. Tu as de la chance, Santiago. »

Il souriait tristement à une glace carrée, au-dessus de l'évier. Il remplissait d'eau une casserole. Il fit un nescafé, boitilla jusqu'à une penderie. Les murs étaient tapissés d'un papier éteint à bouquets de myosotis.

Il avait sorti de derrière son manteau de pluie, ancienne capote d'un soldat de 1914, un paquet ficelé dans un carton.

— Le manuscrit de *Je ne te quitterai jamais mon fils*.

Il baissa la voix, comme si les espions du Grand Viking étaient derrière le rideau floche qui servait de porte à la penderie. Il avait peur. Dolmen, Houquart le tourmentaient. Ils voulaient détruire ces feuilles. Il avait beau affirmer avoir tout jeté, on s'était mis à le persécuter. Je vivais, de mon côté, des désagréments identiques. Nous bûmes le nescafé trop tiède. Je réflé-chissais. Ces manuscrits, en fait, ne servaient pas à grand-chose puisque nous avions signé un accord précis. Sur le contrat nous étions « rédacteur », non « auteur ». Toute trace écrite rendait Dolmen fou, abolissait sa faculté de manipulation. Le neveu Houquart était devenu nerveux. Gobard commençait à réclamer mes pages. Jambe-de-laine avait surpris une scène dans le couloir au trompe-l'œil. « Je veux le manuscrit de la petite, disait Gobard. Assez rigolé avec ce cloporte. A mettre au pas. Vite ! — Oui, oui, répondait Houquart. A mettre au pas. »

Jambe-de-laine avait été le premier visé. Janine la coiffeuse, amie de la Soubiroute, s'en était mêlée. Il y avait eu des éclats de la cave au bureau, à la grande exaspération de Dolmen. Lili la huguenote jouait de son autorité apaisante. « Allons, mes enfants, du calme. » Les affronts se multipliaient sur la tête dégarnie de mon pauvre ami. Il prenait son air le plus bête au milieu des deux Marcels qui s'interpellaient, l'un l'autre, d'un air faussement consterné :

— Où sont passées les feuilles de mon chou gras ?

Jambe-de-laine roulait lui-même ses cigarettes d'une blague à tabac en caoutchouc rouge.

Tard dans la nuit, le téléphone sonnait. On le menaçait. Des voix peu identifiables dont il devinait la provenance.

— Ils en ont assez de toi, Santiago. Tu es allé trop fort sur le terrain de Gobard. Ce sont des assassins.

Je butais contre le mot et ses évocations de mort. Je songeais à Sanda, à Bollard enfin crevé, au scandale du sang contaminé, à la guerre de tous côtés, aux errants dans la rue, aux fortunes immondes qui éclataient telles cosses dans le feu.

— C'est une époque d'assassins, dis-je. Ça se traverse comme une sale grippe. J'ai l'intention de vivre et de me battre.

J'eus une idée. Nous mîmes au point le complot. Nous ne nous laisserions pas avoir. Tuer peut-être, mais pas avoir. Jambe-de-laine écrivit une lettre datée et signée. Il me confiait le manuscrit de *Je ne te quitterai jamais mon fils* ainsi que le contrat. On refusait de lui payer les droits étrangers. S'il venait à disparaître, avait-il écrit, il fallait chercher du côté des éditions Le Grand Viking. Il précisait le type de menaces et de sévices encourus. La façon dont la vie se déroulait dans la cave de la rue Lauriston. J'écrivis une lettre presque identique, glissée dans mes blocs-notes et le contrat fallacieux signé chez Gobard. Tout y était, sait-on jamais, y compris les rendez-vous Porte de Pantin, la description des lieux, mon histoire avec Rolande Lapioche dite Soubiroute.

Jambe-de-laine s'enthousiasma quand il sut où j'allais mettre en sûreté nos dépôts. Je lui racontais mon grand-père, le juge. La maison de retraite, la malle aux trésors, la greffière cerbère qui serait dans le coup. J'avais un TGI dans la poche si on nous tourmentait.

Clip, clop, mon pauvre ami avait les larmes aux yeux.

— Santiago, dit-il encore, s'il m'arrivait quelque chose, lis quelquefois mes poèmes.

J'enfourchai la moto et lui fis un signe d'amitié.

Il était quatre heures du matin quand j'allai à Nevers.

Je m'arrêtai pile devant le pavillon de tante Tampon. Le bruit de la moto l'avait réveillée. Je n'eus pas besoin de sonner à la barrière désarmante. Les volets s'ouvrirent à l'étage. La Tampon était en bonnet de nuit. Elle poussa un cri de mère poule, vint à ma rencontre, ensachée d'une robe de chambre qui avait appartenu à mon Moko.

— C'est toi, petit ?

Elle tremblait d'une émotion bourrue non sans vérifier furtivement les rideaux des voisins. « Range ta motocyclette. » Elle disait « motocyclette ». « Attention à mes thuyas, à mon rhododendron, à... »

Je la coupais d'un geste et bloquais l'engin sur sa fourche. Du linge, style culotte de curé de campagne, séchait sur le fil tendu dans le jardin. Un rosier s'ouvrait lentement, le lilas embaumait. Je m'affalais sans façon dans le fauteuil en rotin, réclamais café et douche. Sur le coin du buffet laqué, il y avait ma photo enfant près de celle de son idole. Nous étions sa famille, ses plus totales affections. Est-ce pour cela que nous la traitions si mal sans pouvoir nous passer d'elle ? Je l'embrassais au coin de l'oreille. J'étais las, excité. Elle avait rougi de plaisir et s'activait. La bouilloire sifflait, elle remplit un grand bol, tartina de la brioche. Je redevenais ingrat tel le fils prodigue, oublieux de la mère trop dévouée. Je m'irritais des pieds immenses dans les charentaises à carreaux et du bonnet de nuit à pompon.

— Tu as l'air d'un vieux forçat.

Je lui avais toujours assené, copiant fâcheusement mon Moko, des vérités injurieuses qu'elle encaissait sans broncher. Nous pouvions tout nous permettre. Nous étions sa vie même, la maternité et l'amour ingrats. Parfois, elle délirait avec simplicité et nous appelait « mon mari et mon fils ».

Je grimaçais, la rabrouais, à peine poli. Je lui envoyais des fleurs à la fête des mères. Les azalées si mièvres qu'elle aimait tant.

Sans le bonnet, elle n'était guère plus avenante. Les cheveux coupés tel un moine, la tête curieusement chevaline, les larges yeux honnêtes, un peu fous.

271

« Alors ? répétait-elle, alors ? Tu n'es tout de même pas venu pour insulter mon bonnet ? »

Je lui contais une partie de l'affaire. Elle rapetissait des yeux professionnels.

— Laisse-moi ces manuscrits. Ne dérange pas ton grand-père à une heure pareille. Je porterai tes archives dans sa malle aux trésors. Si on peut nommer trésors, ces femmes de stupre. Ton bain est prêt.

Elle avait préparé les sels, l'eau bouillante, le savon neuf, la grande serviette. Je m'ébrouai avec un plaisir total. O la Taponière !

Entre-temps, elle s'était habillée. Son éternel pantalon écossais que nous nommions la culotte de la Pucelle aux prises avec les Anglais.

— Tu as affaire à des bandits, dit-elle. Je vais t'enseigner quelque chose d'intéressant. Inutile de le crier sur les toits.

Dans la cave du pavillon bienséant de Mlle Taponiere, il y eut cette séance de travaux pratiques.

La greffière, bien campée sur ses jambes de reître, m'apprit à tirer au python neuf coups dans un mannequin spécialisé, reste du déménagement de l'ancien commissariat. « Donnez-moi ce mâle, avait demandé la Taponière, il est d'une forme très amusante. » La Taponière tirait avec la férocité d'un truand aguerri. Elle troua de coups plus meurtriers les uns que les autres, le front, le cœur, le foie, le sexe entourés au crayon rouge. Le mannequin basculait à chaque coup.

— A toi, maintenant. Ecarte les genoux, sinon tu tomberas. Vise d'abord les jambes. Inutile de tuer sauf en cas de nécessité absolue. Cela se nomme la légitime défense.

Elle me donna le python et une boîte de cartouches.

— J'en ai un autre dans ma table de nuit. J'adore les armes et les lois. Il est illégal que tu te promènes avec ça. Sois discret. Mets tout sur mon dos en cas de besoin. A notre époque, nous devrions tous avoir un python et un livret épargne retraite.

Elle avait un sourire gourmet et m'avait épaté.

Une journée remplie l'attendait. Crimes, viols, vols. Une paperasserie infernale. « Embrasse-moi, mon garçon. En avant et hardi ! »

Elle m'accompagna à mon engin, veilla au cran d'arrêt du python qui faisait bosse dans mon blouson. Elle referma sa barrière dérisoire que les rôdeurs, par un sûr instinct, n'avaient jamais osé franchir.

J'entrai dans la chambre de mon Moko. Sa toilette était faite, une infirmière l'aidait à boire du thé. Son œil s'éclaira, ô la lumière du Sud, dès qu'il me vit. On l'avait provisoirement soulagé de ses appareils. Il respirait assez bien. Je m'assis sur le lit, face au beau visage lucide. Je lui racontais tout. La Taponière était dans le coup. Sa respiration devint pénible, je le peinais. O mon Moko, qu'avais-je fait de mon talent ? Il jeta une malédiction de plus sur les araignes, responsables de la galère sans fin. « Non, dis-je, chacun est responsable de soi. Je te dois le soleil, la vie, les femmes, l'écriture. J'ai des ennuis, mais je suis heureux. »

Il voulut voir les manuscrits, les lettres, les contrats. Je l'aidai à ajuster ses lunettes. Il lut avec attention. Il réfléchissait, les yeux fermés, le souffle économe. Je déchiffrais sur ses lèvres. « Ne pas fuir d'un coup entreprise Dolmen. Ruser. » J'allai à la malle-aux-trésors de l'éternel petit garçon qui avait rêvé et vécu la belle aventure du soleil et des femmes. Je glissai mes documents sous des colliers en coquillages, les photos en vrac de Ranavalona et d'Azyadé. Il voulait contempler Azyadé à son bras, en maillot de bain, à la plage de La Marsa. Il opinait, sa vie avait été belle. L'infirmière était revenue avec le tube et l'appareil. Son long martyre recommençait. Je serrai les dents. J'avais dans ma poche, côté cœur et python, une capsule scellée. Offrande de la fourmi, un soir de délire dans son lit. Un cadeau digne d'elle : un poison inconnu mêlé des opiums les plus rares. Une mort sans souffrance, sait-on jamais, qui ouvrait une contrée merveilleuse. On flotte, on flotte et on s'envole.

— En temps et heure, murmura mon Moko.

Je l'embrassai sur les mains. A bientôt, mon Moko. Tu liras mon nouveau livre, *Cendre et Or*. Je te le jure.

Une surprise m'attendait à mon retour. Les librairies de Paris étaient remplies de piles du livre signé Léopoldine Soubiroute. Rue Lauriston, on n'avait pas perdu de temps. Je rejoignis la cave. Mon note book n'était plus là. Les deux Marcels, Jambe-de-laine plongèrent sur leurs écrans.

Dolmen surgit et la scène me devança.

Il hurlait mille contradictions. Fini, ce cirque, cet artisanat pour minus ! Finis ces narcisses sans gloire que nous étions ! Désormais, qui voulait rafler son argent ne

quitterait pas ce lieu. A quoi servaient les magnéto-
phones dans le bureau des auteurs, construit à grands
frais, attenant au sien ? Il hurlait. Allait-il avoir une
syncope ? Gobard était furieux, Léo aussi. Je l'avais
offensée en ne lui faisant pas confiance. Elle préparait
sa prestation chez Jan-Lou Saxo. La quatrième de
couverture avait été écrite par un des Marcels. Tu vas
longtemps te foutre de moi ? répétait la Bête qui
tournait au violet. Il s'attaqua à Jambe-de-laine — J'ai
mes espions, minable — et l'injuria sauvagement à
cause du manuscrit de Janine. Elle renâclait sur la suite
de *Je ne te quitterai jamais mon fils* numéro II.   Il
insulta en passant les deux Marcels qui finissaient leurs
nuits, tout le monde le savait, dans l'allée des cygnes,
avec les rescapés de Bollard. Ronde minable, gibier de
pissotières, dehors ! dehors ! Je n'aime pas les peaux
noires, vociférait-il à mon encontre. Tu as beau avoir
les traits européens, exciter les femelles (ou les mecs),
tu es trop noir et sans talent. D'où viens-tu, racaille ?
Tu n'as jamais obtenu un vrai prix. La rive gauche te
fait danser, pauvre vieux ; tu cours comme les autres et
tu en crèves. Tu es un pauvre, c'est-à-dire un pauvre
type. Tu t'es imaginé que le talent (prétentieux) suffisait ? On s'emmerde à te lire. Ça tombe des mains. Sans
ce contrat avec moi, où serais-tu ? A faire le tapin dans
l'allée des cygnes ?
    Les deux Marcels pliaient, cernés de mauve. Sous la
lampe halogène, l'ombre *du type* était celle d'un animal
préhistorique aux mouvements rotatoires. Jambe-de-
laine suait des mains. Dès que se publiait un texte qui
allait beaucoup se vendre, la mortification déstabilisante
avait lieu. Je l'ignorais. Les deux Marcels, habitués à
toutes sortes de flagellations, en jouissaient vaguement.

Se sentaient-ils rachetés d'être les errants de l'allée des cygnes, en acceptant les insultes les plus ignobles ?

— Fiche-moi le camp ! conclut la Chose à court d'arguments.

D'un coup de pied, il avait débranché la lampe. Le soupirail était une bouche blafarde. On devinait le pas des gens de la rue, on apercevait des chevilles, des chaussures.

Un épais silence régnait. Les murs écoutaient. Ça bardait chez les nègres. On eût dit un immeuble soudain déserté.

J'envoyais un coup de poing formidable dans la gueule de cette bouche devenue cette gargouille aux crachats sans fin. Il y eut un beau charivari. Un coup assené par-derrière fit éclater une voie lactée dans mon crâne. Attention ! avait crié Jambe-de-laine. Les deux Marcels répétaient : « Le chauffeur et ses abattis à la Stallone ! » Je tâtonnais sous mon blouson, côté python. « Ne tirer qu'en cas de nécessité absolue », criait d'une voix de rêve la Tampon. En avant et hardi ! Qui cognait qui ? Je sombrais dans une contrée où jaillissaient des fontaines brûlantes. Tout, cependant, devint noir. Avais-je avalé la pilule de venin de cobra pilé ? Qui avait parlé de cobra pilé ? Un empereur de Chine, grand amateur de valise bourrée de drogue ? La bouche de la Soubiroute ressemble à celle d'un mérou.

J'étais mort. J'étais bien.

Je ressuscitais dans la cave enfin calme, aux lampes allumées. Le neveu Houquart, un linge mouillé, épongeait mon front. Mes comparses avaient disparu. Le neveu Houquart, penché sur moi, tenait des propos modérés.

— Notre ami est un peu vif, son chauffeur très dévoué. Respectez les règles de notre entreprise et ces petits ennuis n'auront jamais lieu.

Il continuait d'un débit monocorde, d'un ton de mauvais prêtre. Nous sommes désolés. M. Dolmen s'excuse. Il a de l'amitié pour vous et ne vous en veut pas d'avoir fendu sa lèvre. Il passe l'éponge et vous payera la quatrième de couverture. Nous sommes tous un peu agités quand nous lançons un produit comme celui-là. Mlle Soubiroute est froissée. Il nous semble qu'elle vous a manifesté une confiance plus qu'attentive ? Le numéro II de ses Mémoires n'est pas à exclure en cas de succès. Vous avez le sang si vif, Santiago, je me souviens...

J'abominais son souffle sur mon visage. L'ombre d'un désir sale erra dans ses yeux à demi clos. Je me levais d'un bond, prêt à vomir, chancelant. Je claquais la porte basse. La standardiste paraissait n'avoir rien vu, rien entendu. Point de chauffeur en forme de singe musclé. On entendait des rires, les photocopieuses, les téléphones, les fax. Avais-je rêvé ? Je croisais Lili la huguenote.

— Eh bien, mes enfants ? Une dispute m'a-t-on dit ? Rien de plus sain pour la bonne entente. Dolmen est formidable : il a donné congé pour la journée à nos amis les poètes.

Je résistais à l'envie de tirer au hasard de ces gueules.

Mon crâne éclatait. J'avais un œil au beurre noir, une lèvre gonflée, mal à l'estomac. Ma seule satisfaction était d'avoir abîmé de même sorte Dolmen. J'avalais deux Haig, rue Marceau. J'avais du mal à conduire mon engin. Porte de Pantin, tout avait changé. Porte close, plus de fille. Chez Gobard, le domestique fit un signe d'ignorance. Il ne l'avait pas vue. Je sentais, je savais qu'elle était là. Elle m'avait jeté après usage. Tous les usages. Ces portes pourries s'étaient refermées d'un seul coup.

Chaque vitrine étalait ce maudit livre, sa photo, son nom en gros, le sigle du Viking en dessous. Mes quatorze pages étaient ce rappel, cette urgence : la promesse à mon Moko. J'avalais un somnifère et dormis d'une traite. Le lendemain, j'étais mieux et bus un café très fort. Je déroulai mon répondeur. Jambe-de-laine me demandait de venir chez moi dans la soirée. La Soubiroute passait chez Jan-Lou Saxo. A ne pas manquer, mais à ne pas endurer seul. La Tampon avait laissé un long message affectueux. En avant et hardi ! mon éditeur s'enquérait du manuscrit. Mon cœur battit quand même à la voix de Léo. Son murmure cristallin, son mensonge délicat. « Pardonnez-moi. Ce n'est pas ma faute. Ce soir, je ne penserai qu'à vous. » La garce soulignait qu'elle porterait le gilet Sonia Rykiel dont j'aimais arracher les pressions sur ses seins nus.

Je descendis, étourdi, acheter des coquilles de poisson, du caviar, des blinis, de la vodka pour cette fête bien étrange à partager avec mon pauvre poète. Je glissai une bande dans le magnétoscope. Mon moral revenait. J'étais prêt à toutes les luttes et d'autres aventures. Je caressais le python telle une bête familière et amicale. A huit heures, mon ami le poète sonna. A son œil bleu, je sus qu'il avait tenté de me défendre.

La vodka desserrait nos nerfs. Il m'apportait, outre sa fidélité, son humour, les ragots de la boîte. Dolmen avait mal digéré mon coup de poing. J'avais cogné si fort que son sourire était celui d'une citrouille enchantée. La faveur rouge au coin de sa joue avait tourné au violet. Maintenant, au cirque, l'écrivain !

Assis en tailleur, je zappais sur la une. Le spectacle commençait. Gros plan sur la Soubiroute et le gilet noir Sonia Rykiel. Une pression était savamment ouverte. Des larmes plein la voix et les yeux, elle récitait mes mots. Elle était née « l'écriture dans la peau ». La prison avait été un accident lié à la passion amoureuse. Son second livre, *déjà commencé,* parlerait du sacrifice amoureux. Donne-moi de la vodka, mon poète. A plein bord, glacé sur le coup, brûlant le corps soudain illuminé. Arrêt sur image. Second bouton pression d'ouvert. Un peu de chair blanche, la maquilleuse l'a poudrée jusqu'aux seins.

« Ecrire, aimer sont un seul et même sommet. Cela passe par le renoncement, une vie solitaire, *très simple...* »

Encore un verre, mon poète. Comment baises-tu, Bouffie, j'ai oublié. Sur le ventre ? Sur le dos ? Très simple ?

Mère Marie-Eustache entra dans la lumière et la Soubiroute referma son gilet. Mère Marie-Eustache, encornettée, mais je suis soûl, peut-être n'y avait-il pas de cornette après tout, mais les cornes du cocu, complimentait « un style unique, un courage sans défaillance, une foi sans relâche ». Tout devint blanc tel un voile de première communiante. La Soubiroute en était à réciter, de-ci, de-là, des bouts de phrases de *Tropique Man.* J'étais fin soûl, mon ami le poète me traîna sur mon lit, éteignit la lumière et referma doucement la porte.

Avant de sombrer j'avais balbutié « ces salauds vont finir leur nuit chez Castel ».

— Et te demander, comme si de rien n'était, d'écrire le tome II. C'est toujours ainsi que se passent les choses... La chose...

J'avais dans la bouche l'amertume, le feu, et le goût de la vengeance.

Mes ancêtres les voyous à sombreros aimaient la vengeance.

La vengeance commença plus vite que je ne le pensais.

Ma soirée si rude, adoucie par mon ami le poète, déclencha le sursaut salutaire. J'écrivis en vingt nuits et autant de jours *Cendre et Or*. La grâce était revenue après cette crise abominable. J'écrivis sans relâche, directement à la machine, me nourrissant à peine, buvant moins. Les quatorze pages étaient devenues cent quatre-vingts. Je remis le manuscrit à mon éditeur. Il l'aimait ; nous déjeunâmes rue du Dragon. Le bonheur était aussi de ce monde. Je serais publié à l'automne. J'avais signé un nouveau contrat.

Personne ne m'avait vu pendant ces jours où, comme avait dit la Soubiroute, répétant mes phrases, « l'écrivain se tait, se meurt et se meut dans l'isolement de ses mots ».

J'eus d'autres joies moins pures.

Elle était revenue dans ma vie sous forme du répondeur surchargé de sa voix implorante. « Pardonnez-moi, Elrir. Vous ne savez pas ce qu'est l'amour. Je vous en prie, dites un mot ! »

Le répondeur enregistrait jusqu'à saturation la voix

« Air France ». « Je vous aime... Je t'aime. » Je ne décrochais pas. Mon calme s'effritait. Je mettais à fond *la Tempête* de Ludwig van Beethoven. Elle n'était pas l'amour, cette fille qui passait à travers tant de gouttes et de boue, mais une drogue. L'envie progressive de son corps revenait. Ma création faiblissait. Le piège s'inscrivait sous le clignotement lumineux du répondeur.

La voix disparut un moment. Mon livre était enfin ce paquet d'épreuves. Une vie d'écrivain ne comporte que dix minutes de bonheur total : quand on voit le livre enfin publié. Dix minutes contre tant de doutes sans limites. J'avais cru, dévoré par eux, elle, surtout, ne plus jamais revoir un livre de moi publié. Ne plus jamais franchir le paradis des dix minutes qui suffisent à faire escalader à nouveau la montagne à mains nues.

Heureusement, l'esprit de vengeance dépassait la passion contrariée. Jambe-de-laine avait reçu mon livre. Clip, clop, il montait mes étages et venait bavarder. Les deux Marcels étaient séropositifs. A quoi bon en parler ? La disparition de Bollard n'avait rien réglé. Ses mânes exaspéraient ce suicide collectif dont les victimes tiraient un étrange et fol orgueil.

« Dolmen et les siens vont te convoquer, dit mon poète. Ils détestent qu'on leur échappe. Ils ont recommencé à me tanner avec le manuscrit de la coiffeuse. Je planche sur le second tome. Son gosse est malade. Le sujet ? Guérir l'autisme grâce à l'amour maternel. »

Il convulsa une bouche amère. Janine débitait la tartine de l'enfant malade, dans le bureau des auteurs. Sur magnétophone. Le note book était effacé chaque jour. Dolmen avait réfléchi depuis la bagarre dans la cave. Lili la huguenote applaudissait le bureau des auteurs.

— Cela se nomme la transparence.

Les ventes de la Soubiroute étaient devenues hallucinantes. Mon répondeur changea d'aspect. La voix sirupeuse du neveu Houquart succédait.

— Dolmen est un peu soupe au lait, mais tout le monde vous aime. Je vous invite à dîner chez Kaspia. Nous parlerons de Nevers... Et d'un beau contrat. Vingt-cinq pour cent ? Mlle Soubiroute ne peut vivre sans vous.

Les jours passaient, je me taisais. Le ton se faisait menaçant.

— Ne nous découragez pas, Elrir. Nous y mettons du nôtre. M. Dolmen est parfois imprévisible.

— Je vous aime, murmurait la voix si étudiée. Je sais que vous êtes près de votre répondeur.

Nous étions en octobre. Je passais deux jours chez tante Tampon. Je régressais de façon bienheureuse à me faire materner dans le pavillon à la barrière blanche. Elle distillait ses acidités qui me réjouissaient. Nous, les hommes, étions la race inférieure. Il fallait des créatures comme elle pour nous protéger. Elle aimait bien son nouveau juge, qui ne se tenait pas convenablement avec la procureur trop rousse mais avait « de l'audace et du métier ». Argument suprême : son Président l'adorait. Elle jeta à peine un coup d'œil à mon roman dédicacé « A ma Tampon de toujours et pour toujours ». « J'espère que tu modères enfin ta libido. » Je lui tirais le nez, elle riait, glissait dans mes sacoches des pots de confiture et des balles pour mon python.

J'allai chez mon Moko et posai mon livre entre ses mains.

Il le regarda de fond en comble. Il souriait à la dédicace imprimée rien que pour lui. Il avait encore décliné. Le store était baissé. La paralysie gagnait du terrain. Il n'en pouvait plus de ce lien invisible qui l'attachait trop court, l'étranglait en permanence.

Je n'arrivais pas à glisser la capsule libérante entre ses lèvres qui blanchissaient.

Je revins à Paris, navré. L'automne était d'or, de pluie, de vent. La critique fut assez bonne sur mon livre. J'apparus même sur deux listes de prix.

D'avoir trempé du côté de la rue Lauriston me desservait. Le Grand Viking semait son étouffoir et je sautai vite des listes.

Vers la Toussaint, on sonna chez moi. Il était très tard.

J'étais en train de cracher un article pour ma nouvelle feuille de chou. C'était Léo, en long manteau de pluie. Une écharpe de soie.

J'ignore encore si ce qui suivit était de la faiblesse ou le principe de vengeance. Nous ne parlâmes pas. Nous nous jetâmes l'un vers l'autre, sans recours. « Attends, attends ! murmurait la voix de cristal. Le désir, ce sosie d'amour, prenait toute la place. La cruche d'eau dans le désert, vide, celle des mirages. « J'aime ta peau, je t'aime », disait-elle.

— Aidez-moi pour mon nouveau texte. Trente pour cent, Elrir.

Elle était venue pour ça. Vengeance distillait un

curieux sang-froid. Allais-je devenir à mon tour un beau serpent ?

— Le contrat est prêt. Je ne compte pas, Elrir. Maître a veillé à vos trente pour cent.

Je signai. Pour mieux la tuer.

Elle souriait, souriait, souriait.

La sale vie de la rue Lauriston avait repris. Un Dolmen patelin, oublieux, me félicita sur ma façon de me battre.

— Taille, mon gars. Tu aurais fait un bon mercenaire.

Le neveu Houquart était devenu charmant. Le titre du second livre de Rolande — ne l'appelle pas Rolande, Coco, ça la bloque — *Jamais sans l'amour*, raconterait le sacrifice d'une jeune femme. Elle s'exile loin d'un amant trop brillant (Qui ?) afin de ne pas entraver sa carrière. La Soubiroute était ce que mère Marie-Eustache, dont les mouroirs rapportaient gros, nommait « une belle âme ».

Gobard — il passe l'éponge, Coco — rejoignit ses amis et Léo dans le Nivernais. Je n'aimais pas cette morsure du ventre, la jalousie physique. La jalousie est-elle autre chose qu'une torsion physique ? Porte de Pantin, Léo riait contre moi et nous faisions l'amour. Je la faisais parler-mentir, tirais toujours une information de son brouet. Le journal de la grand-mère de Sarajevo égalait ses ventes. Les militaires expérimentaient les armes nouvelles. Ce « commerce » se portait bien. La Soubiroute intéressait moins. Tout a une fin, ma bonne fille. Ma joie incommode continuait. Le neveu Houquart avait des histoires. Sa tante avait été assassinée.

— Les oreilles coupées ! sifflotaient les deux Marcels sur quatre petites notes de Mozart.

On accusait le neveu de choses confuses. La rue Lauriston s'énervait. Le juge chargé de l'affaire « leur tapait sur les nerfs ». Un tableau de Sisley, *Femme dans le brouillard,* avait disparu. Tante Tampon surchargeait mon répondeur. J'étais aux premières loges de l'information.

L'araigne de mon enfance assassinée, les oreilles coupées !

Le nouveau livre de la Soubiroute atteignait par mes soins le sommet de la bêtise. Jamais, je n'avais tordu aussi sottement la syntaxe et mis en page l'indigence. Oui, l'Imposture, pour une fois, était bien l'auteur de cette fistule sans issue.

J'avais toujours mon python sur moi, l'envie de jouer avec ce corps trop docile. La jouer, la rouler, les déjouer. Me venger.

— Quelle loi ? répétait le Grand Viking.

— Je respecte la loi, assurait le neveu Houquart, couleur lampe halogène.

La police envoyée par le juge de Nevers chamboula en vain son antre de vieux garçon.

— La loi est une imposture, les juges des aigris ! Cette Jordane est une minable ! vociférait Gobard.

Houquart se rendait ponctuellement aux interrogatoires. Gobard « mettrait les pieds dans le plat ».

— La loi est une grande chose telle la Bible, disait Lili

la huguenote qui vendait ses pin's deux fois plus cher. Les temps sont durs, mes enfants, décidément, vous boudez mes chandeliers ?

— La loi est la soupape de la démocratie, mon juge est d'acier ! inscrivait la Tampon sur mon répondeur.

— « Jamais sans la loi », concluaient les deux Marcels, exsangues.

— « Les armes et les lois », Du Bellay, récitait Jambe-de-laine.

— La Justice est devenue aussi nulle que l'Education nationale, concluait Tigrino, agacé par ses fils.

Porte de Pantin, le double vitrage étouffait nos cris de plaisir. Personne ne nous dérangeait. Etais-je devenu une autre espèce de machine que la première fois ? Une machine à baiser et mentir ? Le texte absurde prenait fin. Je pillais le corps de la fille qui disait « encore ».

J'allais prendre une douche. Je laissais couler l'eau sans fin. Purifier à jamais ma peau de cette peau... Je fus intrigué par un rectangle ficelé, derrière les waters. Je défis le journal et reconnus *Femme dans le brouillard*. Je n'eus que le temps de rejoindre le jet mis à fond.

La Fille, nue, se glissait sous l'eau contre moi, les yeux mi-clos.

Elle souriait, souriait, souriait.

Elle n'allait pas sourire longtemps. Il se passa sous l'eau qui nous étouffait une modification. Je la tirais, nue, moi aussi, par les cheveux. Elle était la proie, moi le

286

fauve. Enfin enlaidie, au bord de sa vérité. J'étais aussi devant ma vérité. Quelle fureur quand on aime vraiment ! Une ruade, les pieds, les poings, les gifles. Allais-je la tuer, la Menteuse que j'aimais ? « C'est moi qui t'aime ! » criait-elle. Elle griffait, mordait. A chaque coup, nous hurlions « je t'aime ».

L'eau coulait à tout rompre, débordait, inondait la moquette. Recroquevillée, les mains sur le visage, elle pleurait. Enfin moche, disant « tu ». Fini l'artifice des larmes sur fond de teint des écrans nuls. Les larmes tordaient sa bouche en carré, ses mains en prière. Elles arrachaient de son ventre cette rumeur rauque qui nous liait au lit. Le tic de la lèvre décolorée dansait. Une racine de cheveux bruns apparaissait sous le blond miellé. Le dos se courbait en scoliose. Elle avait perdu sa voix impubère. Enrouée, âgée, perdue, résignée. Une femme défaite, non plus la Fille.

Elle rampait vers le téléphone. J'arrachais la prise. Mes injures redoublèrent. L'eau, les larmes, le sang pissaient.

— Je vais me livrer à la police, dit-elle.

Pourquoi lui ai-je alors décoché un coup de poing ?

Voilà ce que fait un mâle qui veut sauver sa femelle : J'ouvris mon opinel et je commis un crime. Pour Elle, au visage gonflé, les yeux enfin humains, couleur aventurine, je détruisis la Merveille signée Sisley. Dans un sac de voyage, j'entassais les restes. « Faire disparaître le corps. Voilà le plus embêtant pour un meurtrier », disait mon Moko. « En général, ils le découpent, le brûlent. »

J'étais un bel assassin.

Je jetais mes ordres. Habille-toi. As-tu un passeport ? Oui, Maître s'en était occupé et... Elle reçut une autre gifle. Tais-toi, Avance. Elle boutonnait de travers une de mes chemises (elle adorait porter mes chemises) sur un jean. Nous filâmes en moto chez moi.

— Ne bouge pas d'ici. Ne réponds à personne. Il y a des conserves, du nescafé et du Haig. Je serai là dans quatre jours. Ne te casse pas la tête à écrire un roman.

Il était temps de remplir les deux missions de l'amour fou. Détruire à jamais *Femme dans le brouillard* et envoyer mon Moko en paradis.

— Parle ! Je veux savoir.

Le neveu Houquart l'avait chargée de garder discrètement ce paquet chez elle. Elle disait « paquet ». Un cadeau pour Maître, une surprise, avait dit le neveu. C'était à Nevers, à l'hôtel La Vache enchantée. « Vous donnerez cette enveloppe à l'Hindou qui vous confiera la chose dans votre chambre. » Maître était à la chasse. Il ignorait tout. Le chauffeur-videur l'avait raccompagnée Porte de Pantin. Le neveu Houquart s'était chargé de dire « que Mlle Léo, indisposée, avait préféré rentrer ». Chaque lundi, quand nous étions rue Lauriston, il montait vérifier son rapt.

— Vos clefs, s'il vous plaît, mademoiselle Soubiroute.

Depuis ses ennuis avec la justice, il ne venait plus. Elle n'avait jamais osé parler de la « surprise » à Maître.

Je partis en milieu de nuit dans un terrain de ferrailles. Je jetais « la chose » dans la cabine renversée d'un camion brûlé. Le bidon d'essence ; le briquet. Un feu multicolore… L'âme du Sisley recomposa sous la lune et ma peine le miracle de son aurore boréale.

La route de Nevers était celle des ténèbres, ô mon Moko.

J'arrivai à la Roseraie avant huit heures. Il était réveillé, en proie à une blouse blanche à cheveux blonds. Elle tentait de lui enfoncer une canule dans le nez.

— Allons, grondait la blouse.

— Laissez-le, dis-je. Laissez-nous.

— Un quart d'heure, pas plus. Je compte sur vous pour le rendre raisonnable.

Il avait compris, mon Moko. Merci, Petit. J'embrassais ses joues, ses mains. Je détachais la capsule de mon cou. « Il y a beaucoup d'opium. Tu vas dormir, Moko. » La pépite, déjà, fondait et agissait. Un éclat indicible inondait son visage. Quelle fille au monde égalerait la tendresse et la complicité qui nous avaient liés ? La capsule lui offrit le moment béni de flotter vers ses contrées favorites. Un désert rose, une oasis et ses roses sculptées. Une fille à la peau d'ambre. La voûte étoilée, le souffle retrouvé. En paradis. A l'infini.

— Il avait besoin de son oxygène ! protestait Blouse blanche.

— Une belle mort ! commentait le docteur Audouat.

De la malle aux trésors, j'avais raflé mes blocs-notes. Je traversais à mon tour une zone de vapeurs et de flou. Il y avait des cris, des pleurs. Ne pleure pas, ma pauvre Tampon. Un chagrin terrible à voir. Le mien s'apaisait devant le visage si serein de mon Moko.

289

On n'en eut pas fini avec les hoquets de la Taponière. Son Aimé l'avait, une fois de plus, trahie. Il avait laissé au PFG ses dernières volontés. Etre incinéré. « Ne jamais pourrir au milieu d'un tas d'ignobles vieilles. Son petit-fils répandrait ses cendres dans le désert. » La malheureuse Tampon se tordait les mains. Je l'embrassais très fort. Elle avait choisi une urne extravagante, de marbre et d'or. « Elle sera près de mon lit jusqu'à ma mort. »

J'ai totalement oublié ce feu-là. Cette foule-là. Je t'aime vivant et beau, mon Moko. Une urne modeste et légère est scellée dans la poche avant de ma moto.

Il était temps que je fonce retrouver Léo. Le chauffeur-videur de Dolmen entrait chez moi. Une écharpe jusqu'au nez, les yeux en plastique noir, il s'engageait dans l'escalier. L'urne sous le bras, les étages avalés d'un coup, je coinçais dans son dos le python et son silencieux. Il risqua une volte-face, un coup bas au niveau du ventre. Je tirai. « Continue et je te crève », dis-je. « Ne tirer qu'en cas de nécessité », fait la voix de ma Tampon. Il reculait, grimaçait, saignait d'un bras. J'ajustais mon second tir, côté jambes. Il ne demanda pas son reste. Du vasistas-sur-rue, je le vis zigzaguer, disparaître.

Léo était là. Le cœur visible sous la chemise. Elle se jeta dans mes bras.

— Tiens, dit-elle.

Elle me tendit un porte-documents léger. Il contenait des dollars, des devises. Une somme importante. Elle avait préparé sa fuite. Si je n'avais pas dit « je t'aime », elle aurait disparu à nouveau très loin.

— Tiens, lui dis-je.

Je posais sur ses genoux les blocs-notes.

— C'est ton livre et c'est ma vie, dit-elle. Je t'aime.

Deux bagages ultra légers, l'argent, les papiers, mon manuscrit, l'urne-au-Moko.

— Où allons-nous ? dit-elle.

— Chez mes voyous d'ancêtres. On trouvera un désert pour mon Moko. Je te ferai un enfant.

Je flattais le flanc de ma moto. Adieu, chère Grosse. On te ramassera. On s'aimait bien.

Léo jeta dans la Seine le python et ses accessoires.

— Arrêtez-moi une seconde sur le pont des Arts, disait-elle au taxi, hypnotisé par la voix enfantine. C'est si beau.

Floc ! avait fait l'arme enveloppée dans un sac à sandwichs.

A Roissy, lotis de deux allers simples, nous nous bécotions sur le tapis roulant.

VIII

NOTE DE SYNTHÈSE

« La vermine ne s'entend pas, c'est précisément son caractère. »

Franz Kafka *(le Terrier)*

« Lorsqu'un juge d'Instruction aura la chance de rencontrer un témoin disposé à relater ses souvenirs relatifs à l'affaire qui l'occupe, et possédant le vocabulaire et l'aisance d'expression suffisants, qu'il en profite, qu'il laisse parler, qu'il écoute et prenne des notes. »

Réflexions sur le témoignage.
Annales de l'Ecole nationale
de la magistrature

VII

NOTE DE SYNTHÈSE

A nous deux, Dolmen. J'ai tous les éléments pour te coincer.

Nul ne saura la saynète complète, lors de tes chasses, en novembre. Le baiser au creux de ma main n'avait pas été uniquement cette chaude morsure. Tu avais, d'autorité, refermé mes doigts sur un objet. Je glissais mon poing dans la poche. Une faiblesse ? Elle décuplerait ma détermination. J'avais quitté mes amis. « Je te raccompagne », disait Marie-Lou. Je secouais la tête. Je prétextais la fatigue. Mon dos, courbé sous la pluie, était celui d'une coupable. Chez moi, je n'ôtais pas tout de suite mon manteau. Je me décidais à ouvrir le poing. Dans une boîte aux griffes d'un grand bijoutier, se trouvait une broche. Identique au scarabée vert pomme. Mais d'émeraudes, de rubis, d'or, de saphirs, de diamants. Je tremblais d'une émotion jamais éprouvée. Le miroir de l'armoire-qui-faisait-peur accentuait le désordre de mon visage. Je me détournais. J'avais honte de cette expression tant de fois remarquée chez ma greffière quand elle parlait d'amour.

Je frissonnais d'un abandon physique total. La main du crime, donatrice d'un trésor volé, était aussi celle du bonheur.

— Non, dis-je. Va-t'en.

J'ouvris le buffet Henri II. De dessous le Christ cauchemardesque, j'extirpai un dossier pâli. Je jetai dans une soupière la boîte et son contenu. Blottie sous la couette, je repoussai mes livres préférés : *Lettres à la religieuse portugaise* et *la Naissance du jour* de Colette. J'épluchai ce premier document qui menait tout droit au dossier orange. Il datait d'avant l'incendie de la colline. J'avais tout raflé dans le tiroir de Mamita. La plainte des pauvres avait été étouffée. La marée basse du silence et des vaincus.

Le faux acte d'achat comportait une seule feuille imprimée au nom de la société Dolmen Conseil. Les paragraphes, quelques lignes peu explicites, habiles, pouvaient s'interpréter contre les parties plaignantes. La société déclinait, avec accord des signataires, toute responsabilité *en cas de dégâts imprévisibles et majeurs*. Le permis de construire portait le nom d'un Corse disparu en milieu de travaux. Les maçons payés en partie au noir, le reste en bons de caisse. J'avais retrouvé l'un d'eux par miracle. Sur le terrain de Maria et Gloria. Fébrile, je continuais. Gloria et Maria — les autres — avaient signé les accords sous « lu et approuvé », y compris une lettre très intéressante. Elles avaient versé quarante mille francs en liquide. J'avais le livret « Ecureuil » d'alors, la date du retrait, celle de la remise aux vendeurs dont on reconnaissait les signatures : Choucroune et Dolmen. Maria et Gloria, dans cette lettre manuscrite bourrée de fautes, s'engageaient à travailler *sans salaire* pendant trois années consécutives (dates à l'appui). Elles régleraient ainsi la dette du terrain. Cette clause, agrafée au contrat, s'intitulait « Arrangement entre les parties ». On fait famille ! avait dit affectueusement le père Tic Tac. Je comprenais pourquoi Mamita cousait si tard la nuit pour les autres.

Les prospectus jouaient sur le bleu, le soleil, un bateau dans la rade de Saint-Tropez (très loin). Un slogan, « Le soleil pour tous ». Quelques photos de Maria et Gloria sur le terrain de leur future maison. Aux alentours, les premiers pans de murs. Sur une pancarte Dolmen Conseil, le nom à sonorité corse de l'entrepreneur. Au dos des photos, Maria avait inscrit l'année, le jour, l'heure. L'une d'elles m'intéressait particulièrement. Sur la colline, le père Tic Tac, triomphant, tenait par les épaules mes pauvres gourdes. Elles riaient, en mini-shorts, cheveux platine, retenus par un « chou » pailleté. C'était la veille de l'incendie. Maria avait écrit : « Merci à Isaac et Dolmen. Avec notre reconnaissance. »

Gloria avait ajouté : « Des hommes comme vous devraient diriger le pays. » J'avais porté la pellicule à développer. Le malheur avait alors égaré la famille.

J'avais empilé les coupures de presse de cette funeste année. Des gros titres blâmaient Dolmen, l'excusaient peu à peu. A partir de la rue Lauriston, on l'encensait. Les juges d'alors étaient restés circonspects. L'incendie faisait partie de la clause « dégâts imprévisibles ». L'entrepreneur volatilisé ? Un préjudice qu'endurait Dolmen. Généreux, *il avait retiré sa plainte*. Interviewé dans un austère journal financier, il plaignait ces « pauvres gens qui, comme lui, recommenceraient à zéro ». Il y eut, à Aix, un court procès pour la forme. Son avocat, maître Gobard, en fit une victime honorable.

— Maria a brûlé ! criait Mamita à la barre.

— Un accident. Mon client a réglé vos frais d'enterrement. Il n'était pas obligé à un tel geste.

Personne, rien, le silence. La folie.

Je glissai dans le magnétoscope un reportage plus récent. J'étais à Meaux quand se construisait l'hôtel. La télévision s'était déplacée. Un ministre avait fait un discours flatteur. En premier plan, dépassées les vaches et les clôtures, la mère Balai trônait. Elle entraînait la caméra. Les chambres, les miroirs à donner le vertige, la piscine, le jardin intérieur... La patronne ressemblait à un coffre-fort. Les cheveux en brosse dorée, la triple chaîne et les pendentifs assortis. Au coin de la veste moirée, un gros géranium en rubis. Sur sa feuille d'émeraude, un diamant représentait une goutte de rosée. Je fis un arrêt sur image.

Sous la main congestionnée de bagues, le poignet de boucher menotté d'une montre et de bracelets trop lourds, elle bloquait un objet.

Je reconnaissais, pour l'avoir vu si souvent, *le livre de raison.*

L'argent de l'anéantissement était là, détaillé au bic dans ce cahier à spirale.

Le petit brancardier ne croupirait pas longtemps en prison. L'enquête avait signalé la remise du linge par les soins de l'hôtel. Un employé hindou, Ruy, allait être entendu.

Un drame ralentit mon enquête. Mlle Taponier avait perdu sa passion.

Le TGI ne fut qu'un cri.

— Le président de Mlle Taponier est décédé !

Un billet fut glissé par M. Chèremort sous sa porte : « Condoléances. » La pauvre Taponière faisait pitié. Le délire, la fièvre, des hoquets violents. Le petit-fils du vieux magistrat, un beau métis, nerveux et tendre, dormit chez elle. « L'amour m'a trahie ! » sanglotait-elle. Elle voulut à toutes forces le veiller. Le jeune homme disait : « Oui, ma Tampon, allons-y. » Je les accompagnais. Au funérarium, nous grelottions. Nous supportions mal ce cercueil ouvert, ce capiton blanc, cette croix trop haute au-dessus des tréteaux. On appelait cette pièce à moquette, numérotée, glacée et standardisée, « un salon ». La Taponière garda deux jours, farouchement, les clefs. Elle vida trois boîtes de kleenex. Son nez était une lanterne enflammée. Vers une heure du matin, nous l'arrachions de force.

On la couchait, on la bordait. Je rentrais, exténuée.

« A bientôt, mon Moko », avait dit le jeune homme au crématorium.

Il partit aussitôt, une urne sur le cœur. Il embrassa la pauvre greffière. « Je reviendrai. Hardi et en avant, ma Tampon. »

En signe de deuil, elle repeignit sa barrière en noir.

Elle reprit son service, une boîte de kleenex contre sa machine.

J'accélérais le processus.

Je voulais éplucher les comptes de l'hôtel. A la banque de me fournir les bordereaux. Il me fallait l'accord du procureur et du président. La vice-présidente n'osait jamais la moindre décision.

Je bondis chez Marie-Lou.

A nous deux, Dolmen. Tu connaîtras la mort lente de la ruine. La brûlure... Tu tourneras seul sur ta roue qui grincera. Vais-je expier dans ma particulière solitude le ravage intime que créent les *Lettres à la religieuse portugaise* quand je pense au scarabée d'or et de foudre ?

— Marie-Lou, j'ai besoin de toi.

Je lui montrais le dossier de la colline brûlée. Les présomptions nouvelles au sujet du crime de Mlle Houquart. Voulait-elle signer son accord pour mon enquête bancaire ?

M'écoutait-elle ? Point de bâtonnier à l'horizon. Ses yeux légèrement bouffis prouvaient l'insomnie, les larmes et l'alcool. Moulée dans un tailleur en lin, elle avait enlevé son alliance.

— Marie-Lou, dis-je doucement. J'ai besoin des comptes. J'ai dicté à la Tampon la commission rogatoire pour visiter l'hôtel et interroger la patronne.

— Ferme la porte, Julia.

Elle eut un geste irrité vers les murs, les capitons, les oreilles invisibles et aux aguets.

— Chèremort nous déteste. Il finira par obtenir de Bourges la nullité de ta procédure. Nous jeter, toi et moi, dans un pauvre tribunal de première (et dernière) instance.

— Je le sais. Notre notation chiffrée est déplorable.

La Taponière est déjà au courant. Nous jouissons encore de l'indépendance de nos actes.

Elle ôta les boucles nacrées qui pinçaient ses oreilles et les rougissaient.

— Entendu, Julia. Je fous le camp. Seule.

Depuis des années, son mari la maltraitait.

Perturbé entre l'Eglise et sa croupe, il assumait mal le plaisir qu'elle lui donnait. Il s'en punissait par des crises d'impuissance et de violence. Elle dormait au dernier étage, sur un canapé, dans son bureau. Près d'elle, son whisky et ses dossiers.

— Je vais le tuer, Julia.

Je comprenais mieux, elle, si terrible dans ses admonestations, son indulgence pour les femmes rudoyées qui avaient tué.

Elle partait avec une valise, son salaire, ses livres. Limoges. Sans le bâtonnier. Bien noté car c'est un homme. Plus nul que le planton. Limoges. Vaches, pluie, petits délits, porcelaines.

— J'ai travaillé quatre ans aux affaires matrimoniales. Je perds mes gosses, dit-elle.

Elle composait un numéro de téléphone et dictait dans l'interphone à sa greffière Marie-Chantereine, circonspecte et réticente, une lettre.

— Entendu, Julia ; on ouvre l'enquête. Qu'on s'en paye au moins un.

Elle cosigna mes demandes. Le TGI devint cet épais silence.

La Taponière, amaigrie, vêtue en vieux colonel de la guerre 1914, me cherchait.

— Madame le juge, un témoin pour le crime de Mlle Houquart.

Sur le banc ciré, il y avait un jeune Maghrébin.

Mlle Taponier notait, notait, notait. Ahmed, employé de l'hôtel, parlait d'une traite, un cabas serré contre lui. Un Hindou, Ruy, était chargé de livrer le linge à Mlle Houquart. La dernière fois correspondait à son décès. Pendant son absence, Ahmed s'était glissé dans la chambre de l'Hindou. Il avait trouvé ceci.

Il sortit du cabas un bocal de formol où nageaient des oreilles humaines.

Je retins un haut-le-cœur. Mlle Taponier se redressait, un lent sourire professionnel.

Ahmed continuait.

Son frère, Mustapha, mari de Janine, l'auteur de *Je ne te quitterai jamais mon fils,* avait fui avec elle et l'enfant. Ahmed comptait les rejoindre au Maroc. Il avait fait son devoir, qu'on le laisse aller. La patronne payait ses employés en partie en liquide. On signait ce qu'elle nommait « un bon d'arrangement ». Chaque mois, les employés défilaient. Elle inscrivait sur un cahier à spirale. Il montra sa fiche de paye (au total bien mince). « L'arrangement » comportait la somme la plus forte. Nul n'osait se plaindre. L'emploi était trop rare.

J'avais sous mes yeux les relevés de la banque. Des chiffres, toujours les mêmes, étaient retirés chaque mois. Leur montant correspondait à ce système de l'ombre.

Ma lettre recommandée était dans les mains de la patronne. Mlle Taponier avait envoyé les différentes interpellations aux intervenants. Je téléphonai à Marceau. On mit le bocal en sûreté au laboratoire.

Ahmed avait signé sa déposition. « Vous resterez sous

la protection de la justice. » Il avait, dans la banlieue de Nevers, des amis dans une communauté maghrébine.

— Tu n'as pas le droit ! Je te connais, Julia !

La patronne hurlait, la faveur violacée sous le fond de teint épais.

Elle fit le geste taurin de foncer. Ses mains se crispaient sur le balai disparu. Elle s'affolait.

La voiture à fanion bleu ne tarda pas. Marceau, alerte, bien accompagné, entrait. Il fit savoir aux clients de quitter les lieux « pour raison d'enquête judiciaire ». La patronne avait le même rictus quand elle assassinait le petit chat.

Elle agonisait Ahmed d'injures effroyables.

Nous ne répondions rien et nous engagions dans les étages.

— Suivez-nous, madame, avait ordonné Marceau. Nous interrogerons le personnel à part.

La greffière notait, notait, notait.

Nous pénétrâmes dans la soupente de Ruy.

— Il est parti je ne sais où ! Un traître ! Un voleur !

Je l'interrompis sans douceur.

— Où est votre employé nommé Ruy ?

Ahmed répondit à sa place.

— Dans la secte du barde.

La chambrette était vide, propre, aucune trace. Ahmed montra l'endroit où il avait trouvé le bocal. Au fond d'une penderie en plastique, derrière une pile de draps, entre la photo d'un hibou et d'une monstresse aux bras multiples : Kali.

Un gendarme dut se jeter sur la patronne. Elle avait bondi sur Ahmed. Ainsi faisait-elle, jadis, sur les colporteurs de l'immeuble. Elle le gifla à la volée. La greffière notait, notait, notait. « Voie de faits. »

Marie-Lou intervint.

— Nous voulons voir vos comptes.

Elle blêmissait, perdait un peu la tête.

— Qu'est-ce qu'on t'a fait, Julia ?

— Insulte à magistrat. On ne tutoie pas un juge, nota tout haut la greffière.

L'expert attendait dans le hall. Les employés, plus plats et pâles que d'habitude, se terraient. L'expert fouillait l'écran de l'ordinateur. Nous étions dans un bureau assez laid, derrière la réception.

— Ouvrez ceci, dis-je à la patronne.

Elle ne voulait pas. Je fis un signe. Marceau arracha la serrure. Le tiroir cracha les bons de caisse. Je fouillais, agitée. Je mis enfin la main sur le livre de raison.

La patronne n'était que blasphèmes et grognements. L'expert relisait après moi. En tout, trois cahiers à spirale et couverture verte. Le plus ancien détaillait les dépenses de la société Dolmen Conseil. Les dates, les jours, les heures : tout y était. La faille du crime parfait était là, dans ces pages ordinaires qui en disaient long. Nous épluchâmes l'année 1980. La vente du terrain à Gloria et Maria. En face de leur nom — Jordane — quarante mille francs versés « en liquide ». L'adresse, à Toulon, de l'Ecureuil au livret exténué.

L'expert opinait. Plus de cent victimes en ce genre. On atteignait un beau chiffre. Les murs et les toits de l'hôtel. Marie-Lou appuyait un ongle verni sur le dernier cahier en date. A la veille du crime de Mlle Houquart, le bic soulignait la somme de « vingt mille francs » remise à Ruy. De la part de M. Houquart, « pour services divers ».

— Vous êtes en état d'arrestation, madame Dolmen. Vous êtes accusée de complicité pour *abus de biens sociaux*, recel d'un bocal à contenu criminel, usage de faux avec vos employés, endettement dont se plaint la banque. Une saisie est demandée. La police judiciaire du XVIe arrondissement se chargera de ramener votre fils, inculpé pour les mêmes raisons... Vous avez le droit de choisir un avocat.

— Maître Gobard ! Il vous crèvera ! hurlait-elle.

— Cela m'étonnerait, madame Dolmen. Nous nous sommes renseignés. Il a quitté la France pour l'Afrique du Sud.

Porte de Pantin, la police n'avait rien trouvé. Les voisins s'étaient plaints d'un désastreux dégât d'eau. Mlle Soubiroute-Lapioche « était en voyage ».

La patronne avait enfin perdu sa superbe. Elle écumait, la faveur de la joue presque noire. Il fallut la journée pour entendre chaque employé. On les payait en partie en liquide. Ils avaient sans cesse peur, dépassaient largement le temps légal du labeur.

Qui les avait maudits ? La mère Dolmen supporta mal sa première nuit à la souricière. Pourquoi son fils avait-il dit « non ! » quand elle avait proposé de faire disparaître cette fille, lors de la première démarche contre la rue Lauriston ? Si on avait plastiqué la voiture de l'infecte jugesse, comme elle l'avait suggéré, on serait bien tranquille.

Le neveu Houquart se précipita aux interrogatoires qui suivirent. Il répétait, suant, perdant son contrôle :

— Qui a volé Mon Sisley ?

— Qui a tué votre tante ? disais-je.

On avait arrêté Ruy. J'avais téléphoné à Procureur J et engagé le nécessaire. La secte du barde, au milieu d'un marais picard, dépendait de son territoire. Le procureur et les siens pénétrèrent dans une citadelle gothique à l'intérieur équipé. Fax, téléphones, ordinateurs. Sous un hangar, un avion privé, une Ferrari. Le barde les reçut dans un bureau de verre et d'acier. Une divinité de bronze massif déployait neuf bras. Un hibou géant marquait l'entrée. Les poignées des portes représentaient un hibou. Dans les champs environnants, une foule d'hommes, de femmes, d'enfants vêtus en moines, tête rasée, cultivaient. Ils engraissaient le barde. Ils venaient du quart monde. Ils versaient leur RMI au barde qui, en contrepartie, « les protégeait et sauvait leur karma ». Ils dormaient sous une tente géante, mangeaient à la gamelle les légumes et les fruits pourris. La secte était végétarienne. Tout au moins, ses esclaves. « Nous sommes libres, disaient-ils. Nous pouvons nous en aller quand nous le souhaitons. »

— Ces gens-là votent ! se fâchait le barde.

Sans perruque ni barbe, en costume blanc style mao, son origine asiatique était évidente.

— Le maire, le préfet, le président du conseil général m'invitent. Mes ouailles votent pour eux. On a besoin de notre argent pour des logis sociaux. La vraie justice ? Se rendre utile à son pays. L'aider à sortir de la crise. Donner du pain et des repères... Et l'argent nécessaire aux campagnes électorales.

Ruy répétait « Kali est la Déesse, le Hibou, la Réincarnation, le Barde, notre Maître ». Il le servait personnellement. Il couchait dans une espèce de niche. Au mur, il avait accroché *le hibou de la canne de Mlle Houquart.*

Le bocal avait été analysé. Les oreilles étaient celles de la victime.

Procureur J et le petit assesseur devenu juge d'instruction firent un signe. On embarqua Ruy. Il avait un sourire radieux. Son karma était sauvé.

Le barde était assigné « en résidence surveillée ».

A Hong Kong, il dirige un réseau international de drogue. Il n'a rien à craindre.

— Pourquoi avez-vous donné vingt mille francs à cet Hindou ? disais-je, de mon côté, au neveu Houquart.

— Pour le remercier de s'occuper du linge de ma tante. Qui a volé mon Sisley ?

Nous étions fin juin, la presse s'agitait. On me filma, à mon insu, dans l'enceinte du palais. Mamita s'affolait. « On va te faire du mal, Julia ! pourquoi tous ces gens ? »

307

J'essuyai alors une scène d'enfer.

Le président Chèremort, pour la première fois, sortit de son bureau et de ses gonds.

Il fonça chez moi, osa bousculer Marie-Lou penchée sur nos trouvailles. Mlle Taponier se leva d'un bond. Il y eut une série d'aboiements. Cet homme froid, courtois et cruel, vociférait à mon encontre des injures odieuses. La bave au coin de la bouche, les yeux exorbités, son ombre obscurcissait les dossiers que je rangeais prudemment.

L'essentiel n'était pas les mots orduriers. Les menaces se précisaient. J'avais agi sans son accord. Il avait déclenché la nullité en procédure. La notation chiffrée serait une sale surprise ! Mme Chasseriaux se tenait « comme une moins que rien ».

— Vous savez ce qui advient à des petits juges comme vous ?

Il fit le geste de l'égorgement. Il claqua la double porte.

Il jeta une injure si précise dans son obscénité que la ville en parla longtemps.

— Continuons, dis-je.

Marie-Lou avala une lampée de whisky. La Taponière extirpa une guirlande de kleenex.

— Tout ce qu'il a dit arrivera, madame le juge.

— Continuons, dis-je plus fort.

Nous passâmes la nuit chez la Taponière avec Marie-Lou. Nous montions, tel un scénario, la reconstitution du crime de Mlle Houquart. Il fallait accélérer avant les vacances judiciaires, nouvel handicap pour ralentir mon action. Procureur J avait livré, en même temps que Ruy, sa déposition. L'Hindou avait avoué calmement la portée d'un sacrifice humain. Les oreilles de Mlle Houquart devaient être offertes à Kali. Elles avaient disparu. Ahmed l'avait volé, trahi. Son karma serait maudit.

— Un fou dangereux, disions-nous. Manipulé, c'est évident.

Chèremort n'envoyait plus un seul billet et se fit invisible.

— Il prépare ses saloperies, maugréait Marie-Lou.

La reconstitution fut pénible. On ouvrit la maison couverte de poussière. Le petit brancardier, très ébranlé, supportait mal le mannequin représentant Mlle Houquart. « Elle m'a tapée », répétait-il. Quand je lui demandai de serrer le cou, il se roula au sol, pris d'une crise d'épilepsie. L'ambulance l'emmena. L'hôpital psychiatrique serait désormais son lot.

Une odeur funèbre s'était répandue. A la place du tableau disparu (que l'on ne retrouva jamais et qui resta une énigme), il y avait une toile d'araignée. L'araignée courait, tissait sans relâche son étoile mortelle. Ruy se prêta à chaque geste avec une courtoisie à glacer les os. Il était venu quelques minutes après le brancardier. Il avait trouvé Mlle Houquart hors d'elle, la bouche remplie de vilains mots. Sans doute Kali avait envoyé dans sa langue l'esprit mauvais ?

Il s'inclinait devant le mannequin.

Il avait alors saisi la canne. Il baisa respectueusement le hibou argent. En parlant de Mlle Houquart, il disait « l'offrande à Kali ». La greffière notait, de la sueur sur les touches. « L'offrande à Kali » renversa un guéridon. Ruy s'inclinait et frappait proprement le crâne avec le lourd pommeau. A chaque coup, il répétait « quel honneur d'être offerte à Kali ! ». Elle ne cria pas longtemps.

— Le Hibou commande. Je suis son serviteur, continuait le fou.

Il sortit la matraque d'un gendarme, censée représenter le poignard retrouvé chez le barde. Il tailla d'un geste chirurgical les oreilles bourrées de son. Nous eûmes l'impression qu'elles allaient saigner.

Il s'inclina. Souriant.

Il ne répondit rien sur le Sisley. Ces choses-là perdent le karma des hommes. L'argent qu'on lui avait donné appartenait à la secte. Il ne possédait rien, ne voulait rien. Excepté sauver sa Réincarnation. Plaire à Kali, au Hibou et au Barde.

Marie-Lou sortit son whisky. Mlle Taponier, ses kleenex. La gendarmerie prenait des mesures. Des flashs crépitaient.

J'aurais voulu entendre maître Gobard. Il était à Dundo, pour affaires.

Dans la pièce au lit de camp, il avait traversé une vraie colère. Léo l'avait plaqué. Disparue, la garce ! Avec ce petit mec ! Quelque chose d'autre que son orgueil souffrait. Il avait éprouvé une tendresse, le ralenti de ses « hop hop » grâce à sa présence si caressante. La vague envie de chérir enfin une femme… Sur le lit de camp, il se sentait pauvre. Son appartement, ses biens rutilants, tout le dégoûtait. Dire qu'il avait rêvé, presque salement, à un tableau de plus ! Il contemplait la chapelle en plastique. Bernadette, sa petite sainte favorite, au point de nommer Soubiroute la fourbe. « Pardonne-moi, sainte Bernadette. »

Il était allé à Nevers bien avant de connaître Dolmen. Seul, incognito. Il avait longtemps prié devant le cercueil en verre, à l'église Saint-Gildard où repose, intact, exhumé, le corps d'enfant de la sainte. Il avait laissé dans le tronc une somme importante. Elle l'avait toujours protégé, lui et ses histoires.

Irait-il à Lourdes laver les pieds des malades ? Il en était là dans ses réflexions quand un fax se déroula sur la table en bois blanc.

Le Régent vert lui demandait d'accélérer le divorce de Géranium réfugiée chez lui. Le Régent vieillissait. Voulait-il se charger de gérer ses mines de diamants ?

— Oui ! cria-t-il. Merci, chère petite sainte et Toi, Vierge Marie !

Il récita le *Confiteor* en latin et bondit dans un avion.

Il a gagné de façon éclatante la séparation de Géranium, maigre, défaite, désespérée. Il fait prospérer les mines du Régent. Il l'a récompensé en lui donnant en mariage, sa seconde fille, Potentille, la Toute Laide. Une des mines fait partie de la dot.

Dieu seul est au-dessus de nous ! disait Gobard sans se douter qu'un infarctus foudroyant se préparait. Il n'eut pas le temps de voir son premier — et dernier — bébé.

La mariée-veuve avait quarante ans de moins que Gobard. Beaucoup d'or. Le bébé, une fille, fut baptisée « Pivoine » par le Régent.

Des gros titres s'imprimaient : « Le Grand Viking a volé l'argent des pauvres. Sa banque est endettée. »

L'énumération de ses biens, meubles, bolides, maisons, donnait le vertige. Son avocat, gros canon, ennemi mortel de Gobard, amoureux des grandes crapules, réussit à faire reculer la saisie. La patronne fut assignée en résidence surveillée.

— Continuons ! disais-je, dans le bureau surchauffé.

Les kleenex de la Taponière épongeaient nos fronts. Le TGI nous faisait la gueule. Plus de têtes aux portes ; le silence, lourd d'un sens mortel.

Le président Chèremort frôla une attaque. Il supportait mal mon ultime sommation : Dolmen ne s'était pas présenté au premier interrogatoire. Y compris celui de sa mère.

Marie-Lou et moi signâmes son inculpation.

— Allez à Nevers ! avait conseillé l'avocat qui possédait un château du XVIIIe siècle. Ce juge lamentable se met dans son tort. La nullité en procédure est signée. Son président m'a téléphoné. Il n'y a rien à reprocher à votre entreprise. Je serai près de vous. Je parlerai si bon me semble.

— Tout n'est pas en règle, disaient les experts aux mains glacées.

Le neveu Houquart était au bord d'un curieux déséquilibre. Je l'interrogeais sans relâche.

— Où est mon Sisley ? mon Gobard ? disait-il d'un ton si étrange que nous le fixions sans un mot.

— Où sont votre Gobard et votre Sisley ? demandais-je pendant quatre heures d'affilée.

312

Il éclata brusquement en sanglots. Il sentait l'acide urique. Il était purpurin. Nous tendions l'oreille.

— Cela n'a servi à rien ! pleurait-il.

— Quoi donc ?

Je le harcelais ; je devinais. Je brûlais. O Maria, le feu qui dévore ; le feu, bleu.

Dans le bureau aux stucs et au grand soleil déployé, Dolmen se tait. La plupart de ses employés ont donné leur démission. Les deux Marcels, oubliés, survivent dans une cave aux écrans enfin vides. Ils tapent leurs derniers poèmes. La mort n'est rien, un léger passage. Ils comptent les rimes de leurs strophes ; les récitent à gorge déployée. Plus de chauffeur-videur, de Hugue-note surgissant avec d'improbables chandeliers au rabais. Le bonheur est là. Ils sont redevenus des poètes.

J'avais reçu un dénommé Jambe-de-laine. Ma gref-fière m'avait remis le contenu de la malle de son Président. Ce nègre de l'entreprise du Grand Viking déposa contre lui. On ne lui avait jamais payé ses droits étrangers. On ravalait de façon déplorable ses pourcen-tages. Il avait, parfois, été frappé violemment.

— Regarde ! dis-je à Marie-Lou.

Nous nous amusions à feuilleter l'authentique manuscrit de *Je ne te quitterai jamais mon fils*.

— Où est le manuscrit de la fourmi ?

Jambe-de-laine eut un geste impuissant.

— Avalé par le note book.

— Qu'allez-vous faire maintenant ?

Il sourit et ressembla à une sorte d'ange.

— Ecrire des poèmes.

Je lui serrais la main.

Je n'avais plus besoin d'Ahmed qui avait rejoint son pays.

Janine a retrouvé Mustapha et l'enfant. Ils vivent dans un HLM à Marrakech. Entassés. On fait famille. Rachid recommence à parler et à rire. Il joue en bas de l'immeuble avec ses cousins. Une aïeule tatouée domine la tribu. Parfois, Janine reçoit une gifle de son mari. L'argent qu'elle avait réussi à sauver a été versé à un groupe intégriste. Janine est enceinte. Elle porte le tchador. Elle obéit à l'aïeule. Ses cheveux et le dos de ses mains sont passés au henné rouge. Elle est devenue musulmane.

Le père Dolmen a fui la villa, et les siens. Il partage une chambrée d'éboueurs africains. Il a repris du service auprès de la ville. Son camion-poubelle lui manquait. La Fortune le rendait malade à crever.

La Fortune n'est plus une roue. La toile de l'araigne se défait à une vitesse prodigieuse.

La Société protectrice des animaux, grâce au legs de Mlle Houquart, a racheté à vil prix l'hôtel surendetté. Il devint, trois années plus tard, une clinique pour dépression nerveuse des animaux. On psychanalysait en même temps leurs maîtres. Les patients, allongés près de leur perruche, leur chat, serpent, lézard, petit crocodile, c'était selon, débitaient des fantasmes déconcertants. Impuissance, envie de pénis (le serpent), frustration en tout genre.

Quand la bête crevait, le patient se sentait mieux.

Il y eut un plateau télévisé médical sur ce sujet. Sans Jan-Lou Saxo, curieusement atteint d'un bégaiement intolérable.

— Attention, Jordane! grinçaient les voix administratives.

Que m'importait. J'avais tout dévoilé.

— On vous reproche, Jordane, de vous être occupée d'une affaire où vous connaissiez les comparses. Vous étiez de la famille de la victime. Souvenez-vous du serment. Vous n'êtes plus dans la loi.

Les livres de raison embêtaient fortement l'avocat-gros-canon.

— Evidemment, bougonnait-il, quelle erreur!

Dolmen avait reçu gaiement la PJ de son arrondissement. Au long de son transport jusqu'à Nevers, il riait. Il récita en entier, secoué entre deux uniformes bleus, les guerres picrocholines.

La Jordanie... Qui savait donc qu'aux Caraïbes, dans une banque connue de lui seul, une somme époustouflante l'attendait ? Un jour, il rejoindrait l'argent et retrouverait la Fille. Un jour...

Tuer ou aimer, un seul et même assaut.

Taille, ma fille, taille.

Une instruction de ce poids allait durer trente-six mois et je ne l'achèverais pas. Un matin, on me jugea dans mon propre bureau. Des hommes en noir. Le président Chèremort. Le juge qui allait me remplacer, sec jeune homme de Châteaudun. Les accusations allaient bon train. On me retira l'instruction. Je fus mutée à Mons. Une première instance. Ma Taponière reniflait. Marie-Lou végétait à Limoges. Mais j'étais parvenue à mes fins : arracher en entier la perruque d'un arbre pourri. Il était impossible d'étouffer le scandale. Même si l'avocat-canon sortit de justesse Dolmen de prison, le dossier excitait des juges connus. Ils avaient pris mon relais. La presse et l'opinion publique se retournaient contre leur idole.

Comment oublier ce premier (et unique) interrogatoire avec le sujet principal de ma vie ?

J'étais vêtue de blanc. Une robe en soie légère. J'avais défait mes cheveux. Ma greffière fit un « ho ! » choqué comme si j'étais nue. J'ignorais l'avocat-canon installé sans ma permission.

316

NOTE DE SYNTHÈSE

Quand on emmena Dolmen, menotté et faraud, il souriait. Il m'enveloppait de feu, de velours, d'un sourire de loup. Il n'écoutait rien et fixait mon cou.

Dans une chaîne, j'avais glissé le scarabée en plastique vert.

NOTE DE SYNTHÈSE

TABLE

Achevé d'imprimer en janvier 1995
sur presse CAMERON
dans les ateliers de B.C.I.
à Saint-Amand-Montrond (Cher)
pour le compte des éditions Grasset
61, rue des Saints-Pères, 75006 Paris

N° d'Édition : 9628. N° d'impression : 3018-94/882
Dépôt légal : janvier 1995

Imprimé en France
ISBN : 2-246-48111-2